La
MARAVILLOSA
HISTORIA
del
ESPAÑOL

La MARAVILLOSA HISTORIA del ESPAÑOL

*Francisco
Moreno Fernández*

INSTITUTO
CERVANTES

Obra editada en colaboración con Espasa Libros, S.L.U. – España

© 2015, Instituto Cervantes
© 2015, Francisco Moreno Fernández
© 2015, Espasa Libros S.L.U. – Barcelona, España

Mapas del interior: Luis Doyague
Imágenes de interior: Archivo Fotográfico Espasa; Oronoz – Álbum (para la imagen «Mapa itinerante de los caminos por los que anduvo Don Quijote», obra de Tomás Gómez, 1780)

Diseño de la portada: Departamento de Arte y Diseño, Área Editorial Grupo Planeta

Derechos reservados

© 2016, Editorial Planeta Mexicana, S.A. de C.V.
Bajo el sello editorial ESPASA M.R.
Avenida Presidente Masarik núm. 111, Piso 2
Colonia Polanco V Sección
Deleg. Miguel Hidalgo
C.P. 11560, México, D.F.
www.planetadelibros.com.mx

Primera edición impresa en España: 2015
ISBN: 978-84-670-4427-0
NIPO: 503-15-030-1

Primera edición impresa en México: febrero de 2016
ISBN: 978-607-07-3262-1

Impreso en los talleres de Litográfica Ingramex, S.A. de C.V.
Centeno núm. 162-1, colonia Granjas Esmeralda, México, D.F.
Impreso en México - *Printed in Mexico*

Índice

Apéndices

Introducción

Sepan cuantos este libro lean que narra la historia de la lengua española o castellana, una historia milenaria que admira y sorprende a quienes a ella se acercan. La historia del español, depositaria de múltiples culturas, está repleta de rasgos, hechos y circunstancias que merecen calificarse de «maravillosos». Podría argüirse que hablar de «maravillas» supone adoptar una actitud impresionista, ajena a la objetividad, que no resulta adecuada para escribir la historia, pero es que una parte esencial de ella, como de las lenguas, se sustenta precisamente sobre percepciones y apreciaciones subjetivas. Cuando Cristóbal Colón relató por vez primera lo que había conocido en las Indias, una de las palabras que más veces repitió fue *maravilla* porque milagroso y fascinante le parecía todo lo que sus ojos habían visto.

La palabra *maravilla* fue definida por Sebastián de Covarrubias en 1611 como «cosa que causa admiración»; y *maravillarse*, como «admirarse viendo los efectos e ignorando las causas». Y esto es precisamente lo que la historia de la lengua española provoca en el curioso o el estudiante, el profesional o el aprendiz, el joven o el viejo, el campesino o el ciudadano: admiración, sorpresa, fascinación. Toda lengua ofrece trazos asombrosos en su historia y por eso no ha de extrañar que maraville lo acontecido con el español, una lengua de tan ancha geografía como larga historia. Las lenguas son, sin duda, el mayor logro de la humanidad y la lengua española, uno de los tesoros de la cultura universal.

Para Samuel Johnson, las lenguas son la genealogía de las naciones y, si es así, la española constituiría la de más de veinte países y pueblos del mundo. Por la riqueza de sus acontecimientos y matices, la historia del español podría considerarse extraordinaria, si no fuera porque otras lenguas habrían experimentado los mismos procesos en circunstancias similares. En tal sentido, esta no es una historia romántica ni idealista, ni frota la lámpara de la que ha de salir el genio de la lengua, ni identifica el español con un sino de esplendor o de gloria. Aquí interesa la pura vida lingüística y social del español, así como de la gente que lo ha hablado a lo largo del tiempo, sin reproches ni jactancias; sin complejos ni vanidades. Esta historia se narra a base de hechos extraordinarios, pero también cotidianos, todos ellos dignos de admiración. Azorín prefería la «historia menuda» a la de los grandes nombres y hazañas, pero lo cierto es que en la historia de una lengua tan decisivo es lo uno como lo otro.

La historia de la lengua española está trenzada con enunciados y palabras, textos y discursos que han creado un tejido cultural capaz de cubrir buena parte de la geografía occidental. Esa historia se ha desarrollado en un día a día de acciones comunicativas en las que los hablantes, condicionados por su entorno geográfico, social y cultural, han aprendido la lengua de sus padres, a menudo simplificándola, han repetido fórmulas adquiridas e incorporado expresiones adecuadas a las nuevas realidades. La historia de la lengua española es la historia de sus hablantes, de sus agrupaciones y comunidades, conjugada con las evoluciones nacidas de la misma lengua. Es, además, una historia condicionada por el repertorio idiomático de los territorios en que se ha implantado. Porque las lenguas, como los pueblos, rara vez viven aisladas. En la península ibérica, el español ha compartido vecindario con lenguas románicas y no románicas, en un intercambio sin fin. En la América hispana, la convivencia con las lenguas indígenas u originarias ha condicionado la forma de unas y otras, y ha llevado a la redistribución de sus espacios sociales, por lo general, en beneficio del español y sus hablantes. Aparte de esto y de la presencia secular del latín, probablemente las lenguas que más huella han dejado en el español general, mediante la convivencia a lo largo de los siglos, hayan sido el francés, desde Europa, y el náhuatl, desde América.

La historia de la lengua española que el lector tiene ante sus ojos narra cronológicamente los hechos más significativos que la han jalonado a lo largo de los siglos. Asimismo está organizada en tres partes cuyos puntos de inflexión corresponden a dos acontecimientos singularmente decisivos: el paso del español desde el continente europeo al americano, a partir de 1492, y su adopción como lengua de las repúblicas americanas tras las independencias, a partir de 1810. Cada capítulo está referido a una época concreta, sin renunciar al anticipo de aspectos futuros ni al recuerdo de los pasados si la explicación sale con ello ganando en claridad y dinamismo. La narración histórica, a su vez, se alterna con dos complementos informativos: la historia de dos personajes referidos a cada época, hombres y mujeres, no siempre reales, de diversas latitudes, y la historia de dos

palabras ligadas a cada periodo. De este modo, quien no desee leer linealmente la narración, puede conocer la evolución social de la lengua española a través de 36 de sus personajes o de 36 de sus palabras. El nombre
del epígrafe en que se presentan los primeros es «Personajes, personas y
personillas» y alude el título de una célebre obra de Luis Montoto que explica el origen de muchos de los nombres propios que han poblado el lenguaje coloquial castellano: *Personajes, personas y personillas que corren
por las tierras de ambas Castillas* (1911). En cuanto a las palabras, no son
tratadas, claro está, con la profundidad de un diccionario histórico o etimológico, pero su origen queda explicado junto a muchas de las derivaciones que el tiempo ha provocado en ellas. De igual forma que David
Crystal ofreció su *Historia del inglés en 100 palabras*, aquí se hace un re-
corrido de solo 36, pero que resulta interesante para quien guste de apreciar de un modo más preciso cómo el tiempo hace mella y deja huella en
la historia del léxico español.

Finalmente, esta historia de la lengua española aspira a ser estrictamente eso: una historia centrada en el español o castellano, no en otras
lenguas, por cercanas que le sean; y una historia que refleje lo ocurrido
a la lengua en todas sus etapas, en todos sus territorios y a sus grupos sociales mayoritarios. No se busque en estas páginas una historia exhaustiva
porque de ninguna manera se encontrará, como tampoco se hallará la información pormenorizada que suelen demandar los historiadores o los
filólogos. Este libro tan solo ofrece una narración del devenir de una de las
lenguas más admirables de occidente; lo que no es poco. Pero, sobre todo,
esta obra refleja la fascinación de su autor por el milagro que supone la
supervivencia de una lengua —con su infinidad de formas, significados y
variantes— a lo largo de un milenio y dispersa por una vastísima geografía.
Vale.

Agradecimientos

Durante la redacción de esta obra han sido esenciales la opinión, el buen juicio y el mucho saber de varias personas, a quienes expreso mi agradecimiento más sincero: Javier Pueyo, María del Mar Martín de Nicolás, Pilar Cortés, Clara González Tosat y Rebeca Gutiérrez Rivilla. A Víctor García de la Concha he de agradecerle su confianza por el encargo de este libro para la colección del Instituto Cervantes. No podría haber imaginado mejor ocupación para sobrellevar el invierno más duro, desde que hay registros, de la historia de Nueva Inglaterra.

Universidad de Harvard. Cambridge, MA, 4 de julio de 2015

07/27/2019

Item(s) Checked Out

TITLE	La maravillosa
BARCODE	33029104727458
DUE DATE	**08-17-19**
TITLE	Échale la culpa a la
BARCODE	33029102351657
DUE DATE	**08-17-19**

Total Items This Session: 2

Terminal #   250

Parte I

De los orígenes a las grandes navegaciones

1
El paisaje lingüístico de Europa

La historia lingüística de Europa es realmente fascinante. Es una historia de fronteras, disputas y rivalidades, pero, al mismo tiempo, es una historia de espacios comunes, entendimientos y coincidencias. Con el paso del tiempo, las lenguas europeas se fueron haciendo las unas a las otras, intercambiando componentes en un gran proceso de mestizaje secular. Las lenguas de la península ibérica también han sido protagonistas en ese proceso de intercambio y con ellas, naturalmente, la lengua española.

La cultura del continente europeo ha estado marcada por la suerte de cuatro familias lingüísticas emparentadas desde hace tres mil años: la celta, la itálica, la germánica y la eslava. El parentesco entre ellas se debe a un ancestro común: una lengua a la que los lingüistas del siglo XIX llamaron «indoeuropeo». En consecuencia, todas las lenguas miembros de esas cuatro familias son lenguas indoeuropeas: el inglés, el alemán, el ruso, el griego..., y el español. Sin embargo, no lo son todas las lenguas de Europa porque unas pocas, cuyo origen no ha podido conocerse, arribaron por otros caminos: el finés, el húngaro, el estonio, las lenguas laponas y el vasco o euskera. Las distancias lingüísticas entre unas y otras son claramente apreciables.

La *familia celta* se extendía, antes de Cristo, por gran parte del continente europeo. Sus dominios incorporaban también el noroeste de la península ibérica y diversos puntos a lo largo de la costa atlántica. La *familia itálica* incluía, entre otras, dos de las grandes lenguas de la cultura antigua —el latín y el griego— que extendieron sus dominios por el Mediterráneo occidental, la primera, y por el oriental, la segunda. El apogeo del latín fue consecuencia del Imperio romano; el del griego llegó con la extensión del Imperio bizantino, tras la división de la Roma imperial. Al norte de Europa, la *familia germánica* tenía frontera con los celtas en el río Rin. Su expansión hacia el sur y el oeste llegaría con el saqueo de Roma (410) y con la entrada de los pueblos germánicos en la península ibérica. Finalmente, la *familia eslava* tuvo su primer dominio en la Europa nororiental y desde ahí se fue extendiendo hacia el sur hasta llegar a Bizancio en el siglo VI.

Entre todas las lenguas europeas, las que menos influencia han ejercido sobre el español históricamente han sido las eslavas, más allá de algunas formas léxicas —*corbata, bohemia, esclavo, zar, obús, mazurca*— que han podido llegar a través de otras lenguas en tiempos más modernos. La influencia de las familias celta y germánica, sin embargo, ha sido más profunda; y la de las demás lenguas derivadas del latín —las lenguas románicas o romances, las de dentro y las de fuera de la península— resultó sencillamente esencial para el devenir del español. Pensemos que el imperio romano se articulaba como una comunidad cultural, en la que era fundamental el uso del latín, sobre todo escrito, que vertebraba la comunicación y fijaba una referencia de buen uso. Esa referencia, no obstante, se fue diluyendo con la decadencia de Roma y la escritura pasó a ser prerrogativa de unos pocos, mientras los más eran siervos de unas hablas que se iban alejando entre sí conforme la comunicación se hacía más y más difícil. Tanto fue así que, entre los siglos IV y X, las hablas latinas populares se fragmentaron de manera irremisible.

Ahora bien, para el arranque de nuestra historia del español es imprescindible conocer la situación lingüística de Europa en torno al año 1000. Por entonces, el continente europeo tenía una población de unos 38 millones de habitantes, la mitad de ellos en los países mediterráneos, si bien estos no constituían el mayor espacio cultural del mundo, ya que el Imperio mongol y la China de la dinastía Song reunían, cada uno, a más de 100 millones de almas. En ese año 1000, Europa estaba dominada por cuatro grandes grupos lingüísticos, herederos de los antiguos: el eslavo, el celta, el germánico y, ahora, el romance, a los que se sumaba una lengua superestructural y común, el latín, idioma de la Iglesia occidental. Este latín se utilizaba en la escritura y en los discursos públicos más elevados: las cortes reales, las artes y las ciencias, la vida eclesiástica, los centros de estudios. Era una lengua de estatus social alto que se oponía al uso privado y popular de las lenguas habladas, entre las que se contaban las románicas, que comenzaban a distanciarse definitivamente del latín. Hasta qué punto eran inteligibles esas lenguas habladas entre sí es muy difícil de saber. Con toda probabilidad, las hablas de un lugar eran comprensibles para los vecinos próximos y las de estos para los de más allá; y así sucesivamente, formando una cadena que, en un momento dado, ya no podría garantizar la intercomprensión entre la primera habla de la cadena y la de los pueblos con los que no tenía contacto directo.

Grandes familias lingüísticas de Europa

El panorama idiomático de cada región europea respondía a sus específicas condiciones históricas y geográficas. La frontera germano-eslava, en principio situada en el río Elba, se desplazó hacia el este en el siglo XII, de modo que los eslavos llegaron a hablar alemán con sus seño-res y griego con los bizantinos del sur, además de latín con los europeos occidentales. Al otro extremo del espacio germánico, las islas británicas se repartían entre los dialectos del inglés antiguo, llamado anglosajón —de origen germánico— y dos grandes dialectos celtas: el galés y el gaélico, este último aún vivo en las actuales Escocia e Irlanda. A partir del si-glo XI, con la invasión normanda de Guillermo el Conquistador, que se acompañó de bretones y francos, la lengua francesa llegó a las islas y se convirtió en idioma de la corte durante tres siglos. La influencia del fran-cés sobre el anglosajón fue tan profunda que, con base en el léxico, sería difícil determinar si el inglés moderno es una lengua germánica o romá-nica. En cuanto a la frontera entre el espacio románico y el germánico, no existían límites claros y rígidos; era más bien un franja compartida, de control laxo, con transeúntes que hablaban distintas lenguas, excepto en la frontera franco-germana.

Dentro de la Romania, en Italia proliferaban varias modalidades romances, aunque en el sur se hablaba griego y en Sicilia, árabe. Francia, por su parte, repartía la mayor parte de su territorio entre la *langue d'oil*, al norte, y la *langue d'oc*, al sur, en la Aquitania. Ambas convivían con otras lenguas, como el bretón o el vasco. La *langue d'oc* también se llamó *provenzal* y su prestigio como lengua literaria y de cultura fue tal que llegó a utilizarse como lengua franca de la corte y la literatura; es decir, como lengua común entre hablantes cultos de lenguas maternas diversas. Precisamente la existencia de lenguas francas —sea el latín, sea el provenzal, sea la *lingua franca* del Mediterráneo, forjada probablemente durante las Cruzadas— adquirió mayor relevancia durante la Edad Media por cuanto las lenguas habladas estaban más aisladas que en la actualidad y sus fronteras eran más inestables.

La situación lingüística de la Europa medieval nos revela algunos hechos muy significativos. Uno de ellos tiene que ver con el sentimiento de identidad geográfica que, si bien en la historia moderna se exhibe con orgullo, durante la Edad Media resultó débil y a veces inexistente. En realidad, excepto en las fronteras franco-germano y anglo-celta, no existieron fuertes sentimientos de pertenencia geográfica, tal vez porque las fronteras culturales eran más borrosas, religión aparte. Del mismo modo, es cierto que la historia lingüística de Europa se ha escrito a base de conquistas militares y que el ser humano es muy sensible a las diferencias de lengua, especialmente en la Europa contemporánea, pero las cosas no siempre han sido así. Para los francos medievales significó mucho hablar su lengua y no alemán, efectivamente, pero, como explicó en 2000 el historiador Christopher Brooke, en el mismo periodo, Inglaterra fue conquistada por una dinastía francesa que no necesitó aprender inglés. Por su parte, Escocia se transformó socialmente bajo la influencia de Margarita, esposa del rey Malcolm III (el Malcom de *Macbeth*), una princesa de origen inglés, que había sido educada en Hungría, donde hablaba latín en casa, y que parece que no llegó a hablar gaélico. Al mismo tiempo, la iglesia británica se sometió a la primacía de dos prelados italianos que probablemente utilizaban el latín para su comunicación cotidiana sin que ello supusiera una dificultad insalvable para nadie. Los matrimonios entre casas reales de distintas partes de Europa no parecían tener complicaciones de lengua, ni tampoco las estancias europeas de clérigos y estudiantes, como mostraba el anónimo autor del poema *Razón de amor* al escribir sobre sí mismo:

> mas siempre hobo criança
> en Alemania y en Francia;
> moró mucho en Lombardía
> para aprender cortesía.
>
> ANÓNIMO, *Razón de amor*, h. 1250

Existió, eso sí, un uso franco del latín, de alto estatus sociocultural, aunque su forma popular llegó a constituir una de las preocupaciones del emperador Carlomagno y de su sucesor, Luis el Piadoso. Así se originó uno de los proyectos culturales más representativos de la Europa medieval: la *reforma carolingia*, también llamada *renacimiento carolingio*. Carlomagno, a la vista del grado de deterioro cultural al que Europa había llegado a finales del siglo VIII, como consecuencia de la desmembración de los imperios de oriente y de occidente, así como de las interminables conquistas de su dinastía, quiso promover una actividad cultural capaz de paliar la decadencia y, al tiempo, de favorecer la cohesión cultural y religiosa de su imperio. Así, dispuso la creación de escuelas junto a las iglesias para impartir una instrucción obligatoria en latín y se rodeó en su corte de intelectuales de primera línea para que lo ilustraran y aconsejaran. Ellos se encargaron de promover la recuperación de manuscritos de textos clásicos, que de otro modo se habrían perdido para siempre, y de incentivar los estudios en materia litúrgica, literaria, jurídica, artística. La labor de copia de textos comenzó a desplegarse dentro de los muros de decenas de monasterios y las bibliotecas se multiplicaron.

En el plano propiamente lingüístico, el renacimiento carolingio también tuvo significativas consecuencias. La principal fue la creación del latín medieval más característico, que se derivó de la revisión y corrección de los textos latinos antiguos y que hizo posible la homogeneización del latín como lengua común para la escritura en Europa, facilitando la comunicación cultural entre territorios diferentes. No era la primera vez que se intentaba la restauración y el cuidado de los textos antiguos, sobre todo con fines de enseñanza; de hecho san Isidoro de Sevilla, el gran sabio de la época hispanogoda (siglo VI), también había promovido una renovación del latín. Pero la repercusión de la empresa carolingia fue mayor y con más trascendencia, puesto que se produjo durante la formación de las lenguas romances. En una situación en la que el latín tardío y los romances tempranos parecían converger, la recuperación del latín original de Marcial, Cicerón, Ovidio o Virgilio, así como de los grandes padres de la Iglesia, contribuyó a construir un latín renovado, escrito y hablado, para la vida eclesiástica, con capacidad de diferenciarse del *sermo rusticus* 'habla rústica', oral y popular. Podría decirse que el renacimiento carolingio y la latinidad eclesiástica, en general, no fueron determinantes para la configuración de las nuevas lenguas europeas; y sería cierto, pero no puede negarse que resultaron sencillamente imprescindibles para la transmisión de la cultura clásica en occidente. Las nuevas lenguas de Europa se fraguaban cotidianamente en la vida vecinal, en los mercados, entre la gente de los feudos, y fueron poco a poco trasladándose a la lengua escrita, en ocasiones con poca conciencia de reflejar sobre el pergamino o el papel una nueva modalidad y mucho menos de estar iniciando la historia de una lengua. Este fue el caso del texto llamado «Noditia de Kesos», una humilde relación de quesos elaborada por un monje de León, como veremos más adelante. El punto de inflexión fue el siglo IX, ya que desde el año 800 se desencadenó por Europa toda una cascada de «primeros testimonios» escritos. Entre esos primeros testimonios merecen destacarse las dos líneas en romance italiano veronés conocidas como la *Adivinanza veronesa* (800):

> Delante de sí guiaba a los bueyes, araba un prado blanco, tenía un arado blanco y sembraba una semilla negra.

La respuesta a esta antigua adivinanza es «la escritura». Algo posterior (842) es el famoso documento de los *Juramentos de Estrasburgo*, escrito en lenguas germánica y romance francesa, por el que dos nietos de Carlomagno se aliaban en contra de un tercero. Después llegaron otros textos menores en Francia, aunque no alcanzaron la relevancia de la poesía provenzal o del *Cantar de Roldán* (1170). Este cantar, donde se narra la escaramuza de Roncesvalles, es pieza clave de la literatura épica europea, con la que entronca el anónimo y castellano *Cantar de mío Cid*. Fuera del ámbito románico, en la Alta Edad Media también destacaron el poema épico anglosajón *Beowulf* y la poesía alemana de los *Minnesänger*, entre otros textos.

Castilla	Florencia	Francia	Inglaterra	Alemania
Don Juan Manuel, *El conde Lucanor* (1330-1343) Juan Ruiz, *Libro de Buen Amor* (1330-1343)	Dante Alighieri, *La divina comedia* (1302-1321) Giovanni Bocaccio, *Decamerón* (1351-1353)	Guillaume de Machaut, *Ars Nova* (s. XIV)	Geoffrey Chaucer, *Los cuentos de Canterbury* (1380)	*Cantar de los Nibelungos* (s. XIII)

Castilla	Florencia	Francia	Inglaterra	Alemania
Fernando de Rojas, *La Celestina* (1500)	Francesco Petrarca, *Cancionero* (1470)			

Obras destacadas de la Baja Edad Media europea

A partir del siglo xiv, la literatura europea, liberada del yugo de un latín que condicionaba grandemente su creatividad, experimentó un desarrollo espectacular, con frutos excepcionales en todos los géneros y con maravillas literarias que han influido en la cultura posterior, la europea y la universal, en todas sus manifestaciones: la música, la pintura, la escultura, el cine. Esta es la Europa lingüística y literaria que sirvió de marco al origen y desarrollo de la lengua española; un marco pleno de rasgos, obras y personajes fascinantes, un marco cuyo destino ha estado unido indefectiblemente al de la península ibérica a lo largo de toda su historia.

Personajes, personas y personillas

Alcuino de York

La reforma cultural carolingia tuvo un nombre propio, más allá de Carlomagno y de Luis el Piadoso: Alcuino de York, teólogo y erudito británico. Alcuino nació en 736 y murió en 805, con casi setenta años de vida dedicada a la religión, el estudio y la cultura; tanto, que su epitafio reza así:

Dust, worms, and ashes now...   Polvo, gusanos y cenizas ahora...
Alcuin my name, wisdom I always loved,   Alcuino me llamo, la sabiduría siempre amé
Pray, reader, for my soul.   Ruega, lector, por mi alma.

Su biografía intelectual comenzó en Inglaterra, donde tuvo que enfrentarse al aprendizaje del latín eclesiástico, con una diferencia respecto de los que lo estudiaban en las tierras francesas o italianas: su lengua materna, el anglosajón, no procedía del propio latín, sino de otra familia lingüística. Este simple hecho le dio una perspectiva más distante de la lengua de la Iglesia y le permitió percibir con claridad cuáles eran los instrumentos más eficaces para el aprendizaje y cuáles eran los factores que lo dificultaban. Su diagnóstico fue certero: había que dotar de nuevas normas al latín, a partir de la gramática clásica en la escritura y confiriendo uniformidad a la pronunciación; había que reescribir las obras que habían sido copiadas una y otra vez en un proceso de corrupción paulatina e imperceptible; había que escribir el latín en una letra legible y clara, para que pudiera ser leído por todos de igual manera; había que crear bibliotecas accesibles; había que llevar la enseñanza del latín a las escuelas; había que redactar manuales y glosarios que facilitaran el estudio; había que formar maestros capaces de enseñar una pronunciación y una escritura coherentes, y liberarse del aprendizaje intuitivo de la lengua.

Carlomagno tuvo la oportunidad de conocer a Alcuino de York en el 781 y un año después lo llamó para que formara parte de la corte de sabios que debían alumbrar una reforma capaz de llevar la cultura a los últimos rincones de su imperio, como aglutinante de la unidad religiosa y política en torno a la figura del monarca. Alcuino lideró la tarea lingüística y se ocupó de los detalles grandes, como la creación de una red escolar, y de los pequeños, como la reforma ortográfica del latín, en la que se proponía la distinción entre letras mayúsculas y minúsculas, como se viene haciendo hasta hoy. Todo ello junto a intelectuales como Paulo Diácono, Pedro de Pisa o Rábano Mauro, al servicio del emperador. «El Señor me llamó al servicio del rey Carlos», decía.

Alcuino enseñó durante varios años en la Escuela Palatina de Aquisgrán, cerca del monarca, al que también formó en las artes liberales, junto a sus hijos. A lo largo de su vida produjo una importante obra escrita, no exenta por momentos de tintes eróticos, en la que lógicamente destacaron sus trabajos pedagógicos: *De grammatica, De dialectica, De rhetorica, De orthographia*. No obstante, pocas cosas le fueron tan placenteras como estar rodeado de sus libros. Los méritos acumulados le valieron la jefatura de varias abadías, hasta su retiro final en el monasterio de San Martín de Tours, en Francia. «Qué dulce fue la vida mientras nos sentábamos tranquilos entre los libros», decía Alcuino.

Salvatore de Monferrate

Nació Salvatore en la región piamontesa de Monferrato, fruto del amor prohibido de Umberto y su hermana Vittoria, con tan mala fortuna que acusó un retraso mental por el que todos lo consideraron una auténtica reconvención divina. Sus progenitores decidieron abandonarlo en un monasterio cercano a Alessandria para que Dios proveyera el modo de enmendar tan infausto error carnal. A los dos años de edad, Salvatore aún no decía media palabra y antes de cumplir los diez ya había pasado por media docena de monasterios de Lombardía, Liguria, Provenza y Auvernia, sirviendo en mil tareas y mal aprendiendo las distintas lenguas que en ellos se hablaban. Ya de mozo fue a dar a una gran abadía piamontesa para ayudar en los trabajos de la cocina. Allí adoptó en secreto la regla de Dulcino de Novara, que abogaba por la pobreza, la humildad y la comunidad de los bienes terrenales.

Las consecuencias de su retraso y de su largo periplo monacal se hicieron evidentes en un peculiar modo de hablar. Un novicio inglés, que había pasado un tiempo en la abadía piamontesa acompañando a un sabio franciscano, describió así su extravagante lengua:

> No era latín, lengua que empleaban para comunicarse los hombres cultos de la abadía, pero tampoco era la lengua vulgar de aquellas tierras ni ninguna otra que jamás escucharan mis oídos. [...] Salvatore hablaba todas las lenguas y ninguna. [...] Advertí también, después, que podía nombrar una cosa a veces en latín y a veces en provenzal, y comprendí que no inventaba sus oraciones sino que utilizaba los *disjecta membra* de otras oraciones que algún día había oído.

Resultaba extraordinario que alguien fuera capaz de expresarse combinando de modo aparentemente caótico palabras y construcciones de lenguas diferentes. Pero era aún más sorprendente que todos en la abadía comprendieran mal que bien lo que Salvatore quería decir. Cuando alguien le reprochaba algún descuido, debido más a torpeza que a intención aviesa, siempre respondía: «Salvatore e buone». En realidad, Salvatore no representaba aberración lingüística alguna, sino la consecuencia extrema, plasmada en un solo individuo, de la cercanía entre los romances hablados, cuyas fronteras, en la geografía y en la propia lengua, se mostraban sumamente borrosas, al tiempo que el latín hacía de puente entre todas ellas.

NOTA. Este Salvatore es el personaje que Umberto Eco presentó en *El nombre de la rosa* (1980), al que se le han adosado unos mínimos antecedentes. El individuo es ficticio, pero su historia lingüística verosímil. La mezcla de lenguas es una de las consecuencias del contacto entre ellas, como lo es la confusión entre formas de lenguas afines y el uso de elementos fosilizados durante un proceso de adquisición lingüística.

En dos palabras

cerveza

La cerveza fue una bebida extendida por toda Europa y de consumo habitual en Egipto y Mesopotamia. Parece, no obstante, que entre griegos y romanos, más dados al vino, resultaba algo exótica. La razón de ello se encuentra en la geografía: allí donde la presencia celta fue más intensa, el consumo de cerveza fue más habitual. Y es que los celtas fueron un pueblo cervecero, gran fabricante y mejor bebedor. Por eso la forma celta *cerevisia* pasó directamente al latín, donde se documentó *cervisia* y *cervesa*. La transmisión de la palabra latina a las lenguas romances derivó en el uso de *cerveja* en portugués, de *cervesa* en catalán y de *cerveza* en español. Se trata, por lo tanto, de un celtismo del latín traspasado a las lenguas románicas.

En efecto, la convivencia de la lengua latina con las lenguas de los pueblos cuyo territorio fue ocupando la antigua Roma tuvo como resultado la incorporación al latín de numerosas palabras de origen prerromano. Así, el dominio latino acabó reflejando los espacios de las grandes familias lingüísticas de Europa que, actuando como sustrato, compensaron su desplazamiento mediante una impronta superviviente en todos los planos de la lengua latina, desde la pronunciación al vocabulario. Y desde el latín la heredaron las lenguas romances, que la conservan celosamente sin que los hablantes suelan conocer la gran historia que acarrean consigo. Algunos vocablos del español, de origen incierto, son incluso anteriores a la romanización: *barro, charco, galápago, manteca* o *perro*. De apariencia ibérica son *álamo, garza, puerco* o *toro*. Y a través del latín llegaron los celtismos que derivaron en voces como *camisa, carro, carpintero* 'el que hace carros', *brío* o *vasallo*, junto a *cerveza*, cuya documentación más antigua en español es de 1540. Probablemente la razón de un testimonio tan tardío esté en que la cerveza no había sido bebida corriente en Castilla. De hecho, las biblias medievales en romance se referían más a la «sidra», que, en la época, no significaba necesariamente bebida alcohólica de manzana, sino bebida alcohólica fuerte.

Por último, resulta interesante comprobar cómo la cerveza permite dividir el mapa lingüístico de Europa en dos bloques: uno minoritario, usuario de *cerveza* y sus variantes; y otro mayoritario, que prefiere *Bier, beer, bière* o *birra*. El origen de estas voces del alemán, el inglés, el francés o el italiano pudo estar bien en la raíz germánica *beuwo-* 'cebada', bien en la palabra latina BIBER 'bebida, brebaje'. Eso sí, resulta paradójico que

Francia, tierra de celtas, haya preferido *bière* a *cervoise* y que en España, tierra de *cerveza*, esté ganando terreno el italianismo *birra*, al menos entre los jóvenes. Y es que las transferencias entre lenguas son muy antiguas, pero siguen siendo un fenómeno vivo de consecuencias siempre sorprendentes.

guerra

La palabra española *guerra* es tan antigua como el propio idioma. No es de extrañar, por tanto, que apareciera varias veces en el *Cantar de mío Cid*, el poema épico y bélico por excelencia de la Castilla medieval.

> *Aguijo mio Çid,* | *ivas cabadelant* 'íbase hacia delante'
> *y ffinco en un poyo* 'se asentó en un banco de piedra' | *que es sobre Mont Real;*
> *alto es el poyo,* | *maravilloso e grant,*
> *non teme guerra,* | *sabet, a nulla part* 'sabed, de ninguna parte'.
> *Cantar de mío Cid*, 1207?, vv. 862-864

Guerra procede del antiguo germánico occidental *werra*, donde significaba 'pelea, disputa', y de ahí pasó al latín vulgar, que la adoptó en toda su geografía. Ahora bien, es interesante apreciar que la distancia semántica entre una «disputa» —significado original— y una «guerra» —significado final— ya se recorrió en el propio latín gracias a su uso como eufemismo, como cuando los soldados comentan «va a haber jaleo», antes de iniciarse una auténtica guerra. La voz española *guerra*, con su significado actual, es un germanismo que el latín recibió en la época de las invasiones bárbaras. En ese periodo, el campo militar fue el mejor abonado para la recepción de este tipo de préstamos: *yelmo, dardo, espuela, guarecerse*. Además, el latín también incorporó germanismos relativos al vestuario (*falda, cofia*), a la diplomacia (*heraldo, alianza, embajada*) o a la vida afectiva y cotidiana (*orgullo, desmayarse, blanco* o *guisa*), que obviamente pasaron al español.

En lo que se refiere a la presencia de pueblos germánicos en la península ibérica, especialmente de los visigodos, explica el filólogo Rafael Lapesa que su influencia sobre los romances hispánicos no fue muy grande. La romanización temprana de los germanos provocó que el latín viniera a sustituir desde muy pronto a su propia lengua, que en el siglo VII se encontraba muy debilitada. Esta circunstancia explica que no existiera en la península un periodo de bilingüismo antes de la desaparición de la lengua germánica, como sí existió en Francia. Las *pizarras visigóticas*, encontradas en el centro peninsular, son un curioso testimonio histórico por el material sobre el que se escribe, pero sobre todo son un maravilloso ejemplo del latín utilizado por el pueblo germano entre los siglos VI y VII. A pesar de su desplazamiento hacia el latín, existe un centenar de voces germánicas antiguas aún vivas en español, sin que se sepa con seguridad si llegaron ya incorporadas al latín. Así, a las ya señaladas, podrían añadirse otras como *realengo, abolengo* (con un sufijo claramente germánico), *brote, casta, parra, esquila, ropa, rapar* o *ganso,* si bien resultan más reveladores de la huella germánica los nombres de persona incorporados a la onomástica española: *Álvaro, Rodrigo, Gonzalo, Alfonso, Adolfo, Elvira, Gertrudis*; así como el sufijo *-ez* o *-iz* de nuestros apellidos hispánicos (*Rodríguez, Fernández, Álvarez*), cuyo origen es prerromano, pero que se difundió por influencia del sufijo germánico que se añadía a continuación del nombre individual para indicar el paterno.

Y también quedó como vestigio de un pasado germánico el uso de la palabra *godo* con el significado de 'orgulloso, altanero, jactancioso' (*hacerse el godo* 'ser prepotente', se decía en el siglo XVII), que tal vez explique por qué los nativos de las islas Canarias llaman *godos* a los peninsulares; o por qué los independentistas de las repúblicas americanas se lo decían a los leales a la corona española, los liberales del Caribe a los conservadores, y los bolivianos y chilenos a los españoles.

2
Cómo surgió el castellano

El año 700, pobre y oscuro para la cultura occidental europea, no fue así para otras regiones del mundo. Al sur de la península ibérica, el califato Omeya había extendido el islamismo y su cultura desde Arabia hasta las inmediaciones de la India, por un extremo, y hasta el Magreb, por el otro, situándose en las puertas de Europa. En oriente, la China era gobernada por la emperatriz Wu, la primera y única mujer que ha regido tan imponente país a lo largo de su historia, y lo hizo en una época de brillo cultural y político. A occidente, en tierras del actual México, la ciudad de Teotihuacán, el lugar donde los hombres podían convertirse en dioses, aún disfrutaba de su esplendor, antes de precipitarse hacia una decadencia definitiva. La situación en la península ibérica, sin embargo, no podía calificarse de esplendorosa; ni mucho menos.

En el siglo VIII la Hispania visigoda se hallaba sumida en una grave crisis, que ponía de manifiesto tanto sus flaquezas políticas como la decadencia de su cultura, con un latín muy vulgarizado y diversificado, que no era bien sabido ni por los clérigos. En el año 711 la invasión militar musulmana puso fin a la corona visigótica, primero con el desembarco en Gibraltar y, unos meses después, en la batalla de Guadalete. En ella, don Rodrigo, último rey visigodo, cayó muerto a manos de las tropas comandadas por Musa ibn Musair, gobernador árabe de Tánger, más conocido en español popular como el moro Muza. En unos pocos meses, la invasión había permitido a las huestes de Muza ocupar la práctica totalidad de la península, hasta el punto de que el general triunfador pudo regresar a Damasco, capital del imperio Omeya, con buena parte del antiguo tesoro visigodo como botín.

Tras el desmoronamiento vertiginoso del reino visigodo y el subsiguiente sometimiento de la península al poder musulmán, no tardaron en surgir focos de resistencia cristiana en el norte. Pocos años después de la irrupción islámica en Hispania, se produjo el primer levantamiento cristiano, culminado en la batalla de Covadonga (722), que dio lugar a tres hechos históricos decisivos: el primer triunfo, con carácter definitivo, contras las tropas musulmanas; el primer acto del proceso de «conquista» del territorio perdido por los visigodos y la formación del primer reino cristiano. Hacia mediados del siglo VIII, con don Pelayo a la cabeza, ya existía un reino de Asturias suficientemente estabilizado. Este reino se fue construyendo mediante el reparto de su geografía en condados y territorios dependientes. Y en este punto surge la formación de un primer señorío de Castilla, que, mediado el siglo IX, se convertiría en condado, aún sin independencia, que alcanzaría *de facto* más adelante, con Fernán González (932).

El esbozo de este panorama de la primera Castilla permite abordar el asunto que nos interesa: la formación del castellano como variedad lingüística. Tenemos un primer marco cronológico (entre 750 y 950 aproximadamente), una entidad política (el señorío de Castilla) y un preciso entorno geográfico (las tierras de la Asturias oriental, de Cantabria y de Burgos, junto a las adyacentes de Álava, de La Rioja y de León). No es mucho, pero sí suficiente para conjeturar sobre el modo en que se creó la lengua castellana. Comparada con el esplendor de la herencia de Carlomagno, la corte imperial de Pekín o el poderío de Damasco, la situación de la primera Castilla se caracterizaría por su debilidad e insignificancia. Los versos del *Poema de Fernán González*, en general más impresionistas que verídicos, hacen clara referencia a ello.

> Visquieron [vivieron] castellanos gran tiempo mala vida
> En tierra muy angosta, de viandas muy fallida;
> Lacerados muy gran tiempo a la mayor medida,
> Veíanse en muy gran miedo con la gente descreída.
> *Poema de Fernán González*, h. 1250, estrofa 103

A la vista de esta cita, no nos resistimos a comentar la maravilla que supone que unas palabras originalmente escritas a mediados del siglo XIII sean tan comprensibles casi ochocientos años después. Pero, ahora nos preguntamos: ¿cómo hablaban los castellanos de los siglos VIII al XI?, ¿cómo era su comunicación cotidiana?, ¿qué diferencias lingüísticas pudieron existir entre ellos?, ¿qué otras variedades existían en su entorno?, ¿cuántos hablantes pudo tener el primer romance castellano? Las respuestas a tanta pregunta permitirían comprender cómo fue el proceso de formación del castellano, pero los datos disponibles son muy escasos.

Comencemos por la gente. Se estima que la población peninsular entre el año 700 y el 800 debió de ser de entre tres y cuatro millones de habitantes, tras una fuerte mortandad en el reino visigodo, provocada por la peste, la sequía y el hambre. La presencia musulmana no supuso realmente un cambio poblacional significativo porque su despliegue no superaría los 70 000 hombres, incluidas las sucesivas oleadas tanto de árabes como de berebe-res. Sin embargo, la conquista musulmana provocó el desplazamiento hacia el norte de una parte importante de la población cristiana, que se unió a los grupos preexistentes (de este a oeste, los descendientes de astures, cántabros, autrigones, caristos, várdulos, vascones), de forma que hacia finales del siglo viii debieron de ser alrededor de 500 000 los cristianos refugiados en la franja norteña, cantábrica y pirenaica. Tal concentración humana explica parcialmente la necesidad de un avance territorial hacia el sur. Si en el siglo ix la población de un reino de Asturias y León que ocupaba desde el territorio gallego hasta el vasco pudo ser de un cuarto de millón, cabe suponer que el condado de Castilla no pudo estar habitado por más de 20 000 almas. Pensemos que no existió un núcleo urbano aglutinador en Castilla hasta que la ciudad de Burgos se desarrolló.

Así pues, el primer condado castellano, hasta el siglo xi, contaba con una población escasa y dispersa, repartida por valles y montañas, dedicada a la agricultura menuda y al pastoreo, con las dificultades que todo ello supone para la comunicación. Esto nos hace pensar en la existencia de redes sociales poco densas, en las que los cambios lingüísticos resultan complicados de acompasar, y organizadas en agrupaciones tribales, como las que existieron en el periodo prerromano. Tal distribución social y lingüística sin duda dificultaba la convergencia rápida y estable de usos lingüísticos, en la pronunciación y en la gramática, aunque tuvo dos elementos de contrapunto: de un lado, el uso del latín eclesiástico escrito por los clérigos retirados también a esas tierras; de otro, la cercanía a otras variedades romances, entre las que merece destacarse la astur-leonesa, utilizada en la corte del reino y que con toda probabilidad conocían o manejaban los señores y condes de Castilla. De hecho, en el dominio social más elevado, tanto el leonés como el latín ocupaban un espacio que no estaba abierto a otras variedades. Por eso el castellano tuvo que formarse como una lengua popular, de campesinos y pastores.

Desde un punto de vista lingüístico, la población del primer señorío y condado de Castilla presentaba dos rasgos de singular importancia. El primero de ellos fue que el uso de la variedad romance derivada del latín había sido ininterrumpido, dado que su arabización fue escasa y superficial.

El segundo es la vecindad —o, más bien, la convivencia— lingüística con el vasco, dado que Castilla incluyó desde sus inicios territorios pertenecientes al dominio vascófono. Así pues, los orígenes del castellano, cuando aún no existía como tal (algunos prefieren hablar de prerromance o de romance temprano), nos muestran una variedad entrelazada con las hablas asturleonesas, de la misma familia, e influida por las hablas eusquéricas. Siendo así, ¿cuándo se habla por primera vez de «castellano» como variedad lingüística reconocible? Lo cierto es que la primera mención conocida, en latín, es del siglo XII, ya que durante toda la Edad Media lo normal era hablar de *romance*, de *román* (con variantes) o de *vulgar*. La palabra *castellano* no comenzó a usarse con consistencia hasta la época alfonsí, pero no precisamente como denominación popular, sino como consecuencia de las tareas de traducción y redacción del escritorio real y de su cancillería.

Asimismo, cuando se explica el origen de las lenguas romances, suele este presentarse como una época de *vagidos* y *balbuceos* lingüísticos. Lógicamente, ni los castellanos ni otros pueblos medievales hablaban gimiendo o balbuceando, pero las modalidades romances en el siglo IX sí tenían una característica inherente a cualquier habla: la variación. Nadie habla igual en todas sus circunstancias comunicativas; nadie pronuncia los sonidos de su lengua exactamente de la misma forma en todos los contextos; nadie construye sus mensajes recurriendo a las mismas alternativas sintácticas. Y esto es así porque la lengua es esencialmente variable. Y, si lo es cuando cuenta con modelos estables y ejemplares de uso, con referencias fijadas en normas explícitas o a través de la lengua escrita, ¡cómo no va a serlo cuando no existe un modelo de referencia, cuando no se dispone de una norma expresa, cuando no hay posibilidad de llevarla a la escritura, cuando no se distinguen internamente registros de habla y cuando se convive con hablantes de otras modalidades, algunas muy distantes y otras muy cercanas a la propia! Porque así era el romance del primer señorío y condado de Castilla: una variedad hablada por una población dispersa, aunque la geografía no fuera muy extensa; una variedad que no se escribía, que no contaba con modelos cultos de referencia y que se encontraba rodeada por otras variedades romances, como las asturianas, las leonesas y las navarro-riojanas, e incluso por otra lengua de familia diferente, como el vasco. Por encima de todas ellas, sobrevolaba, como variedad más culta, un latín muy vulgarizado, que era patrimonio exclusivo de los clérigos y de unos pocos escribanos que moraban en torno a los centros de poder.

Las variaciones existentes en las grafías, la gramática o el léxico pueden dar hoy la sensación, a la vista de cómo todo ello se manifestaba por escrito, de absoluta inestabilidad y de vacilación lingüística constante. Si esto era así en la escritura, ¡qué no ocurriría en la oralidad! ¡Pobre lengua recién nacida e incapaz de cumplir cabalmente su elemental función social! Pero no hay razón para conmiseraciones porque los usos lingüísticos son fruto de sus contextos, al tiempo que los hablantes adaptan sus recursos comunicativos a cada situación. Cuando hablamos de inestabilidad o vacilación, pensamos en alternancias del tipo siguiente:

celo / cilo	'cielo'
seglo / sieglo	'siglo'
Castella / Castiella	'Castilla'
puode / puede	'puede'
mulier / muller	'mujer'
concedo / conzedo	'concedo'
verné / venrré	'vendré'
hablasse / fablás	'hablase'
escrivia / escrivie	'escribía'

Estas posibilidades no reflejan necesariamente su uso alterno y constante en la lengua hablada (pensemos que los ejemplos son de lengua escrita), pero sí revelan la existencia de distintas soluciones que afectaban a diversos aspectos lingüísticos. Nada extraño, ni siquiera para el español actual. La variabilidad en el uso del primer castellano estuvo condicionada, como ocurre ahora, por la posición sociocultural de los hablantes, incluso por su región de origen, más o menos cercano a las tierras asturianas, vascas, navarras o riojanas. Menéndez Pidal llamaba a los cristianos peninsulares de esa época «pueblos indoctos del Norte» y es que se trataba de una población analfabeta, con poco o nulo contacto con el latín más formal. Alatorre afirmaba que «los compatriotas de Fernán González eran hombres de una incultura lingüística en verdad notable» y es esa incultura la que explica, en parte, su distanciamiento de las hablas latinas antiguas y la falta de uniformidad en el uso lingüístico propio. Por otro lado, el solar castellano fue un espacio de entrecruzamiento lingüístico, como lo había sido desde antes del periodo visigodo. Durante el siglo IX y los comienzos del X, en las fronteras lingüísticas de Castilla convivieron diferentes lenguas: al sur, el árabe y el bereber de los pueblos invasores, junto al romance andalusí; al este, el riojano, el navarro-aragonés y el vasco, vecino centenario que justificaba la existencia de hablantes bilingües y vas-corromances; al oeste, Asturias y enseguida León; además del hebreo de los judíos. Como explicó Robert Spaulding (1944), habría que esperar al siglo XIII para que la variabilidad derivada de todo ello quedara atenuada por la influencia de modelos lingüísticos más estables.

Ahora bien, las historias de la lengua, además de aludir a la inestabi-lidad de los usos lingüísticos originarios, hablan también de un rasgo que pudiera considerarse contradictorio. Y es que el castellano tuvo desde muy pronto una personalidad diferenciada respecto de sus variedades circun-vecinas; no todo era tan vacilante, como pudiera parecer, al menos en la oralidad. Unos —Antonio Alatorre— lo atribuyen precisamente a la «incul-tura lingüística» de aquellos primeros castellanohablantes, una incultura que los llevaba a decir *iniesta* o *enero*, cuando todas las demás variedades conservaban una consonante al comienzo de palabra (*ginesta* y *giner* en ca-talán; *giesta* y *janeiro* en gallego; *genesta* y *giniesta* en aragonés y en leonés) o a decir *ijo* 'hijo' o *noche*, cuando lo normal era conservar la *f-* (*fill*, *filho*, *fillo*) o la *t* latinas (*nit*, *noite*, *nueite*). Otros, en cambio —Rafael Lapesa—, prefieren aludir a la aguerrida personalidad de los castellanos, derivada de su independencia a la hora de solventar los conflictos internos y a la necesi-dad de desarrollar un carácter belicoso de frontera, que explicaría la prefe-rencia por soluciones diferenciadas, como se observa al comparar numero-sas soluciones castellanas con las ofrecidas por sus variedades vecinas a occidente (leonés) y a oriente (aragonés). He aquí algunos ejemplos de so-luciones fonéticas y gráficas medievales, proporcionados por Alatorre:

Leonés	Castellano	Aragonés
farina, ferir, foz	*harina, herir, hoz*	*farina, ferir, falz*
crexe, pexe	*creçe* 'crece', *peçe* 'pez'	*crexe, pexe*
chamar, xamar	*llamar*	*clamar*
palomba	*paloma*	*paloma / palomba*
peito, feito	*pecho, hecho*	*peito, feito / feto*

Finalmente, otros —Ángel López García, Inés Fernández Ordóñez— piensan en el castellano como un espacio de convergencia, de consenso lingüístico, sin reticencias a la hora de adoptar soluciones foráneas y con soluciones de frontera que acabaron configurando la personalidad del ha-bla de Castilla.

En cualquier caso, la hipótesis de que los rasgos diferenciadores son fruto de la personalidad de un pueblo acostumbrado a vivir en la lucha de frontera y formado por una masa inculta de pequeños campesinos y ganaderos libres, no es incompatible con un espíritu de espacio franco, encuentro de diferentes modalidades, desarrollado conforme la conquista militar se extendía hacia el sur. En un entorno social inestable, la lengua ofrece más fácilmente cambios tanto desde arriba, desde los grupos de poder (condes, señores, aristocracia religiosa), como desde abajo. Tales cambios surgieron en buena medida por transferencias desde la vecina lengua vasca (rasgos de pronunciación y gramaticales, préstamos) y se generalizaron desde abajo porque la población no era lo suficientemente instruida como para recibir la influencia del latín de los cultos; además se sentía lo suficientemente independiente como para no tener que seguir los usos predominantes en los territorios romances vecinos. Por lo demás, el castellano convirtió en rasgos propios la herencia recibida de la lengua latina. Baste la referencia al aplastante predominio de las palabras llanas (acentuadas en la penúltima sílaba), la tendencia a construir sílabas con la estructura «consonante + vocal», la propensión a organizar el discurso hablado en grupos de ocho sílabas de promedio —de ahí que el *romance* sea el metro lírico más popular en castellano— o la conservación de los valores del subjuntivo.

En conclusión, la historia de la sencilla e inculta gente castellana atesora algunas maravillas que corresponden a su lengua: la maravilla de haber surgido sin solución de continuidad desde el latín, la maravilla de emerger entre las variedades de dominios más poderosos o la maravilla de hacer propios rasgos de una lengua tan distante, lingüísticamente, como el vasco.

Personajes, personas y personillas

El conde Fernán González

Fernán González (c. 910-970) fue un personaje decisivo en la constitución del condado de Castilla y, en definitiva, en la formación de la lengua castellana. Su fama fue tal durante la Edad Media que el infante don Juan Manuel no dudó en darle protagonismo en algunos de los cuentos de *El conde Lucanor* (1330). Además, del siglo XIII es una teja, encontrada hace pocos años bajo el suelo de una cocina de Villamartín de Sotoscueva (Burgos), en la que aparecían inscritos nada menos que 15 versos del *Poema de Fernán González*.

La vida de Fernán González estuvo repleta de escaramuzas y batallas, en solitario o junto al rey leonés Ramiro II. Sin embargo, la estabilidad económica y la fuerza militar de Castilla propiciaron que Fernán González, auténtico señor de la marca oriental del reino de León, alimentara sus deseos de independencia. Se casó con la hermana y más adelante con la hija del rey de Navarra, García Sánchez, y no dudó en entrar en reclamaciones, disputas y peleas con el rey leonés, estableciendo incluso alianzas con el califa de Córdoba. Aunque durante un periodo Fernán González se viera despojado de su condado —tal era la tirantez con el rey—, el hecho es que las puyas castellanas fueron debilitando al reino leonés, al tiempo que fortaleciendo el impulso repoblador, político y militar de un condado cada vez más independiente en sus intereses, hasta que se convirtió en reino a principios del siglo XI.

Pero, más allá del personaje histórico, Fernán González es una figura legendaria fabricada sobre unos valores morales y épicos con el fin de establecer la primacía de Castilla en la configuración de España. En la construcción de esa leyenda fue decisiva la redacción del *Poema de Fernán González*, entre 1250 y 1260, por un autor desconocido. En el poema se exaltan tanto las virtudes personales del conde, como las de un territorio castellano que se presentaba como cuna y bandera de la nueva Hispania cristiana. De la Castilla del conde se destaca su espíritu independiente y democrático, heredera del honor, el derecho y la legitimidad de la corona visigoda, tierra nunca sometida al poder musulmán y cabeza destacada entre los reinos cristianos:

> Porque de toda España, Castilla es la mejor
> Porque fue de los otros el comienzo mayor,
> Guardando e teniendo siempre a su señor
> Quiso acrecentarla así el Nuestro Criador.
> *Poema de Fernán González*, h. 1250, estrofas 158-159

Los hechos y virtudes ensalzados en el poema —unos con fundamento histórico, otros basados en dudosas deducciones— conforman una iconografía regionalista castellana que reforzaba la imagen del condado en un entorno político de extrema competencia militar, económica y poblacional entre los reinos cristianos, por un lado, y, por otro, frente a una España musulmana que, desde el siglo XIII, fue fragmentándose y debilitándose en su geografía y en su prestigio cultural. La consolidación del castellano como lengua del reino de Castilla, con su marcada personalidad lingüística, tuvo que ver con el carácter protagonista, decidido e independiente de sus señores y pobladores, pero muy singularmente del primer conde que escapó de la tutela leonesa: Fernán González.

Fernand Joanes

En 1210, el rey de Castilla ordenó que se hiciera una investigación al oeste de Burgos para comprobar el uso que se hacía de los montes, las veredas y los puentes, a menudo foco de agravios entre habitantes de municipios colindantes y espacios idóneos para vecinos listillos, dispuestos a aprovecharse del descuido ajeno. Las denuncias por violaciones referidas a terrenos y ganados eran tan frecuentes que se establecieron modos para descubrirlas y repararlas, modos a los que no eran ajenas las instancias más elevadas del reino.

Fernán Joanes tenía el cargo de «merino» del rey, puesto administrativo encargado de resolver conflictos y de actuar en calidad de juez en cuestiones menores, así como de administrar una parte del patrimonio real. Entre los asuntos atendidos, solían ser frecuentes los relativos a cosechas y arrendamientos, incluida la imposición de multas por los delitos o faltas pesquisados. En el caso que ahora interesa, el rey ordenó a Fernán Joanes, junto a otros tres comisionados, uno de ellos comendador religioso, realizar una «pesquisa» sobre algunos hechos relativos al municipio de Quintanilla, en Palencia. Y hasta allá se dirigió la comisión, que observó lo que ocurría e interrogó a las partes afectadas. En el pueblo de Villalaco les dijeron que habían visto a hombres de Quintanilla hacer leña en el monte y en la dehesa para llevarla a su pueblo. Y también descubrieron que los de Quintanilla permitían que su ganado paciera por donde quisiera, así como pasar por vados y puentes, y disfrutar de pesqueras, canales y remansos. Todo ello sin que nadie se lo impidiera. Así lo afirmaron además alcaldes y vecinos de otras villas.

Existen decenas de textos de este tipo que conforman un gran y creciente corpus documental, de gran valor lingüístico, que permite ir rastreando, casi día a día, tanto la evolución lingüística romance, como las hablas de las comunidades medievales. Y es que, entre los pobladores comunes —probablemente analfabetos y dedicados a menesteres tan humildes como la recogida y venta de leña del monte o el cuidado de los ganados— y los miembros de la más elevada aristocracia política, económica, militar y religiosa, hubo un estamento de autoridades intermedias que cumplían funciones relacionadas directamente con el pueblo y constituían un canal de comunicación entre la gente más culta y la menos instruida. Fueron probablemente esos merinos, comendadores, clérigos menores, alcaldes, letrados, hidalgos o infanzones los que sirvieron de correo de transmisión de cambios lingüísticos desde arriba, sobre todo los reforzados mediante la lengua escrita. Ellos contribuyeron a fijar un modelo de lengua, a la vez que pudieron extender desde abajo los usos que campesinos y ganaderos iban convirtiendo en generales.

En dos palabras

leche

La palabra *leche,* tan familiar y aparentemente simple, nos dice mucho, en sus cinco letras, sobre la formación y desarrollo de la lengua española. Se trata de una voz patrimonial, de las que conforman el grueso del léxico hispánico, procedente de la voz latina LACTEM y utilizada sin excepción a lo largo y ancho de toda la geografía hispanohablante, ininterrumpidamente desde su origen. Está referida, en su contenido, a la sustancia blanca y líquida que segregan las mamas de los mamíferos para alimentar a sus crías; y ese ha sido su significado principal desde las primeras documentaciones. El *Corpus del Nuevo Diccionario Histórico del Español,* de la Real Academia Española, la documenta desde 1215 y, por supuesto, aparece mencionada en el *Vocabulario* de Antonio de Nebrija, de 1495. En cuanto a su forma, que también se ha mantenido sin variación desde la Edad Media, hay que señalar que resulta especialmente significativa para la historia del castellano. ¿Por qué? Simplemente porque es el testimonio gráfico de la diferenciada personalidad del castellano en relación con las demás lenguas romances peninsulares. Por un lado, frente a lo común en las hablas orientales de la península, la *l-* inicial no se convirtió en la palatal *elle* (como, en catalán, *llet*), sino que se conservó como *ele;* por otro lado, el grupo latino *-ct-,* en el interior de la palabra, no conservó la consonante *-t-,* frente a lo común en las hablas occidentales (gallego, *leite*), sino que se palatalizó en una consonante plenamente romance: escrita hoy con el dígrafo *ch.*

A partir de sus rasgos originales, *leche* fue desplegando todo un abanico de significados de la mano de la historia de la propia lengua. Algunos exigieron cambios drásticos, como los que llevaron la palabra *leche* a las esferas de la bondad o de la maldad. En estas piruetas semánticas, España y los demás países hispanohablantes no han tomado siempre las mismas decisiones. En España, cuando algo es bueno es *la leche*, pues la leche materna simboliza la bondad por excelencia. También se asocia el temperamento a la calidad de la leche que se ha mamado, por lo que *tener mala leche* puede ser algo arrastrado desde la infancia, aunque de igual modo puede afectar al humor circunstancial: *estar de mala leche*. La misma bondad explica que alguien pueda *ser la leche* (de bueno, de hábil, de listo, de valiente). El uso irónico podría explicar *dar una leche* 'dar una bofetada o un golpe' (que parece bueno, siendo malo), salir de un lugar *echando leches* (echando el bofe) o negarle algo a alguien diciendo *¡y una leche!* Por una ampliación de contenido explicaríamos el significado de *leche* como 'velocidad': *ir a toda leche*. Y como un cambio cómico se entiende el empleo de *leche* aplicado al vino o a otras bebidas alcohólicas (*leche de los viejos, leche de tigre*). En el español de América también se encuentran usos específicos. Así, en Cuba, *a toda leche* quiere decir 'con todas las comodidades'; desde Centroamérica al Cono Sur, *mala leche* significa 'mala suerte' y en Chile es 'mala onda'. Incluso ser un *malaleche* implica ser un mal tipo. Sin embargo, *por pura leche* significa 'por casualidad' o 'por suerte' en América del Sur, y la expresión *¡qué leche!* no es malhumorada, sino de admiración por la suerte de alguien. Como vemos, los caminos lingüísticos de España y América pueden coincidir, pero a veces los recorremos en sentido contrario.

fuero

La lengua latina utilizaba la palabra FORUM para referirse al lugar en que se trataban asuntos públicos y donde se celebraban juicios y dictaban sentencias por parte de un pretor. De esta forma latina procede la castellana *fuero*, documentada desde el siglo XII, en alternancia con *foro* y con el significado, primero, de 'lo conforme a la justicia', como aparece en Gonzalo de Berceo, y, después, de 'compilación de leyes'. Estas compilaciones podían ser de diferentes clases: desde el histórico *Fuero Juzgo*, código legal visigodo datado en el siglo VII, a los fueros otorgados a las poblaciones menores repobladas durante la reconquista, en los que se recogían los privilegios y exenciones de que habrían de disfrutar los nuevos vecinos: disponer de tierras, pagar pocos impuestos, respetar sus costumbres, recibir ayudas económicas o materiales.

La palabra *fuero* no pertenece al vocabulario común, por muy común que fuera su aplicación en las repoblaciones, sino al léxico especializado de la administración y la justicia. Así lo fue en la Edad Media y así lo sigue siendo en la actualidad, sin que se hayan producido divergencias entre los usos peninsulares y los americanos. Esto no quiere decir que no se hayan generado usos coloquiales, como el de *fueros,* en plural, con el significado de 'arrogancia, presunción', poco habitual, o el de *fuero interno* 'conciencia personal'.

Existe, finalmente, una mínima fraseología creada sobre *fuero,* en la que destaca la expresión *campar* o *volver por sus fueros,* para hacer referencia al retorno a una costumbre o una pauta que se supone propia. Junto a ella llama la atención el dicho *no es por el huevo, es por el fuero.* Dice Gonzalo Correas, en su *Vocabulario de refranes y frases proverbiales* (1627), que los huevos fueron tributo o diezmo exigido a la gente pobre. Siendo poca cosa, podría darse la exención de su entrega, si el fuero así lo disponía. De ahí sale la famosa expresión, usada cuando se desea seguir una disputa, aun cuando su objeto sea tan insignificante que no compense gasto ni esfuerzo alguno. Y, a propósito de los huevos, resulta curiosa la confusión entre *huevos* (del latín ovum 'huevo') y *huebos* (de la locución latina opus esse 'ser necesario'), que ha dado lugar a jugosas anécdotas. Una de ellas ocurrió en 1983, cuando un abogado le reclamó a un juez que modificara una resolución «por huebos», es decir, por necesidad. El juez no entendió la expresión en su sentido histórico y procesó al letrado, quien lamentó que el juez no tuviera los conocimientos suficientes para interpretar su reclamación de una forma más benévola.

3
Monasterios y cancillerías

En la historia de la humanidad, la escritura ha sido patrimonio de una minoría privilegiada. En realidad, una lengua no necesita escribirse para existir, para transmitirse de generación en generación o para expresar una cultura; sin embargo la escritura permite que la cultura alcance más proyección en el tiempo y la geografía. Siendo así, la historia de la lengua española, en toda su extensión, no podría haberse conocido de no haber existido la escritura. Ahora bien, una cosa es el origen de la lengua y otra distinta el de la escritura del castellano, muy ligado al de las demás lenguas romances.

El castellano hablado comienza cuando la lengua adquiere rasgos que no existían en el latín hablado, con sus vacilaciones, sus cambios bruscos y su intercambio de influencias con otras variedades. Por su parte, la escritura castellana comienza cuando se utiliza una ortografía diferenciada para reflejar la pronunciación y el discurso del castellano. No se trata de un cambio ortográfico abrupto, sino de un proceso por el que la escritura romance, a partir de la latina, va incorporando las alteraciones que experimenta la lengua en la sintaxis, la morfología y la pronunciación. Pero, en este punto son muchas las preguntas que nos asaltan y muchas igualmente las que quedan sin respuesta: ¿quién inició la escritura castellana?, ¿dónde apareció y cómo se difundió?, ¿qué contenidos se reflejaban en ella? Intentemos encontrar respuestas, comenzando por el origen.

Naturalmente, la escritura en castellano tuvo que iniciarla gente con dos rasgos obligados: el primero, saber escribir latín, en cualquiera de las formas que esta lengua tuviera alrededor del siglo IX (latín eclesiástico tradicional, latín vulgarizado, latín romanceado); el segundo rasgo requerido era hablar castellano. Ambas condiciones pudieron reunirlas los habitantes de los monasterios que entre los años 800 y 1000 existieron en las tierras del condado de Castilla y de sus áreas adyacentes, donde solía haber escritorios y pequeñas bibliotecas con volúmenes sobre liturgia y, en general, relativos a la vida eclesiástica y religiosa. Los *monjes* copiaban a mano documentos antiguos o procedentes de otros monasterios con el fin de disponer de los textos necesarios para su vida monacal. Allí se copiaban textos sagrados, oraciones, sermones, penitenciales, y hasta beatos, que eran comentarios al Apocalipsis de San Juan reproducidos del texto original de Beato de Liébana (Cantabria). Al mismo tiempo, los monjes, fuera o dentro de sus cenobios, también solían hacer de escribanos para redactar escrituras, contratos o acuerdos entre señores o vecinos de su entorno. Y así fue hasta que Alfonso X, en el siglo XIII, creó un cuerpo de escribanos públicos distribuidos por las distintas jurisdicciones del reino.

La enseñanza de la escritura se practicaba principalmente desde las escuelas monacales y episcopales, cuyos discípulos fueron aumentando conforme crecía la red de monasterios y se ensanchaban los reinos cristianos, con el consecuente crecimiento de la vida social y de la necesidad de plasmarla por escrito. Desde un punto de vista lingüístico, el hecho de que la escritura castellana saliera en sus orígenes de la pluma de los monjes tuvo como consecuencia la incorporación al acervo castellano de muchos latinismos o cultismos, poco o nada frecuentes en la lengua hablada y muchos de ellos referidos precisamente a la vida religiosa o espiritual: *escritura, homicidio, monumento, oración, vigilia, virtud, vocación, voluntad.* En realidad, el español ha incorporado, a lo largo de su historia, numerosas expresiones y palabras originadas en distintos aspectos referidos a la religión y a la religiosidad: *pasar un viacrucis, estar más contento que unas pascuas, colgar un sambenito, irse el santo al cielo, rasgarse las vestiduras, estar hecho un Cristo, oír campanas, en un santiamén, de Pascuas a Ramos.*

En la formación de la red de monasterios del norte peninsular fue decisivo el nacimiento del Camino de Santiago como ruta de peregrinaje religioso. La tumba del apóstol Santiago fue descubierta en el siglo IX por un ermitaño llamado Paio o Pelayo. Un tiempo después, Alfonso II el Casto, rey de Asturias, visitó el descubrimiento, convirtiéndose así, según la cultura popular, en el primer peregrino de la historia. Sin embargo, lo realmente significativo es que, desde esa época, Santiago de Compostela pasó a ser uno de los principales focos de peregrinación europea, con una enorme capacidad de atracción para los cristianos de todas las naciones, que accedían a la península por el sur de Francia. Las necesidades de estos peregrinos iban siendo cubiertas por los residentes de las ciudades, villas y monasterios que jalonaban el camino (aragoneses, navarros, castellanos, astur-leoneses, gallegos) y que se beneficiaban grandemente, en la economía y la cultura, del constante afluir de gente.

El establecimiento del Camino de Santiago, junto a la introducción en Castilla y León de la orden francesa de Cluny, favorecida por Alfonso VI (1073), tuvo interesantes consecuencias lingüísticas. Por el Camino llegaron, además de los monjes cluniacenses, escribanos y copistas ultramontanos de habla francesa u occitana que enseguida comenzaron a trabajar en los reinos cristianos, intentando acomodarse a unos usos romances a los que no estaban acostumbrados. También llegaron poetas y trovadores que acompañaban a sus señores por el Camino, aunque algunos acabaran instalándose en las cortes peninsulares e introduciendo sus propias formas literarias. Hablamos de los siglos XI al XIII. De esta época son préstamos del francés y del occitano de tipo religioso (*fraile, monje, hereje, preste*) y de tipo profano (*doncel, linaje, peaje, salvaje*). Y, junto a ellos, uno de especial significación: la palabra *español*. Curiosamente, la palabra que denomina a la gente natural de la futura España —y de su lengua— no es de origen castellano, sino occitano, y fue introducida en la península por inmigrantes francos. Bien pensado, no es extraño que los gentilicios y los nombres de las lenguas sean creados por los pueblos vecinos, ya que son estos los que tienen una necesidad primera de llamar a los demás. El gentilicio *español* (de *hispaniolus*) alternó durante un tiempo con *españón* (de *hispanionus*), formando parte de una serie léxica que incluía voces como *gascón, bretón* o *borgoñón*. A finales del siglo XI, *español* se utilizaba de palabra y por escrito en el sur de Francia, de donde pasó a Aragón y Navarra y, ya en el XIII, a Cataluña, La Rioja y Castilla. Los trovadores franceses lo utilizaban también en el siglo XIII y el término se extendió después por toda la literatura castellana.

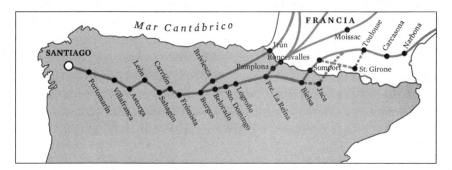

Camino de Santiago («camino francés»)

Entre las cuestiones antes planteadas, hay una singularmente difícil y, por lo tanto, interesante; la que se refiere a la conciencia de la lengua en la primera escritura castellana. ¿En qué lengua pensaban los monjes que estaban escribiendo y predicando?, ¿en latín o ya en lengua romance? La percepción de los hablantes, la conciencia o consciencia de lo que dicen, es crucial para determinar a partir de qué momento existe una lengua nueva. En cuanto a la lengua del siglo x, hay quien afirma que las glosas o comentarios que anotaban los monjes en los márgenes de los códices latinos son un buen indicador de que el romance ya se percibía como algo diferente del latín, de que existía de hecho en la escritura una situación de bilingüismo (Ramón Menéndez Pidal). Hay quien piensa, sin embargo, que los monjes no tenían una conciencia clara de estar escribiendo o leyendo dos lenguas totalmente diferentes y que, por lo tanto, los textos no eran claramente percibidos como latinos o como romances (Roger Wright). Esto que se dice de la escritura afectaba también a la lengua de los sermones y a las lecturas de textos en voz alta. Según Wright, solo la llegada a la península de la reforma carolingia, a partir del siglo xi, permitió percibir de forma clara la diferencia entre el latín y las nuevas lenguas romances.

La reforma carolingia, como ya vimos, supuso una reacción ante las consecuencias de la evolución del latín hacia cada una de sus manifestaciones romances. Esa evolución afectaba de lleno a la forma de leer y escribir el latín, que se aproximaba más a la de las lenguas derivadas que a su estilo clásico. Por esta razón, los consejeros de Carlomagno propusieron recuperar los textos latinos originales, reunirlos en bibliotecas, volver a copiarlos las veces que fuera necesario, crear glosarios que permitieran su cabal comprensión, corregir el latín allá donde se hubiera tergiversado; en definitiva, distinguir con claridad la lengua latina culta y clásica de las lenguas populares, así como abandonar el latín arromanzado. Esa distancia lingüística afectaba también a los sermones y por eso se proponía predicar directamente en lengua romance, renunciando a un latín hablado o leído que no se dominaba con suficiencia. Todas estas propuestas de origen carolingio llegaron a Castilla a partir del siglo xi con la creación de los monasterios cluniacenses, cuyas bibliotecas y escritorios fueron fundamentales. Y todo ello contribuyó, no solo a la consolidación del castellano como lengua religiosa y civil, sino a la conciencia clara de que ya se hablaba algo totalmente distinto del latín.

En la escritura, la cultura carolingia generalizó también un tipo de letra llamado precisamente *letra carolina* o *francesa*. Estética aparte, el éxito de esta escritura estuvo en que tenía un trazo fino y redondeado que facilitaba su lectura. El hecho de ser compartida por la mayor parte de Europa, como consecuencia del renacimiento carolingio, hizo más asequible la lectura y la difusión de textos latinos, a lo que también contribuyó de un modo decisivo la progresiva generalización del papel, sobre todo desde el siglo XIII. El papel había sido introducido en Europa por los árabes; de hecho, el documento más antiguo conservado en papel es una carta en árabe del año 806. A partir de la escritura francesa se desarrolló la letra gótica, ampliamente utilizada durante la Edad Media en Castilla y León, y de la cual derivó desde el s. XV la escritura cortesana, de trazos más redondeados.

Escritura carolina o francesa. Minúsculas

Queda finalmente la cuestión de la finalidad de los primeros textos escritos en castellano. En la documentación personal, la que genera un autor para sí mismo, la escritura puede servir para no olvidar una información, para reformular y aclarar un enunciado o para expresar opiniones, ideas o sentimientos. La Edad Media conoció textos en castellano y en otras lenguas romances exactamente con esas funciones. Existe un texto conocido como «Noditia de Kesos», de hacia 980 y conservado en la catedral de León, en el que un monje apuntó una lista de quesos utilizados por el despensero del convento: probablemente lo hizo para no olvidar esa información. Con el fin de reformular o aclarar enunciados de los textos latinos, se anotaban glosas en sus márgenes, escritas en romance o en otra lengua. Las glosas más conocidas son las *silenses,* del monasterio de Santo Domingo de Silos, y las *emilianenses*, del monasterio de San Millán de la Cogolla. Estas últimas están redactadas en romance riojano, aunque dos de ellas aparecen en lengua vasca. Siendo así, no deja de ser una maravilla cultural que el primer testimonio escrito de la lengua vasca y uno de los primeros y más significativos del romance peninsular hayan aparecido exactamente en el mismo documento. Por último, la expresión de opiniones o sentimientos se aprecia con nitidez en la más larga de las glosas emilianenses, en la que el glosista reproduce en romance una oración dedicada a su Señor salvador.

En cuanto a las funciones sociales de la escritura, la Edad Media castellana proporciona ejemplos muy tempranos de sus dos tipos principales: el comunicativo y el organizativo. Al primer tipo pertenecen las cartas y comunicaciones personales, públicas o privadas; al segundo, todos los documentos medievales producidos con una intención ordenadora, certificadora o administradora, desde los fueros a cualquier clase de documentos administrativos o judiciales, como los valiosos *Cartularios de Valpuesta* (1011), que son, junto a las glosas y otros pocos textos, los testimonios más tempranos de los nacientes romances peninsulares.

Hay, sin embargo, una función más de la escritura que resulta de singular importancia para la historia medieval: la función estética o lúdica; en definitiva, la escritura literaria, hecha por gusto del propio creador, pero para ser leída por otros, especialmente en voz alta. Aquí se inscriben las obras que configuran la primera literatura medieval de importancia, como el *Auto de los Reyes Magos* (siglo XII), la más antigua obra teatral castellana. Pero, entre ellas sobresalen las pertenecientes al mester de clerecía, escritas por clérigos y autores instruidos que se ajustaban a las pautas claramente explicadas en la segunda estrofa de una de sus obras más representativas, el *Libro de Alexandre*:

> Mester traigo fermoso, non es de juglaría
> mester es sin pecado, ca es de clerezía,
> fablar curso rimado por la cuaderna vía
> a sílabas cuntadas, ca es grant maestría.
> *Libro de Alexandre*, h. 1230, estrofa 2

Además de esta obra, pertenecen al mester de clerecía trabajos tan importantes como el *Libro de Apolonio* (h. 1250), el *Libro de Buen Amor* (1330-1343), de Juan Ruiz (arcipreste de Hita), y las obras de Gonzalo de Berceo, como los *Milagros de Nuestra Señora* (h. 1260), que, además de las características propias de este mester, incluidos los latinismos esperados en la obra de un clérigo, muestra el uso de un lenguaje «vecinal» lleno de diminutivos (*cerquiella* 'cerquita', *poquiellejo* 'poquito', *fijuela* 'hijita') y de comparaciones populares (*como gato sarnoso*), buscando, en teoría, escribir como se hablaba.

Pero la escritura medieval castellana no quedó encerrada entre la paredes de los monasterios. Conforme el reino de Castilla fue creciendo y consolidándose como entidad política, fue adquiriendo mayor importancia su cancillería real, el lugar donde se redactaban los documentos jurídicos y de gobierno, así como su labor traductora. A este respecto, fue muy valiosa la actividad de la conocida como Escuela de Traductores de Toledo en el siglo xii, aunque nunca se denominara así realmente ni funcionara como una auténtica «escuela», al menos en su etapa fundacional, bajo la protección del arzobispo don Raimundo. Este personaje pasa por haber sido quien encargó uno de los monumentos literarios del castellano primitivo, *La Fazienda del Ultramar* (¿h. 1220?), que vino a ser la primera traducción bíblica a un romance peninsular. Asimismo, las traducciones del árabe al latín fueron fundamentales para la difusión del aristotelismo neoplatónico en las universidades europeas, para el conocimiento de filósofos como Avicena o Ibn Gabirol y para la traducción de textos sagrados e históricos.

En lo referente al castellano cancilleresco, la labor de los reyes de Castilla y León —Fernando III el Santo (1217-1252), Alfonso X el Sabio (1252-1284) y Sancho IV el Bravo (1284-1295)— fue sencillamente primordial. Fernando III tomó la decisión de que la cancillería real comenzara a emitir documentos en castellano, en detrimento del latín y del leonés; no olvidemos que desde 1230 el rey Fernando lo fue de Castilla y León. Pero, ¿por qué en castellano? Las razones parecen simples: en primer lugar, porque Fernando fue antes rey de Castilla que de León; y, en segundo lugar, porque Castilla era, desde mediados del siglo xii, el reino cristiano de mayor pujanza demográfica y económica, y de mayor extensión geográfica. Para la producción de textos en castellano, se afrontó la tarea de fijar la ortografía, con el fin de ordenar y facilitar la escritura. Esta labor «lingüística» de Fernando III fue continuada y acrecentada por su hijo, Alfonso X, que no solo consolidó las propuestas ortográficas heredadas de la época de su padre, sino que contribuyó de manera esencial a introducir muchas materias y conocimientos nunca antes puestos por escrito en castellano. Esto se consiguió mediante las traducciones, desde el hebreo, el árabe o el latín, de tratados de astronomía, física, alquimia o matemática, entre otras muchas materias.

Derecho	Historia	Mineralogía	Astro-matemáticas
depósito	*anales*	*coral*	*circunferencia*
deuda	*cónsul*	*cristal*	*crepúsculo*
fideicomiso	*legión*	*diamante*	*diámetro*
interés	*monarquía*	*esmeralda*	*eclipse*
legado	*senado*	*esponja*	*equinoccio*
salario	*tetrarca*	*talc* 'talco'	*polo*
tributo	*tirano*	*turquesa*	*triángulo*

A este enriquecimiento léxico y al esmero en la sintaxis y el discurso se hace referencia cuando se habla del «castellano derecho» de Alfonso X o de su deseo de «enderezar el castellano».

En definitiva, a pesar de las incertidumbres, sabemos que la primera escritura castellana fue protagonizada principalmente por los monjes de los monasterios distribuidos por el norte de la Castilla medieval. Sabemos también que existieron unas fronteras borrosas entre el hecho de escribir en latín y el de escribir en castellano, hasta el punto de que no está claro si se percibían como dos lenguas diferentes o como variedades de una lengua romance. En cualquier caso, la introducción de la reforma carolingia por medio de los monasterios cluniacenses contribuyó a discriminar con más claridad lo castellano de lo latino. Esta receptividad cultural hacia Europa se vio acompañada por un factor de apertura internacional: el éxito del Camino de Santiago, que supuso ventura económica, a la vez que la recepción de influencias lingüísticas, principalmente desde Francia. Junto a los monasterios, la labor de la cancillería real de Castilla, sobre todo desde el siglo XIII, contribuyó a ampliar el universo léxico del castellano y a ensanchar las dimensiones de su expresión escrita.

Personajes, personas y personillas

Muño

Corría el año de nuestro señor de 955 y el pequeño Muño, que acababa de cumplir 10 años, acudía diariamente a una pequeña escuela abierta junto a la iglesia de Nájera. Allí le enseñaron los rudimentos del latín y las rutinas eclesiásticas, incluido el rito mozárabe. Muño, de padre nacido en Haro y madre vasca de Laudio, demostró tan buen aprovechamiento en la escuela que sus maestros le propusieron trasladarse a un monasterio de Navarra que contaba con escritorio, para que siguiera aprendiendo. Y allá que marchó el bueno de Muño con 12 años de edad, con su romance, su euskera y sus latines, sabiendo cómo defenderse en la escritura y sintiendo cierta vocación religiosa.

Pasado el tiempo, ya como presbítero, Muño trabajaba a conciencia sobre los textos latinos que habían llegado a la biblioteca desde otros monasterios o que otros hermanos habían copiado allí mismo: oficios, beatos, hagiografías, sermones. Muño lo leía y anotaba todo cuidadosamente, ayudándose de un glosario, porque su latín no era fácil de comprender y no estaba seguro de cómo se pronunciaría. Por ese motivo, acá ponía una traducción directa, ahí una equivalencia en latín, más allá un comentario aclaratorio: si en latín ponía *submersi,* Muño anotaba en romance *trastorné,* entre las líneas latinas o en los amplios márgenes del manuscrito. Así preparaba sus sermones y comentarios. Si cometía errores, los tachaba o los raspaba y marcaba con cruces las partes del texto que merecían atención. Además, el abad le había encargado mejorar el latín de los más jóvenes y tenía que preparar muy bien los textos de sus clases, para no errar en las explicaciones.

Un buen día Muño decidió trabajar con unos códices que habían llegado hacía tiempo desde algún monasterio y que aún no había podido estudiar. El hermano bibliotecario los había unido en un solo volumen, que finalmente incluía una colección de sentencias de padres de la Iglesia, unas cuantas oraciones y fragmentos de famosos sermonarios. Muño se abalanzó sobre el volumen con fruición y se puso a la tarea de su estudio, leyendo en voz alta, anotando, corrigiendo, tomando notas para sus sermones y oraciones. Tantas horas dedicó al estudio de esas páginas que decidió dejar constancia de su propiedad anotando en ellas: *Munnioni presbiter librum* 'libro del presbítero Muño'. Las glosas las hacía en romance, pero también incluyó alguna en vasco, la lengua de su madre. Su labor glosadora, delicada y paciente, rebosaba un meritorio espíritu filológico. Pero junto a sus notas de estudio incluyó una muy especial, por su contenido y su longitud: una oración que quiso ver plasmada por escrito en su riojano hablado.

Con o aiutorio de nuestro	Con la ayuda de nuestro
dueno Christo, dueno	Señor Don Cristo Don
salbatore, qual dueno	Salvador, Señor
get ena honore et qual	que está en el honor y
duenno tienet ella	Señor que tiene el
mandatione con o	mandato con el
patre con o spiritu sancto	Padre con el Espíritu Santo
en os sieculos de lo siecu	en los siglos de los siglos.
los. Facanos Deus Omnipotes	Háganos Dios omnipotente
tal serbitio fere ke	hacer tal servicio que
denante ela sua face	delante de su faz
gaudioso segamus. Amen	gozosos seamos. Amén

NOTA. Esta famosa glosa emilianense se encuentra en el folio 72 del códice *Aemilianensis* 60, conservado en el Archivo Histórico Nacional. La historia de Muño aquí narrada no es verídica, por supuesto. Nunca se sabrá con seguridad si el tal Muño o Munio, cuya referencia es cierta, fue el autor de las glosas de ese volumen, ni siquiera si hubo más de uno. Las fechas utilizadas como marco temporal coinciden con las propuestas de autores tan reconocidos como Ramón Menéndez Pidal, Rafael Lapesa o Emilio Alarcos. Manuel Díaz y Díaz, sin embargo, acortó en un siglo su antigüedad, aunque para los fines de nuestra narración no es tan importante. Y en cuanto a la naturaleza riojana —no castellana propiamente dicha— de la lengua escrita en esas glosas, el asunto tampoco es esencial para la comprensión del proceso de escritura. Manuel Alvar no dudaba en exponer su interpretación final: «[las glosas muestran] un sincretismo lingüístico que no es riojano, ni siquiera castellano [...] porque aquel hombre que tan torpe estaba en sus latines, puso al acabar las lecturas las primeras palabras en español».

Domingo Gundisalvo

Cuando el arzobispo Raimundo de Toledo decidió impulsar las traducciones desde el árabe o el hebreo al latín, tuvo que contar con grandes conocedores de esas lenguas. Uno de ellos fue *Dominicus Gundissalinus*, nacido hacia 1115 y fallecido al final del mismo siglo. Tuvo Domingo la suerte y los medios suficientes para desplazarse a Francia con el fin de completar su formación. Se ganó la vida como archidiácono de Cuéllar (Segovia), pero su desarrollo intelectual lo encontró en la ciudad de Toledo. Allí se afanó en la traducción de obras filosóficas del árabe al latín, junto a otros grandes traductores de la época, como Gerardo de Cremona. Y la traducción no le impidió el desarrollo de su propio pensamiento filosófico; es más, lo alentó y lo entroncó con lo mejor de los árabes y los judíos, a la vez que adoptaba las doctrinas más complejas de la época, entre las que se hallaban las teorías aristotélicas sobre la forma y la materia.

La labor traductora de Domingo Gundisalvo es sencillamente asombrosa. Se le atribuyen más de una treintena de obras, entre las que destacan originales del gran Avicena, de Alfarabi y de Avicebrón. A Avicena sus discípulos lo llamaron «príncipe de los sabios» y se le consideró como uno de los grandes médicos de la historia de la humanidad; Alfarabi fue tratado como el más sabio filósofo después de Aristóteles; y Avicebrón, malagueño y contemporáneo de Gundisalvo, fue tan buen filósofo neoplatónico como poeta.

Los tratados filosóficos de Gundisalvo fueron cinco, dedicados a cuestiones epistemológicas, metafísicas y hasta psicológicas, combinando la tradición clásica —grecorromana, árabe y judía— con el pensamiento de transición hacia la época medieval. Escribió sobre la creación del mundo y sobre la inmortalidad del alma, y discutió sobre la división del conocimiento en el tradicional *quadrivium*, las cuatro artes objeto de enseñanza en la Edad Media: aritmética, geometría, astronomía y música. En definitiva, la labor traductora de Gundisalvo fue fundamental para las tareas posteriores del escritorio de Alfonso X y todas ellas contribuyeron de un modo decisivo para convertir al castellano en una lengua de ciencia y pensamiento.

En dos palabras

ajedrez

Entre las decenas de obras producidas en el escrito alfonsí, destaca un libro encargado por el propio rey y que acabó convirtiéndose en una de las fuentes más antiguas y valiosas del universo bibliográfico de los juegos: el *Libro de ajedrez, dados y tablas* (1283), también conocido como *Libro de los juegos*. La palabra *ajedrez*, escrita como *axedrezes* o *açedreces* en el *Libro de Alexandre*, procede del árabe hispánico *assatrang*, que añadió el artículo al árabe clásico *ssitrang*. Pero los árabes no fueron los creadores del juego, sino que lo adoptaron de los persas que, a su vez, lo habían tomado de la India, donde encontramos su primera denominación: *chaturanga*. Esta palabra significaba 'cuatro partes o miembros' en alusión a los componentes de un despliegue militar: carros, elefantes, caballería e infantería. Desde el árabe hispánico, se creó la forma castellana *axatraz* y posteriormente *axedrez* y *ajedrez*.

La terminología del ajedrez es un fiel reflejo de la maravillosa historia lingüística de este juego. La *reina*, al principio, no fue tal, sino *alferza* 'guardián', de nuevo palabra persa llegada a través del árabe. La torre se denominaba *roque*, palabra de origen persa, con el significado de 'roca' o de 'carro de combate' y de la que en español deriva *enroque*. Y similar trayectoria tuvieron la voz *escaque* y la pieza denominada *alfil*, que significaba 'elefante' en persa y que fue reinterpretada en otros países como «obispo» (en portugués, *bispo*; en inglés, *bishop*), probablemente por influencia de los monjes jugadores, o como «bufón» (en francés, *fou* 'loco'). Los caballos suelen denominarse con palabras patrimoniales, como en español o en inglés: *knight* 'caballero' o *horse* 'caballo'; también es romance el nombre *peón*, en español y en francés (*pion*), de donde probablemente lo tomó el inglés (*pawn*). Pero la expresión más famosa del ajedrez no podía ser de otro origen que persa, transmitida a través del árabe: *jaque mate* (<*asha mat*) 'el rey ha muerto'. Como vemos, el ajedrez, además de entretenimiento, aporta un catálogo léxico de riquísima historia.

queso

La noticia más antigua disponible de la palabra *queso* (o *keso*) es de hacia 980 y se la debemos al monje que anotó una lista de quesos al dorso de un papel usado. A partir de ahí los testimonios antiguos son numerosos, como el del abad de Oña de 1237, que habla de manteca acompañada de queso, o como el que aparece en este fragmento de Gonzalo de Berceo:

> fierro traen de Álaba; cuños de aceros,
> qeso dan en ofrenda por todos los Camberos
> Gonzalo de Berceo, *Vida de San Millán*, h. 1234, estrofa 467

La historia de la palabra *queso* ilustra muy bien cómo las lenguas romances, procediendo de un mismo tronco, pudieron tomar caminos diferentes, no solamente en cuanto a la pronunciación, sino también en cuanto al léxico. La palabra castellana *queso*, como la portuguesa *queijo* o la gallega *queixo*, procede del latín CASEUS, cuyo significado se relacionaría con el molde con que se hacen los quesos. De esa misma voz procede el alemán *Käse* y el inglés *cheese*. ¿Por qué, entonces, otras lenguas cercanas en la geografía usan *fromage* (francés) o *formaggio* (italiano)? Sencillamente porque en latín se utilizaba la denominación FORMATICUS [CASEUS]; es decir, 'ahormado, hecho con un molde, con una forma'. Así pues, el origen de *queso* y de *fromage* viene a ser el mismo, pero unas lenguas adoptaron la parte sustantiva de la expresión (*caseus, casius*) y otras, la parte adjetiva (*formaticus*).

La palabra *queso* pertenece a la lengua castellana desde sus orígenes y eso ha permitido una progresiva ampliación de su espectro semántico, por obra y gracia de la metáfora. De este modo, en España pasó a usarse para denominar a los pies (*los quesos*, a causa del olor), en Puerto Rico para denominar a la *calva*, para hablar de una persona linda o para referirse a lo que está en el centro o en un lugar importante (*ahí está el queso* 'el quid del asunto'), aunque lo que esté en medio no siempre resulte propicio, ya que en Ecuador llaman *queso* a la persona que estorba.

En cuanto a la fraseología relativa al queso, no falta ni en España ni en América: *cortar el queso, dar queso al ratón, estar como un queso* o *dársela a alguien con queso*. Esta última resulta especialmente curiosa. Su documentación con el verbo *dar* no va más atrás de principios del siglo XX, pero en los siglos XVI y XVII sí se utilizaba *armar con queso*. Sebastián de Covarrubias lo definía como 'cebar a uno con alguna niñería, para cogerle como al ratón'; es decir, atraer a alguien para engañarlo. Sin embargo, la sustitución de «armar» por «dar» hace sospechar que el origen de la expresión no es tal tipo de engaño, sino otro. Concretamente se habla de una tradición de La Mancha, cuna del afamado queso manchego, que consistía en agasajar a los inspectores vinícolas con un queso en aceite de sabor tan fuerte que anulaba la capacidad de discernimiento respecto a la calidad del vino inspeccionado: el vino malo se daba a probar «con queso». Probablemente no sea cierto, pero la anécdota resulta tan sabrosa como el mismo queso.

4
Las lenguas del Libro

Cuando el profeta Mahoma fue visitado por el arcángel Gabriel en una cueva cercana a La Meca, recibió el sagrado encargo de memorizar unos versos y de recitarlos como palabra de Dios que había de ser guardada. Mahoma los aprendió y los recitó a sus discípulos, confiando a los «memoriones» su conservación en el tiempo mediante el recitado continuo. La figura del «memorión» o *hifaz* tuvo una importancia singular en el mundo árabe porque de ella dependía la transmisión de la historia, la cultura y la literatura de la antigua Arabia. El islam, por tanto, fue una religión transmitida oralmente en sus inicios y el *Corán* solo adquirió forma escrita tras la muerte de Mahoma. Un siglo después de la revelación del arcángel Gabriel, el islam se había extendido desde Arabia hasta el estrecho de Gibraltar y estaba presto para expandirse por la península.

Entre 711, año de la invasión, y 1492, fecha de la rendición de Granada, hubo territorios gobernados por musulmanes en la península ibérica. Sin embargo, la historia política y lingüística de esos casi ocho siglos debe entenderse de un modo ponderado. En primer lugar, no fueron 800 años de predominio absoluto del islam, puesto que en 1212 —tras la batalla de las Navas de Tolosa— la mayor parte del territorio peninsular pasó a dominio de los reinos cristianos. En segundo lugar, la presencia musulmana no fue homogénea ni en lo político, ni en lo étnico, ni en lo lingüístico. De hecho, es pertinente marcar una distinción entre los árabes, procedentes del islam oriental, y los moros, procedentes de las regiones del noroeste de África. Por otro lado, la toma de Granada no supuso la completa desaparición de la población mora, sino que esta prolongó su estancia durante más de un siglo bajo el nombre de «moriscos» hasta su expulsión oficial en 1611. Estos moriscos eran descendientes de los musulmanes peninsulares, aunque no continuaron hablando el árabe. La *literatura aljamiada*, escrita en romance, pero con caracteres árabes, y el uso como lengua religiosa aprendida de memoria fueron las secuelas culturales de un conocimiento del árabe que se había ido debilitando con el tiempo entre los moriscos de Aragón y de Castilla.

La falta de homogeneidad musulmana se debió, en gran parte, a la ascendencia de los líderes de cada periodo histórico. Sin duda, la época de más poderosa influencia cultural árabe sobre la península fue la que transcurrió entre el año 756, cuando el emir Abderramán I creó el emirato de Córdoba, y el año 1031, cuando se dio por concluido el autónomo califato de Córdoba de Abderramán III. Fueron casi tres siglos de esplendor de la llamada *al-Ándalus*, un esplendor de cuño peninsular: el primer emir había nacido en Damasco, pero el último califa nació en Córdoba y murió en Medina Azahara. Junto a estos 275 años de brillo cultural y de política estable, se identifican periodos de vida convulsa y militarizada, regida por pueblos guerreros y nómadas —*almorávides, almohades, benimerines*—, cuyas raíces culturales se hundían en las arenas del desierto del Sahara. Además, la unidad del califato contrasta con su posterior fragmentación en pequeños reinos taifas, en diversos periodos de los siglos XI, XII y XIII, hasta la desaparición de la taifa de Granada en 1492.

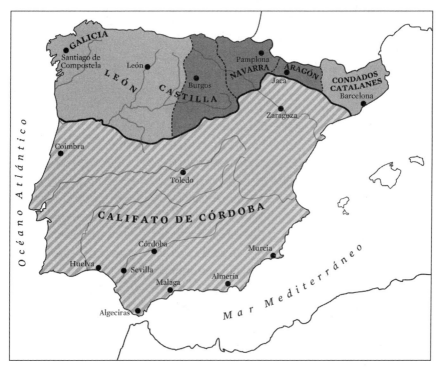

El califato de Córdoba, hacia el año 1000

Estas diferencias políticas tuvieron su correlato lingüístico. Así, el largo periodo de estabilidad del califato tuvo como vehículo de comunicación primordial la lengua árabe, aunque paulatinamente fuera hispanizándose. Este proceso ha llevado a los expertos a hablar específicamente de *árabe hispánico* o *árabe andalusí*, diferenciado de otras variedades del árabe, como ocurre hoy día con el árabe marroquí y el egipcio, por ejemplo. Por su parte, los pueblos procedentes del Sahara no hablaban árabe comúnmente, sino bereber. La diferencia es importante porque son lenguas que pertenecen a familias distintas. El bereber ni siquiera es una lengua homogeneizada, sino más bien un conjunto de variedades emparentadas que adquieren formas específicas en cada espacio. Estas lenguas del desierto africano han ido dejando, con el tiempo, algunas huellas en el territorio español: la antigua lengua *guanche* de las islas Canarias tenía este origen, así como el *chelja* utilizado hoy por los musulmanes en la ciudad de Melilla; en Ceuta, sin embargo, se utiliza una variedad del árabe marroquí llamada *dariya*. En definitiva, el paisaje lingüístico de la península durante el periodo andalusí fue muy complejo, dado que, en muchas comunidades a un lado y otro de las fronteras y en diversas épocas, convivieron diversas modalidades lingüísticas: romances, árabe clásico, árabe oriental, árabe marroquí, árabe andalusí, bereber y hasta latín eclesiástico y hebreo, cuando la convivencia religiosa era consentida.

El largo periodo de presencia arabófona en la península y el contacto fronterizo entre las variedades romances y árabes a lo largo de muchos siglos, incluido el presente, han hecho que el trasvase de formas léxicas del árabe al español haya sido notable. Según el historiador del español Rafael Lapesa, el árabe es el segundo elemento constitutivo del español, tras el latín, hasta el siglo XVI. El número de arabismos en español se ha elevado a 4 000, teniendo en cuenta derivados y topónimos, pero el diccionario académico incluye unos 1 300. Es un número importante, pero más que su cantidad, tiene interés conocer de qué tipo son y cómo llegaron al español. En principio, el periodo más favorable para el paso de arabismos a los romances peninsulares debería haber sido el de mayor influencia cultural musulmana; esto es, entre los siglos X y XII. Efectivamente, la cultura de al-Ándalus trajo a la península una forma de vivir, de vestir, de trabajar, de comer, de construir, de guerrear y hasta de morir muy distinta de la romana y de la visigoda. Además, durante el periodo de la esplendorosa al-Ándalus, convivieron en las grandes ciudades, especialmente Córdoba y Sevilla, las tres culturas del Libro —musulmanes, judíos y cristianos—, produciendo una enriquecedora simbiosis cuyos máximos exponentes intelectuales fueron Averroes y Maimónides, y que facilitó las transferencias lingüísticas.

Muchos de los arabismos lingüísticos llegaron a la península con nuevos objetos y productos; por ejemplo, con la agricultura: *algarrobas, acelgas, albaricoques, alcachofas* o *berenjenas*. Otros, en cambio, se toparon con denominaciones preexistentes en el latín popular o en los primeros romances y dieron lugar a dobletes léxicos:

Romance	Arabismo
cabezal	*almohada*
calendario	*almanaque*
hierba abejera	*toronjil*
occidente	*algarve*
olivo silvestre	*acebuche*
puerco montés	*jabalí*

El ámbito de la guerra aportó *alférez* 'portaestandarte en la vanguardia', *adalid* 'guía de las tropas' o *adarga* 'escudo de cuero'; la construcción trajo *albañil, adobe* 'ladrillo de barro cocido' o *tabique* 'pared delgada'; el comercio introdujo *almazara* 'molino de aceite' o *alcuza* 'recipiente de aceite'. En algunos casos, la convivencia cotidiana hizo que los hablantes de castellano incorporaran palabras cuyo significado árabe no conocían bien y que hoy se siguen utilizando sin relación alguna con el uso árabe original: *matraca* (en español 'molestia'; en árabe 'martillo') o *cicatero* (en español 'avaro'; en árabe 'caer'). Son decenas y decenas los arabismos incorporados, entre los que no han de olvidarse los relacionados con la ciencia y la tecnología. El mundo árabe aportó a occidente, a través de la península, todo un universo científico, originario tanto del Mediterráneo oriental como del mundo clásico. Como muestras más relevantes merecen destacarse la palabra y el concepto matemático de *cero*, el uso de la «X» con el valor de incógnita, la palabra *cifra* y, por supuesto, la numeración arábiga, hoy universal. Son sencillamente maravillosos los resultados derivados de los contactos lingüísticos y culturales; en realidad, gracias a ellos la humanidad ha progresado enormemente a lo largo de la historia.

Pero, ¿cómo se produjo la entrada de arabismos en la península y concretamente en el castellano? No está muy claro cómo fue tal incorporación en todos los casos, pero sí conocemos algunos hechos. Sabemos que la introducción fue paulatina: hasta 1200 debieron entrar unos 200 arabismos, que es un cantidad significativa, aunque muchos de ellos desaparecieron pronto; en el siglo XIII se documentan unos 300 arabismos diferentes y en los dos siglos posteriores se encuentran alrededor de 550. Sabemos también que los transmisores principales fueron los cristianos mozárabes que fueron incorporándose a los reinos norteños conforme la conquista avanzaba. Pero no fue esta la única vía. Sabemos también que las Cruzadas (1095-1291) ayudaron a la introducción de arabismos, principalmente al francés y al provenzal, de donde pudieron pasar al castellano, y que el comercio mediterráneo sirvió para la adopción de voces árabes en italiano y en catalán, de donde también pudieron deslizarse al español, al tiempo que unos pocos arabismos todavía lo pudieron ser en latín: *barrio, nuca*. Finalmente, sabemos que la arabización del castellano no llegó a ser muy profunda, dado que su impronta se limitó al léxico y la fraseología, sin afectar de forma apreciable ni a la gramática ni a la pronunciación romance.

La vía mozárabe garantizó en la Edad Media una buena afluencia de palabras de origen árabe hacia el castellano (también hacia otros romances) y en definitiva hacia el español. Pero, ¿quiénes eran los mozárabes? Eran los cristianos que convivieron con los musulmanes en sus comunidades y que pudieron mantener tanto su religión como su lengua romance, si bien el precio de esa convivencia fue su arabización cultural y lingüística, de ahí el nombre: *mozárabe* viene a significar 'arabizado'. Los mozárabes eran bilingües, en distinto grado; un fruto del contacto cultural, de la mixtura lingüística, de la hibridez de modos de vida. Y naturalmente no fueron la única consecuencia de todo ello porque hubo cruces de lenguas, culturas y religiones para todos los gustos. Los *mudéjares* eran musulmanes de las comunidades cristianas y llegaron a estar tan influidos por las costumbres castellanas que tenían que leer en castellano resúmenes de la ley musulmana para no olvidarla. Los *muladíes* eran cristianos convertidos al islam que llegaron a perder su romance. Los *tornadizos* eran moros convertidos al cristianismo, por lo que siempre levantaban sospechas, por muy bien que hablaran el castellano. Además había *enaciados*, que eran cristianos muy cercanos por amistad a los *sarracenos*, que así era como llamaban a los musulmanes. Las posibilidades de cruces llegaron a agotarse. Después de 1492 se constituirían como grupo los *moriscos*, bautizados a la fuerza por una pragmática de los Reyes Católicos de 1502.

El habla de los mozárabes —llamada también *mozárabe* o, más propiamente, *romance andalusí*— era una evolución natural del latín, muy cercana a los romances del norte peninsular; tanto que, cuando los mozárabes decidían trasladarse a vivir con sus correligionarios o cuando los cristianos recuperaban tierras hacia el sur, su romance andalusí, ya muy diverso de por sí, acababa diluyéndose en el de los otros cristianos. Eso sí, no sin antes dejar huellas. Una de ellas, muy destacada, es la transmisión de arabismos al castellano, como ya se ha comentado. Otra es la aportación de voces propias: los llamados *mozarabismos*. Existen algunas decenas en español que suelen identificarse por peculiaridades de su pronunciación o su morfología: *gazpacho, corcho, chinche, horchata, macho* ('martillo, mazo'), *baliza, marisma, canuto, maceta, marchito*.

Finalmente, fue también consecuencia de la convivencia lingüística y cultural el empleo de la composición literaria árabe denominada *jarcha*, que sirvió para la introducción de formas del romance andalusí. Las jarchas romances, compuestas probablemente por bilingües, son una muestra muy ilustrativa de la alternancia de las lenguas árabe y romance. La mayor parte de ellas son de los siglos XI y XII, aunque pasaron inadvertidas para la historia hasta que fueron leídas e interpretadas por el hebraísta Samuel Stern en 1948. Las jarchas adelantaron al siglo XI la aparición de la lírica románica y le concedieron a España, en detrimento de la lírica provenzal, el honor de ofrecer los primeros testimonios escritos de este género. El aspecto de una jarcha es bastante curioso porque se trata de versos escritos con caracteres árabes o hebreos (aljamía), en los que no se anotan las vocales.

مَمّ آىْ حبيبِ
شلجَمله شقرله
القلْ الـبْ
ابْكله حمرلهْ

Jarcha (siglo XII)

Transliteración	Reconstrucción	Traducción
mᵃmm 'ay hbybⁱ	mamma ay habibi	Mama, ay habibi ('muchacho amado')
šlyᵃmla šqrla	sol-yumalla saqrala	su pelo es rubio
'lql 'lb	el-quwallo albo	su cuello blanco
'bkla hmrla	e bokalla hamralla	su boquita roja

Las jarchas entroncan con los villancicos castellanos y, en general, con la lírica popular medieval, por lo que su importancia trasciende a las cuestiones puramente lingüísticas. Ahora bien, no deja de maravillar que en unas pocas consonantes, en unos pocos versos de unos pocos poemas se depositen fragmentos de la historia del español que de otro modo serían poco o nada conocidos.

Finalmente, hay que valorar el hecho de que las jarchas podían estar escritas en caracteres árabes o hebreos. Y es que este simple rasgo es un síntoma del grado de convivencia cultural que existía en la al-Ándalus de las tres culturas y que más adelante fue heredada por la Castilla de Fernando III y Alfonso X, en el siglo xiii. Los judíos tuvieron presencia en Hispania al menos desde el siglo iv, cuando está ya documentada la existencia de comunidades judías que daban un color bilingüe a las ciudades visigóticas, al menos en el dominio religioso. Su situación fue de relativa prosperidad hasta que la corona visigoda se hizo más estricta en su ortodoxia cristiana, de modo que la invasión musulmana fue percibida por los judíos como un alivio. Bajo el dominio islámico, los judíos vivieron su mejor momento económico y social durante el califato de Abderramán III y contribuyeron tanto a su grandeza cultural como a su repertorio lingüístico, sumando el hebreo a las lenguas de la comunidad, aunque fuera solo para fines religiosos y jurídicos, dado que los judíos de al-Ándalus utilizaban el árabe como lengua científica y literaria. La etapa más difícil llegó con el fanatismo islámico almohade, lo que hizo que la conquista cristiana fuera también recibida como una liberación por parte de los judíos.

La convivencia de cristianos, árabes y judíos en Toledo o en Sevilla granó frutos extraordinarios para la cultura hispánica y occidental. La comunidad judía fue transmisora de muchos conocimientos adquiridos desde sus primeros contactos con el mundo árabe y ello fue decisivo a la hora de traducir y divulgar los saberes de la época. Además, su concurso era imprescindible en el campo de la medicina, del comercio, de la artesanía o de los tributos, actividades que practicaban en castellano. Los judíos en la Castilla medieval solían vivir en las ciudades y, dentro de ellas, agrupados en las aljamas y juderías, de tal modo que pudieron mantener su cohesión cultural y religiosa sin por ello dejar de interactuar con la población cristiana ni de manejar cotidianamente su lengua. Contaban también con *almidras* o escuelas donde los niños leían y escribían en hebreo, aunque allí mismo hacían uso de los caracteres hebraicos (alefato) para escribir en castellano textos civiles, como registros, actas y ordenamientos.

Y así fue hasta 1492, fecha en la que las persecuciones contra los judíos por recelos económicos y religiosos desembocaron en su expulsión, que ni siquiera impidió la ascendencia judía del propio rey católico, Fernando de Aragón, ni los estrechos vínculos que los judíos mantenían con la nobleza castellana. En cualquier caso, hasta esa fecha, la historia lingüística y cultural de la península nos habla de una coexistencia multicultural y multilingüe que llevó a Castilla a las más altas cotas de la cultura europea medieval.

Personajes, personas y personillas

Sem Tob de Carrión

Carrión de los Condes se levanta en el corazón de la provincia de Palencia, en Tierra de Campos, cercana a la frontera de Castilla con las históricas tierras leonesas. Los cereales, la huerta y la ganadería han sido sustento del municipio a lo largo de la historia, que también obtuvo beneficio de su ubicación en el Camino de Santiago, de su condición de cabecera judicial durante largo tiempo y de su vinculación histórica con la nobleza castellana. Todo ello le proporcionó a Carrión un bagaje cultural del que no disfrutaron otras villas y al que contribuyó su populosa comunidad judía durante toda la Edad Media. En el seno de esta comunidad, en convivencia cotidiana con cristianos, nació el conocido como Sem Tob Isaac ben Ardutiel, aunque él mismo se llamó *Santob* o *Santo*, no por razones de santidad, obviamente, sino porque «Sem Tob», con el significado de 'hombre bueno', era apelativo habitual entre judíos peninsulares.

Sem Tob nació a finales del siglo XIII y fue educado en el estudio de la Biblia y el Talmud, al que se dedicó con fruición durante años, al tiempo que extendía su sensibilidad filológica y religiosa hasta el terreno de la creación literaria. Tal vez de ahí le vino el apelativo de «rabino», aunque no se sabe si lo fue realmente. Sem Tob era conocedor del hebreo y del árabe, era traductor y dominaba la escritura en castellano. Su continua dedicación a los textos lo convirtió en una persona algo huraña, pero no por ello exenta de una sensibilidad y una inteligencia que ponía al servicio de sus principios religiosos y morales. Las buenas relaciones de su comunidad con la corona de Castilla, heredadas desde los tiempos de Alfonso VI, llevaron a Sem Tob a dedicarle al rey Pedro I su obra más representativa, sus *Principios morales*, compuesta hacia 1351 y titulada así por otro ilustre hijo de Carrión de los Condes, el marqués de Santillana. En la obrita, figura esta estrofa bien conocida en la literatura medieval:

> No vale el azor menos
> por nacer de mal nido
> ni los ejemplos buenos
> por los decir judío.
>
> SEM TOB, *Proverbios morales*, estrofa 48

Curiosamente, *Proverbios morales* fue una obra escrita por un judío para uso de cristianos. Este hecho, sin embargo, no resultaba tan extraño en la sociedad de las tres religiones, como tampoco lo fue la incorporación de elementos árabes en textos hebreos o la aparición de las biblias romanceadas. Además, Sem Tob no fue el único autor judío que escribió en romance utilizando fuentes y técnicas de la literatura hebrea. Existen otras composiciones, como las «Coplas de Yoçef» o el poema titulado «El pecado original», que han llevado a los especialistas a hablar de un género específico, el *mester rabínico*, que se caracterizaría por la formación religiosa de sus autores, por el manejo de fuentes árabes y hebreas, por incluir rasgos formales semíticos, por difundirse entre cristianos y judíos como literatura litúrgica y por resultar idóneo para la memorización y el canto. El género rabínico, junto a las traducciones bíblicas y la predicación, contribuyó a la difusión en castellano de hebraísmos como *edén, fariseo, maná* o *sidra*. Este mester, incluida la obra de Sem Tob, vino a enriquecer el panorama cultural de la Castilla medieval, aunque la historia de la literatura reservó casi todos los honores para Don Juan Manuel o Juan Ruiz, en el siglo XIV, y para Jorge Manrique o el marqués de Santillana en el XV.

Capitán Vanegas

Pedro Venegas había nacido en el castillo roquero de Luque, al sur de Córdoba, hijo del señor de aquellas tierras, que descendía de una antigua familia de mozárabes. Corría el año 1380. Había crecido Pedro entre espadas y arados, rodeado de aguerridos guerreros acostumbrados a la frontera y capaces de distinguir a un moro de un muladí sin necesidad de mediar palabra. Su padre quiso que se aplicara con el cura en el estudio de los latines, pero Pedro prefería arrastrarse por las piedras del cerro del castillo.

Pedro hablaba el castellano de sus padres, aunque con un seseo que llamaba la atención de los viajeros que llegaban del norte. Pocos días después de cumplir los ocho años, mientras corría con otros chicos por los eriales de Luque, durante una maldita escaramuza de los vecinos moros granadinos, Pedro fue raptado y conducido a la capital nazarí por la fuerza. Sus lloros fueron infinitos, pero el hecho es que en Granada fue educado cerca de la familia real, ya que, al fin y al cabo, era hijo de un señor; allí aprendió el árabe hispánico y allí fue convertido al islam. Por eso los cristianos que supieron de él lo llamaron el *Tornadizo*. A la vez, su inteligencia le procuró gran consideración entre los moros de Granada, hasta el punto de que llegó a casarse con Meriem, la hermana del rey.

Pedro Venegas hizo suya la vida musulmana y llegó a combatir, con el rango de capitán, a los cristianos que acechaban la frontera. Su bilingüismo le fue útil más de una vez para conocer los planes de sus oponentes o para desconcertarlos en combate, si se hacía necesario. En agosto de 1407, durante el cerco a la ciudad de Baeza, defendida por el castellano don Pero Díaz de Quesada, Mahomad, rey de Granada, arengó a sus tropas antes del asalto final y reservó al capitán Vanegas la misión más delicada: el rapto de las hijas del defensor de la plaza. Así lo canta el *Romance del asalto de Baeza*, que pone en boca del rey Mahomad las siguientes palabras:

> Moricos, los mis moricos, - los que ganáis mi soldada,
> derribédesme a Baeza, - esa ciudad torreada,
> y los viejos y las viejas - los meted todos a espada,
> y los mozos y las mozas - los traed en cabalgada,
> y la hija de Pero Díaz - par ser mi enamorada
> y a su hermana Leonor, - de quien sea acompañada.
> Id vos, capitán Venegas, - porque venga más honrada,
> porque, enviándoos a vos, - no recelo en la tornada
> que recibiréis afrenta - ni cosa desaguisada.

Cuentan que, años después, el capitán Venegas, tal vez por descruzar la vida que se le había cruzado, decidió pasarse al lado cristiano y servir al rey don Juan II de Castilla. Entonces, el Tornadizo lo fue más que nunca.

NOTA. El texto citado es el único fragmento conservado del *Romance del asalto de Baeza*, creado en el siglo XV, en una versión de 1588 recogida en *Primavera y Flor de Romances*. Pertenece al género de los romances de frontera, que proliferaron desde la época de Juan II hasta el reinado de Felipe II, ya en el siglo XVI, y que constituyeron un testimonio muy revelador de los vaivenes y mezclas del universo fronterizo cristiano-musulmán. No todos los romances narran hechos probados, incluso menudean los anacronismos, pero aportan una imagen impresionista y reveladora, desde una multiplicidad de perspectivas, de lo que supuso vivir a caballo —también literalmente— entre la religión, la lengua y las costumbres de los moros y los cristianos. En cuanto a la historia de Pedro, se trata de una recreación fundamentada en unos pocos datos supuestamente ciertos.

En dos palabras

arroba

Las palabras nacen y mueren, pero también pueden revivir y reencarnarse. *Arroba* ya se usaba en los orígenes del español, procedente del árabe hispánico *arrúb'* con el significado de 'cuarta parte', aplicado como medida de peso y de capacidad. La cuarta parte referida era la del *quintal*, formado por cien libras de la antigua Castilla. Aunque el peso concreto variaba de una región a otra de la península, lo cierto es que tanto *quintal* como *arroba* también quedaron en la lengua popular como expresión de la pesadez: «esto pesa un quintal»; «pesa una arroba», se dice aún en España y América. Asimismo la locución *por arrobas* significa en gran cantidad, de forma abundante, sobrada o excesiva; y, en Cuba, *de arroba* se aplica a una situación difícil o a una persona que no es de fiar.

Ahora bien, el uso continuo y reiterado de la palabra *arroba* en listados y escritos mercantiles llevó a su abreviación por medio del símbolo «@», leído como «arroba» y documentado en España con este valor desde el siglo XV, si bien su origen gráfico es objeto de diversas conjeturas. Palabra y símbolo, utilizados también en portugués desde antiguo, pasaron al francés; y el símbolo también al inglés y a otras lenguas, como abreviatura de distintas formas que comenzaban por la vocal «a». No obstante, conforme el sistema métrico decimal fue extendiéndose en Francia, España o Portugal, el empleo de la voz *arroba* fue haciéndose más escaso y en la actualidad pocos saben a qué peso corresponde exactamente.

Ahora bien, a finales del siglo XIX se produjo un hecho muy simple, pero de gran trascendencia: la inclusión del símbolo «@» en el teclado de las máquinas de escribir, precisamente por su utilidad en el campo comercial. Prácticamente un siglo después, en 1971, el programador informático Ray Tomlinson lo eligió para integrarlo en las direcciones de correo electrónico, entre otras razones porque en inglés se leía como «at» 'en' y venía al pelo para indicar el lugar *en* que se alojaba el correo de un usuario. Lógicamente, el nuevo símbolo informático se leyó en español, no como «at», sino como «arroba». De este modo, una palabra que había sido desahuciada acabó siendo recuperada para la vida cotidiana por el uso de su abreviatura, concluyendo una maravillosa historia de reencarnación. A partir de su uso moderno en el correo electrónico, sus valores se han ramificado y hoy se emplea también, seguido de una cadena de caracteres, para identificar un emisor en la red social Twitter® o como morfema gramatical de género masculino y femenino simultáneamente, cuando se desea recurrir al lenguaje inclusivo: *ciudadan@*. Así pues, en la historia del símbolo de la arroba, universalizado a través de la informática, la lengua española ha tenido un protagonismo destacado y no siempre reconocido.

azúcar

El origen remoto de la palabra *azúcar* se sitúa en la India y su étimo más antiguo es de origen persa. Aunque la procedencia de la caña de azúcar y de otras plantas de jugo dulce es asiática oriental, en la India fue donde parece que se inventó la técnica de la cristalización. Allí la conocieron las tropas de Alejandro Magno —«la miel sin abejas» le decían al azúcar— y, a través de Persia, la llevaron hasta Grecia, donde la llamaron *sánjari*. Esta forma fue tomada por los árabes como *sukkar*, que, con el artículo, se transformó en *assúkkar* en el árabe hispánico, desde donde pasó al español. Hay que tener en cuenta que el azúcar fue un producto exótico en Europa hasta que los árabes comenzaron a cultivar la caña en Sicilia y en España. Solo después de las Cruzadas y por la influencia de Italia y España se popularizó como el edulcorante más habitual de occidente, desbancando a la miel.

El periplo seguido por el producto es sencillamente asombroso y el de la palabra no resulta menos llamativo. El viaje del azúcar no concluyó en Europa porque enseguida pasó a África y después a América. En Canarias fue cultivada ya en el siglo xv y hay constancia de que en 1508 se tomaba azúcar canaria en Amberes. Cristóbal Colón, durante su segundo viaje a América, en 1493, llevó caña de azúcar precisamente desde las islas Canarias. De hecho, según explica Samuel Morison, Colón tenía ya experiencia en el comercio de la caña de azúcar entre Madeira y Génova. Existen referencias de que España comenzó el cultivo de la caña en América en una fecha tan temprana como 1506; en Cuba se cultivó desde 1523 y después se extendió a otros muchos territorios. En cuanto a la palabra, su difusión no fue menos llamativa, una difusión que la ha llevado a su adopción y adaptación en un gran número de lenguas del mundo. Si eso es así, en gran parte se debe a su préstamo desde la lengua española.

Dentro del español, la palabra *azúcar*, de género ambiguo (*azúcar blanco - azúcar blanca*), forma parte de tantas denominaciones como tipos de azúcar y formas de prepararla hay. En este sentido, el despliegue denominativo del español americano es impresionante: *azúcar blanco directo, de pilón, en cubitos, en pan, flor, impalpable, negra, prieta, rubia, trigueña*; aunque el español general ofrece también un amplio repertorio: *azúcar amarilla, blanquilla, cande, centrífuga, comprimida, de cortadillo, de lustre, de malta*. A partir de aquí es comprensible que hayan surgido cambios semánticos, como el que lleva a llamar *azúcar* a la glucosa y a la diabetes; o el que permite que se exclame «¡*Azúcar*!» cuando se vive una experiencia dulce y agradable.

5

El español en sus modalidades regionales

Conforme avanzaba la Edad Media, el tiempo jugaba a favor de la lengua castellana: las conquistas militares ampliaban su espacio geográfico; la población crecía paulatinamente, a pesar de la peste negra; la cancillería real de Castilla y León aumentaba su corpus legislativo y administrativo en castellano; la vida urbana se hacía progresivamente más dinámica; las iglesias predicaban en romance, siguiendo las pautas del Concilio de Tours; la escritura en castellano iba sumando títulos y autores a su elenco. Todo, en fin, favorecía el crecimiento social y lingüístico del castellano: geografía, demografía, economía, política, religión, cultura.

En cuanto a su desarrollo literario, influyó asimismo un elemento determinante: la difusión del *Cantar de mío Cid*. Esta obra destacó desde muy pronto por su doble significación. De un lado, supuso el nacimiento de la primera literatura, propiamente dicha, en castellano; de otro lado, fue expresión de una lengua que estaba evolucionando entre gente analfabeta que solo podía recurrir a la oralidad para la transmisión de su cultura. El *Cantar de mío Cid* es el máximo exponente de la épica castellana y de una línea creativa llamada *mester de juglaría*, escrita para ser recitada por los juglares. Probablemente el *Cantar* no fue una composición surgida del pueblo llano, pero la realidad es que se recitó en infinidad de lugares ante gente que no tenía otro acceso al lenguaje literario. Los responsables de su difusión fueron los juglares, que lo cantaron ante nobles y poderosos, pero también ante plebeyos y villanos.

La épica castellana, ligada a la europea, se desplegó entre los siglos XII y XIV. Ambas referencias cronológicas, sin embargo, resultan engañosas. La primera es falaz porque la fecha del más antiguo cantar de gesta castellano, el del Cid, probablemente sea el año 1200, si bien eso no significa que no hubieran podido existir manifestaciones orales de naturaleza similar incluso antes del siglo XII. En cuanto a la segunda fecha, también es engañosa porque, si bien el cantar más moderno de Castilla es

Mocedades de Rodrigo (h. 1360), lo cierto es que todavía en el siglo XXI, tanto en tierras españolas como americanas, se recitan fragmentos de los cantares, transmitidos de generación en generación como parte del *romancero viejo*. De él forman parte romances épicos procedentes de los cantares, junto a romances fronterizos, históricos, caballerescos, milagreros o referidos a la cultura popular. Asimismo, el *romancero sefardí* trasladó la épica medieval castellana, desmembrada en romances, a África y Turquía, donde se siguen cantando y modificando hasta la actualidad. Sin duda, se trata de un hecho singular, ya que ninguna otra épica europea de origen medieval ha tenido una longevidad comparable a la castellana.

Esa épica medieval, como expresión culta y a la vez popular, contribuyó a la consolidación de la lengua castellana y a su prestigio entre los propios habitantes de Castilla y entre los de otros reinos cristianos. La consolidación de una lengua se deduce de su capacidad para ser vehículo de todo tipo de necesidades comunicativas, desde las más cotidianas a las más formales, desde las más familiares y simples a las más científicas y complejas. El castellano, década a década, había ido creciendo como instrumento comunicativo de la cultura popular, de una literatura progresivamente más refinada, de la filosofía y la ciencia, de la administración y el gobierno; en fin, de cualquier tipo de necesidad. Y, durante este proceso, fue incorporando multitud de elementos —léxicos, gramaticales— de sus lenguas circunvecinas de Europa y, muy especialmente, de las lenguas de la península ibérica. De esta forma, el castellano, al tiempo que acrecentaba los elementos que lo distinguían de otras lenguas, se diversificaba internamente.

En su aventura colonizadora hacia el sur de la península, Castilla vivió varios momentos decisivos: a mediados del siglo X, su autonomía política y su extensión hasta Segovia; en 1085, la conquista de la ciudad de Toledo; en 1212 la llegada a Andalucía tras la victoria de las Navas de Tolosa; en 1248, la entrada en la ciudad de Sevilla. Entre todos ellos, interesa destacar ahora la conquista de Toledo por parte de Alfonso VI, ya que tuvo como efecto colateral la formación de una variedad castellana «toledana» que, sostenida sobre el prestigio de la corte de Alfonso el Sabio, acabaría siendo referencia de buen hablar hasta el siglo XVII. El escritor andaluz Francisco Delicado se mostraba en 1534 subyugado al hablar toledano:

> más presto se deve escuchar el hablar de un rudo toledano que no al gallego letrado ni al polido cordobés.
>
> FRANCISCO DELICADO, Introducción
> al tercer libro de *Primaleón*, 1534

El propio Lope de Vega apuntaba estos elocuentes versos relativos al prestigio lingüístico de Toledo:

> Dicen que una ley dispone
> que, si acaso se levante
> sobre un vocablo porfía
> de la lengua castellana,
> lo juzgue el que es de Toledo.
>
> Lope de Vega, *Amar sin saber a quién*, 1630

La razón de la preferencia por Toledo como dechado de habla culta y refinada fue de carácter eminentemente social, ya que su prestigio no estaba basado en usos lingüísticos concretos, más allá de alguna referencia léxica. Toledo fue capital del reino, allí se reunía la corte, allí acudían los más sabios, allí tuvo cabecera la Iglesia castellana. No era tanto una cuestión de nacimiento, ya que el habla de las plazas y mercados toledanos nunca fue muy bien vista; era cuestión de hablar como los cortesanos de Toledo. ¿Y cómo era ese hablar? Pues una modalidad urbana que había incorporado componentes de los grupos repobladores que allí se reunieron: mudéjares, judíos, mozárabes, franceses y castellanos de todos los puntos del norte peninsular; una variedad que nivelaba el modo de expresarse de unos y otros provocando innovaciones que fueron bien recibidas. Así, el habla de Toledo se hizo diferente de la de Burgos, sin dejar de ser castellano.

En el occidente peninsular, la lengua castellana fue compartiendo espacios y fronteras con las hablas asturianas, las leonesas o las gallegas, y la relación con cada una de ellas tuvo sus peculiaridades. Las hablas asturianas, propias de valles y concejos mal comunicados, desarrollaron particularmente sus diversas formas lingüísticas, de modo que no tuvieron muchas posibilidades de intercambiar influencias con el castellano primitivo. El panorama fue distinto, en cambio, cuando la gente de la antigua Asturias se dispersó por las llanuras leonesas al ritmo de la conquista. Las repoblaciones del valle del Duero supusieron el poblamiento de villas y ciudades en las cuales se produjo una nivelación de la forma de hablar de los vecinos que en ellas fueron coincidiendo. Montañeses de aquí y de allá se encontraban en las nuevas tierras cristianas e intercambiaban rasgos de sus respectivas modalidades. Las hablas asturianas desde ese momento comenzaron a ser otra cosa, conocida como *leonés*, que se convirtió en la lengua de un reino creciente, al que acudieron también cántabros, gallegos, vascos, mozárabes, judíos y, por supuesto, castellanos.

Así pues, el leonés fue resultado de una nivelación lingüística que también incorporaba elementos castellanos. Del mismo modo, la vecindad geográfica y la presencia de gente leonesa, transeúnte o asentada en Castilla, provocó la incorporación de elementos leoneses al castellano. Algunos de ellos se han perpetuado hasta el español actual, que a lo largo de los siglos no ha interrumpido el intercambio con las hablas de Asturias ni de León. Son palabras de procedencia leonesa *nalga*, *achiperres* 'trastos', *cuadril* 'cadera', *pínfano* 'mosquito', *lamber* 'lamer' o *llares* 'lares'. El problema principal para la identificación de voces leonesas está en que algunas de sus características son compartidas con otras hablas del occidente peninsular, por lo que a menudo no se distinguen de los galleguismos o los portuguesismos, por no mencionar la dificultad de diferenciar estrictamente entre leonesismos y asturianismos. Por este motivo, prefiere hablarse, en términos generales, de *occidentalismos* del castellano: *carozo* 'hueso de la fruta', *cabo* 'mango', *gajo* 'racimo', *coruja* 'lechuza', *bagazo* 'hollejo', *frangollo* 'grano molido' o *tupir* 'obturar'. En cuanto a los galleguismos y los portuguesismos, su procedencia también puede confundirse: *pazo* 'tipo de construcción', *rapaz* 'muchacho', *parcería* 'acuerdo de colaboración', *meigas* 'brujas', *millo* 'maíz'. En cualquier caso, lo más deslumbrante de las influencias astur-leonesas, junto a las gallego-portuguesas, ha sido la longitud de su itinerario: del noroeste peninsular se extendieron hacia Extremadura y a la Andalucía occidental; de Andalucía, a las islas Canarias y de aquí al continente americano, de modo que hay formas leonesas que pueden ser cotidianas en el Caribe, pero totalmente ajenas a la cercana región de Aragón, por paradójico que resulte.

En el oriente peninsular, la situación lingüística y la extensión del castellano mostraron algunos paralelismos con lo que había ocurrido en occidente. Las hablas aragonesas y catalanas, cuajadas en el Pirineo de forma autónoma y entrelazadas por diversas hablas fronterizas, se expandieron hacia el sur con las conquistas militares. De esta forma pasaron, en menos de un siglo, de tener como referencia principal la ciudad de Jaca, en los Pirineos, a extenderse hasta el sur de Teruel en el siglo XII y, después, por la costa hasta Valencia y Murcia. En el caso de Aragón, los nuevos territorios exigían una repoblación a la que tuvieron que acudir gentes no solo del Pirineo central, sino también catalanes, navarros, vascos, leoneses, gallegos y, lógicamente, castellanos; a los que se sumaron los mozárabes y judíos de la región, junto a los mudéjares que no quisieron abandonar sus casas cuando los musulmanes fueron expulsados.

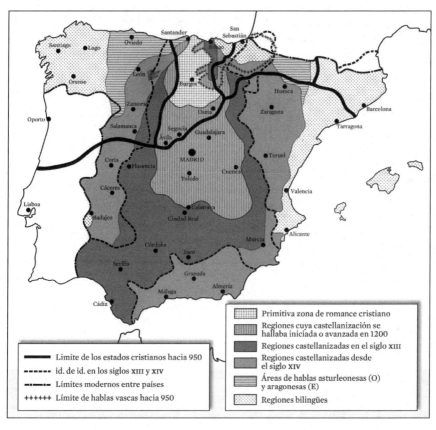

Expansión peninsular del castellano (basado en Rafael Lapesa, 1981)

Una vez más, la multiplicidad de orígenes enriqueció y flexibilizó la lengua de esas tierras, el aragonés, produciéndose una mixtura en la que participó el castellano y quedando relegados los usos pirenaicos minoritarios. Apunta el filólogo Juan Antonio Frago que esta circunstancia allanó el camino para que la castellanización, incipiente en el siglo XIII, pudiera avanzar más tarde sin graves problemas de comunicación para la población. Asimismo en este proceso se desbrozó el camino para la llegada de aragonesismos al castellano, muchos de los cuales son de uso actual, bien general, bien de algún territorio donde hubo presencia aragonesa: *baladre* 'adelfa', *melguizo* 'mellizo', *melsa* 'bazo', *empentar* 'empujar'. Y el mismo trayecto siguieron numerosos catalanismos, como *fanal, faena, granel, pincel, sastre* o *rustir* 'asar'. Los territorios catalanohablantes se integraron en la corona de Aragón hasta que esta se fundió con la de Castilla a finales del siglo XV.

Entre las tierras orientales y las de Castilla, se extendió durante algunos siglos (del XII al XVI) el reino de Navarra, a caballo en la geografía entre el norte peninsular y el suroeste francés. La situación fronteriza obligó al cambio de su denominación (reino de Pamplona, reino de Nájera), según las circunstancias, y al contacto entre hablantes de diversas lenguas, además del latín medieval: vasco, occitano, navarro, aragonés (tal vez navarro-aragonés) y, finalmente, castellano. De ese contacto surgieron también influencias recíprocas, la mayoría efímeras, excepto en lo que se refiere a las hablas locales. Aunque, si pensamos en contactos de consecuencias más duraderas, merecen especial mención los del vasco con las lenguas romances, que, en lo que afecta al español, se manifiestan en vasquismos como los siguientes: *izquierda, pizarra, aquelarre, zurdo, legaña, cacharro, urraca, boina, ganzúa, cencerro, chaparro*. La mayoría de ellos pertenecen ya al español general, como otros rasgos de la fonética y la gramática vascas que se sintetizaron con el castellano hasta formar parte de sus propias peculiaridades.

Si posamos nuestra mirada más hacia el sur, el año 1248 fue una de las fechas señaladas para el desarrollo de la lengua castellana porque fue entonces cuando llegó para quedarse a la ciudad de Sevilla. La repoblación de Andalucía obligó a un esfuerzo mayor que el realizado en los territorios norteños, pero contó con un estímulo especialmente poderoso: la propia ciudad de Sevilla, la gran urbe sureña de las tres culturas, la heredera de la antigua gloria cordobesa, ahora revestida de la protección de la corona de Castilla. A Andalucía llegaron pobladores de todas las regiones peninsulares, con sus diferentes lenguas y variedades, y el resultado no podía ser otro que una nueva nivelación, una síntesis aún más amplia, capaz de atemperar las tendencias lingüísticas más dispares para acrisolarlas en una modalidad con innovaciones, préstamos y simplificaciones, consecuencias naturales del contacto lingüístico. Así nacieron las hablas andaluzas, que permitieron simplificar el sistema consonántico castellano y generalizar el uso del seseo y del yeísmo, porque la lengua podía seguir siendo castellana sin la *zeta* ni la *elle*.

Por otro lado, en Andalucía, como en Toledo y otras ciudades, los judíos habían hecho suya la lengua del reino de Castilla, una lengua a la que habían vertido sus propias tradiciones culturales y religiosas, como demuestran las magníficas traducciones de la Biblia hechas en la Edad Media. En realidad, los judíos fueron en gran medida responsables de fijar y circular el uso de la lengua castellana por toda España, ya que dos siglos después de Alfonso el Sabio continuaban usando el castellano para leer las escrituras, comentarlas, escribir filosofía y estudiar astronomía.

El efecto lingüístico de todo ello fue el nacimiento del español sefardí, judeoespañol o ladino, trasladado desde España a sus nuevos destinos (Países Bajos, norte de África, península balcánica, Mediterráneo oriental), donde ha permanecido vivo hasta nuestros días.

Áreas dialectales de la lengua española en España

En definitiva, la lengua castellana fue configurando sus modalidades regionales al son que marcaba la historia y la geografía. El resultado final fue un mosaico dialectal que se encuentra en la base de algunas de las principales variedades del español actual y que ya se percibía con claridad en el siglo XVI. Basten tres testimonios, muy significativos, para demostrarlo. En 1535, el humanista conquense Juan de Valdés apuntaba:

> Cada provincia tiene sus vocablos propios y sus maneras de dezir; y es assí que el aragonés tiene unos vocablos propios y unas maneras de dezir, y el

andaluz tiene otros y otras, y el navarro otros y otras, y aun hay otros y otras en Tierra de Campos, que llaman Castilla la Vieja, y otros y otras en el reino de Toledo.

JUAN DE VALDÉS, *Diálogo de la lengua*, 1535

El escritor vallisoletano Damasio de Frías exclamaba, avanzado el siglo XVI:

¡Cuán diferente os parece que es la lengua castellana de la andaluza en muchas cosas! ¡Cuán diferente de entrambas, en algunos términos, la del reino de Toledo! ¡Pues los extremeños no dejan de tener algo diferente de todos! ¡Qué os diré de Valladolid!

DAMASIO DE FRÍAS, *Diálogo de las lenguas*, 1579

Asimismo, el erudito Bernardo de Aldrete identificaba en 1606 las cuatro modalidades más destacadas del español de la época:

Los que andan en la Corte i estudian en universidades tienen desto gran experiencia, porque concurriendo a estas partes mucha gente de diversas partes i que habla una misma lengua castellana, en poco tiempo, con alguna advertencia, se conoce quál es de *Castilla la Vieja*, quál de *la Nueva*, quién de *Estremadura* i quién del *Andaluzía*.

BERNARDO DE ALDRETE, *Del origen y principio
de la lengua castellana*, 1606

La mayor maravilla de las lenguas es su capacidad para mantener el equilibrio entre la tendencia a la divergencia de sus manifestaciones y la fuerza de su coherencia interna. En el caso de la lengua española, resulta asombroso que las hablas de la vieja Castilla norteña sean reconocibles hasta hoy y que las antiguas hablas andaluzas compartan aún componentes esenciales con la Andalucía contemporánea y con todos los lugares a los que alcanzó la influencia de su gente.

Personajes, personas y personillas

Elena y María

Elena y María eran dos hermanas, hijas de un célebre hidalgo castellano, que habían caído rendidas al amor de sendos hombres de su ciudad: un abad y un caballero. La situación no dejaba de provocar cierta tensión en la familia porque ninguna de ellas había tenido la oportunidad de prometerse y desposarse como lo hicieron las doncellas de otras discretas familias cristianas. Pero las cosas eran así y Elena enamoraba con un caballero de armas, al tiempo que María lo hacía con un abad dedicado a sus misas y limosnas. Cada una yacía con su hombre, al tiempo que hacía suyo el modo de vida de su compañero de amores. Y tanto se identificaron con ellos —quién sabe si para justificar su suerte— que a menudo entraban en debates y disputas que parecían no tener fin.

El debate de Elena y María no ahorraba detalles sobre los méritos propios y los deméritos ajenos. Elena le criticaba al abad su gusto por el dinero y la comida, el poco afán por trabajar e incluso su aspecto de buen comedor despreocupado. María le criticaba al caballero la pobreza en que se movía, el hambre que le hacían pasar en palacio y su falta de recursos para darle una vida digna a su compañera. Sin embargo, estas críticas no impedían que Elena viera a su hombre como el más alto y mejor parecido; como las de esta no conseguían que María dejara de ver al suyo como el hombre con todo lo necesario para llevar una vida buena y en paz. Estas palabras se decían la una a la otra:

ELENA   Mais yo amo el mais alto,
        ca es caballero armado,
        de sus armas esforçado;
        el mio es defensor,
        el tuyo es orador:
        quel mio defende tierras
        e sufre batallas e guerras,
        ca el tuyo yanta e yaz ('come y se acuesta')
        e siempre esta en paz.

MARÍA   Ve, loca, trastornada,
        ca non sabes nada!
        dizes que yanta e yaz
        por que esta en paz! [...]
        como el tu caballeron
        que ha vidas de garçon ('mozo').
        Cuando al palacio va
        sabemos vida que le dan: [...]
        como tray poco vestido,
        siempre ha fambre e frio.

Poema de Elena y María, 1280

El enojo de una y otra llegó a ser tal, que decidieron solventar la disputa solicitando el mejor juicio del rey Oriol. La historia no tiene final conocido, pero, estando por medio el juicio de la corte, no resultaría extraña la victoria de Elena y su caballero.

NOTA. La disputa de estos dos personajes femeninos, escrita hacia 1280, ofrece dos aspectos sumamente interesantes. Uno de ellos es que su contenido, reiterado en varias composiciones similares, responde a una contraposición de los dos estamentos que ocupaban los espacios privilegiados de la sociedad medieval: el clero y el ejército. El segundo aspecto es que el poema está redactado en un romance en el que lo castellano, lo leonés y lo gallego-portugués aparecen entremezclados en una síntesis que refleja el estado fronterizo y variable del anónimo poeta y de su lengua.

Francisco Delgado

Entre los primeros escritores andaluces, ocupa un lugar de honor Francisco Delgado (c. 1475-c. 1535), que latinizó su apellido en *Delicado*, por el que suele ser conocido. Nació en el entorno de Córdoba, aunque su infancia transcurrió en Martos (Jaén). Tuvo la dicha de instruirse con el sevillano Antonio de Nebrija, por lo que su aprecio por Andalucía y su habla estuvo más que justificado. Fue clérigo en Extremadura hasta que, antes de cumplir los 30 años, se trasladó a Roma, donde su vida cambió por completo. Allí alternó las obligaciones religiosas con las licencias amorosas, aderezadas, unas y otras, con un gusto por lo literario que lo llevó a escribir de todo, desde recomendaciones para la administración de los sacramentos, hasta un opúsculo sobre las propiedades curativas del palo de Indias contra la sífilis.

Ahora bien, la vida de Francisco Delicado le debe mucho a las corrientes e intereses del Renacimiento, entre los que se incluye la literatura picaresca y la edición de textos. Como, después del Saqueo de Roma por las tropas de Carlos V, los españoles no eran muy bien recibidos en la ciudad eterna, Delicado decidió trasladarse a Venecia. Allí publicó, en 1528, su conocida obra *Retrato de la lozana andaluza* y allí creó un negocio editorial entre cuyos títulos se incluyeron *La Celestina*, de Fernando de Rojas, *Cárcel de amor*, de Diego de San Pedro, y varios libros de caballerías como el *Palmerín de Inglaterra*, merecedor de los elogios del mismísimo Cervantes.

En cuanto a *Retrato de la lozana andaluza*, se trata de una obra picaresca con protagonista femenina que recibió la influencia de *La Celestina* (1500), la gran obra castellana de la transición literaria entre el Medioevo y el Renacimiento. La obra presenta a una andaluza que al quedar huérfana viaja a Sevilla, desde donde diversas aventuras, mayormente amorosas, la llevan a Cádiz y finalmente a Roma. Allí emprende una vida picaresca, llena de engaños y añagazas, que le va procurando la fortuna suficiente para retirarse con su sirviente a una pequeña isla al norte de Sicilia. La aventura tiene, pues, final feliz para la pícara, frente a lo habitual en este género de novelas. Ahora bien, la obra de Delicado ha pasado a la historia por otro rasgo significativo: su andalucismo. Ese andalucismo se aprecia en el uso de voces y giros del sur peninsular, pero también en la actitud con que se justifican:

> Y si quisieren reprehender que por qué no van munchas palabras en perfeta lengua castellana, digo que, siendo andaluz y no letrado, y escribiendo para darme solacio y pasar mi fortuna, que en este tiempo el Señor me había dado, conformaba mi hablar al sonido de mis orejas, ques la lengua materna.
> Francisco Delicado, *Retrato de la lozana andaluza*, prólogo, 1528

Las hablas andaluzas, en los tiempos de Francisco Delicado y del sevillano Mateo Alemán, eran no solo una realidad hablada, sino una realidad percibida y valorada, unas veces para su descalificación y otras para su justificación, lo que no es poco en una época en la que el hablar toledano era referencia única e incontestable.

En dos palabras

clavel

La historia de la palabra *clavel* es una más de las mil pequeñas maravillas que encierra la historia del español. Es una muestra ilustrativa de cómo cambian los significados y de cómo se producen los préstamos entre lenguas. Concretamente, la forma castellana *clavel*, como nombre de la aromática flor, procede del catalán *clavell*. Se trata, pues, de un catalanismo antiguo, testimonio de siglos de convivencia lingüística. La palabra romance procede del latín CLAVUS, que ya contaba con dos significados: el de la pieza metálica y puntiaguda utilizada en la construcción y el de la especia. Este doble significado nace de una primera metáfora: la forma de la especia recuerda a la del clavo de clavar y esta recibe, por tanto, su mismo nombre. Los dos valores pasaron al diminutivo latino *clavellus* 'clavito' y de ahí a la palabra romance *clavell*. Con estos significados se transfirió también al castellano. En 1260 ya se documenta «clauels de girofre» para denominar al clavo, la especia. Pero, ¿y la flor?

El nombre de la flor del clavel constituye un eslabón más en esta cadena lingüística. En el área catalana y en el sur de Francia comenzó a denominarse *clavel* o *clavell* a la flor llamada en latín *Dianthus* 'la flor de Dios' porque el aroma recordaba al de la especia. He aquí una segunda metáfora, basaba en este caso en el olor y no en la forma. Y, a partir del significado de flor, el vocablo comenzó a utilizarse también en los apellidos *Clavel*, *Clavell* y *Claville*, que, en su forma castellana (*Clavel*) se encuentra en Aragón, Cataluña y Valencia, principalmente. En español, la primera documentación de *clavel* para referirse a la flor es de 1536, de modo que probablemente fue palabra corriente desde finales del siglo XV y principios del XVI. En este caso, la procedencia catalana no ofrece dudas. De hecho, ya aparece recogida por Covarrubias, quien proporciona la siguiente definición:

> Flor conocida por su excelencia diéronle este nombre por el olor grande que tiene del clavo aromático. Haze mención della el Doctor Laguna sobre Dioscórides [...]. De algunos se dice clavel en España por ser olorosa su flor, como los clavos de especias, & c. Clavellina, son nombres arábigos, según Tamarid.
>
> Sebastián de Covarrubias, *Tesoro de la lengua española o castellana*, 1611

Como vemos, Covarrubias habla también de *clavellina*, voz catalana diminutiva de *clavell*, que ya se incluye en el *Vocabulario* de Nebrija de 1495, aunque como flor del clavo. No obstante, el empleo de *clavellina* como variedad del clavel existe al menos desde el siglo XVII y así lo recoge el *Diccionario de Autoridades* en 1729.

chabola

El uso de la palabra *chabola* en español no es muy antiguo. Los ficheros de la Real Academia Española incluyen una referencia de 1871 en la que el escritor Amós de Escalante la utiliza como «nombre que dan los trabajadores vizcaínos a sus chozas de madera y de piedra seca». Estamos, pues, ante un vocablo de origen vasco, prestado al español en tiempos aparentemente recientes. En este sentido, es probable que *chabola* se utilizara en español desde principios del siglo xix, lo que explicaría su asentado uso en Andalucía y en Canarias para llamar a la cabaña del pastor.

Siendo eusquérico el origen de la palabra española, no está tan claro, sin embargo, de dónde la tomó el propio vasco (*txabola, etxabola, xabola*). Por un lado, el gran lingüista guipuzcoano Luis Michelena afirma que el vasco la tomó prestada desde Francia, de una forma romance *jaole* relacionada con el francés *geôle* 'mazmorra', que tendría que ver con el castellano *jaula*. Sin embargo, otros prefieren relacionarla con el romance hispánico *txafurda*, que ha dado lugar a numerosas variantes por toda la península, como la forma *zahurda* para llamar a la pocilga. De este modo, se daría la curiosa circunstancia de que una palabra romance pasó al vasco en tiempos antiguos, se transformó en una voz vasca que, a su vez, pasó al español en el siglo xix. Por este motivo, por su reciente incorporación al español de España, *chabola* no es una voz conocida ni usada en los países hispanohablantes de América, ni con el significado de pocilga, ni con el de choza, ni con el de cabaña.

A estos valores de *chabola* se ha añadido uno más desde el siglo xx: el de vivienda de escasas proporciones y pobre construcción que suele edificarse en zonas suburbanas. Efectivamente, en España se llaman *chabolas* a las casuchas que suelen construirse de modo rápido y caótico en las afueras de las grandes ciudades. Este fenómeno social, en sus dimensiones actuales, ha sido tan reciente que cada país hispánico lo ha bautizado de una o más maneras diferentes: en Argentina, *villas miseria*; en Chile, *callampas* (por un tipo de setas que crecen rápido y amontonadas); en Colombia, *invasiones*; en Costa Rica, *tugurios*; en Cuba, *llegaypones*; en Ecuador, *suburbio*; en Guatemala, *asentamientos*; en Honduras y República Dominicana, *barrios*; en México, *ciudades perdidas*; en Panamá, *barriadas brujas*; en Paraguay, *chacaritas*; en Perú, *pueblos jóvenes*; en Puerto Rico, *barriada*; en Uruguay, *cantegriles* (irónicamente, por el lujoso barrio de Punta del Este); en Venezuela, *ranchos*.

6

Desde las cañadas
a la mar océana

El reinado de Alfonso el Sabio, en el siglo XIII, había servido para impulsar al castellano como lengua de la cultura y de la ciencia. Sin embargo, también puso las bases para que la corona de Castilla se convirtiera en la más potente economía de la península. ¿Cómo? Mediante la creación en 1273 del «Honrado Concejo de la Mesta de Pastores» que, desde entonces hasta su abolición en 1836, rigió la actividad ganadera de España y fue una de las mayores agrupaciones gremiales de toda Europa. En torno a este consejo se establecieron los derechos y deberes de los ganaderos, especialmente respecto a los agricultores y terratenientes, y se organizó el monopolio de un bien que habría de producir importantes ingresos para Castilla: la lana de la oveja merina. Ahora bien, la prosperidad ganadera y de sus industrias relativas no solo tuvo consecuencias positivas para la economía de los castellanos, sino que también las propició para la vida de la lengua castellana y española.

La formación de la Mesta pudo hacerse realidad cuando la mayor parte del territorio peninsular pasó a manos cristianas. Después de la victoria de las Navas de Tolosa (1212) y una vez reconquistada Sevilla (1248), las tierras de Castilla y de León ya permitían un importante tránsito de norte a sur para las repoblaciones y la apertura de canales de comunicación estables entre las regiones y ciudades que conformaban los nuevos espacios. Esos canales eran los caminos y carriles que permitían el transporte de personas y mercancías. En 1546, Juan Villuga publicó un *Repertorio de todos los caminos de España* donde se aprecia la existencia de varias rutas importantes, dispuestas de norte a sur, como la vía de la Plata, entre León y Sevilla, o el camino de Burgos a Córdoba, que pasaba por Toledo; y entre el este y el oeste, como el que unía Santiago de Compostela con Zaragoza o el que iba de Valencia a Cáceres. Además de los caminos, existían cañadas reales, las arterias que hacían posible la trashumancia del ganado y sostenían el dinamismo de la actividad pecuaria. Estos «caminos silenciosos» ponían en comunicación a gente de muy diversos lugares y contribuían a la circulación de las palabras y las cosas. No en vano la palabra *mesta* significa 'mezcla' puesto que en su seno se requería el acuerdo entre personas de todas las regiones peninsulares.

La circulación de la lengua de villa en villa, de mercado en mercado, de feria en feria, y la vida social de las ciudades castellanas que habían adquirido mayor peso demográfico (Burgos, Valladolid, Toledo, Salamanca, Córdoba, Sevilla) constituyeron el entramado básico y necesario para la vitalidad de la lengua española, ampliada a otros muchos núcleos urbanos, como Santiago de Compostela o Valencia. El castellano, a base de incorporar elementos lingüísticos de Aragón, Cataluña, Levante, Navarra o Galicia, rompió su original molde geográfico y social para convertirse en la lengua de la España de los Reyes Católicos, una lengua que comenzó a llamarse *española* o *español*, sin perder el nombre de *castellano* o poniendo ambos en alternancia. Téngase en cuenta que en 1611 el lexicógrafo Sebastián de Covarrubias utilizó la fórmula «lengua castellana o española» para su conocido diccionario o *Tesoro*. Así pues, el español, entre los siglos XV y XVI, reunía las condiciones necesarias para convertirse en instrumento de comunicación de utilidad en todos los dominios o espacios sociales y estilísticos de España: la vida urbana cotidiana, la administración del Estado, la justicia, los organismos locales, las transacciones económicas interregionales, el comercio y la artesanía, los sermones, la escuela (aunque se enseñara latín) o el esparcimiento. Y, en la medida en que España tenía peso en la política europea, también fue lengua de interés para los ajenos a la península. Mención aparte merecen los judíos sefardíes que, como consecuencia de su expulsión en 1492, llevaron el español —su judeoespañol— a remotas áreas de Europa y del Mediterráneo.

El asentamiento geográfico de una lengua, junto al crecimiento económico y demográfico de la gente que la habla, tiene como consecuencia su progresiva complejidad sociolingüística; esto es, la recíproca diferenciación de los grupos que integran la sociedad por sus respectivos rasgos de lengua. Dejando aparte las largas épocas de guerra, de conquistas y reconquistas, la sociedad medieval peninsular era piramidal y de base feudal. Estaba constituida consecuentemente por tres estamentos a los que se solía acceder por nacimiento: la nobleza (ligada primero a fines militares, después a la corte y la política), el clero y el común o pueblo llano. Su perfil lingüístico era diferente. De ellos, solo los dos primeros estamentos, en la cima de la pirámide, tenían acceso a la lectura y, en menor medida, a la escritura. A través de ellos se produjo la entrada al castellano de préstamos de otras lenguas (por ejemplo, del provenzal) o la generalización de cultismos. El estado llano, por su parte, experimentaba en su lengua una evolución que respondía a las tendencias internas de su propia pronunciación y gramática, y que incorporaba los préstamos que le llegaban de las áreas vecinas o de los pobladores foráneos que iban acudiendo a las ciudades repobladas. Se trataba de un estamento analfabeto cuyo contacto con el habla más culta y refinada solo se producía a través del bajo clero, de los escribanos y de la literatura popular. Ahora bien, conforme las ciudades se fueron haciendo más complejas socialmente, mediante la incorporación de minorías o el crecimiento del comercio y los servicios, la lengua servía para cumplir más funciones y expresar matices más refinados. Esto fue lo que le ocurrió al castellano, especialmente cuando su uso comenzó a ser habitual en toda España y no solo en Castilla.

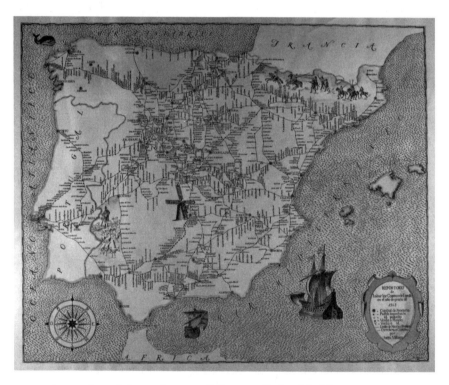

La red de caminos españoles a mediados del siglo XVI.
(Fuente: Juan Villuga, 1546)

Se desconoce la forma exacta que tenía el castellano del pueblo llano entre la Edad Media y el siglo XVII. Lamentablemente no disponemos de datos de primera mano sobre el habla popular, excepto los que aporta la lengua escrita. Gonzalo de Berceo ya perseguía, en vano, la idea de escribir como se hablaba y hay obras posteriores que aportan valiosa información sobre el habla popular, pero vienen condicionadas por las exigencias de la forma literaria. Un ejemplo significativo es el *Libro de Buen Amor*, de Juan Ruiz, que incluye, por ejemplo, denominaciones populares de alimentos, peces u objetos cotidianos documentadas allí por primera vez, así como infinidad de refranes, dichos y sentencias. Igualmente interesantes son la poesía y el teatro del siglo xv, que dejaron lugar para un habla rústica o pastoril de base castellana, pero puesta en boca de hablantes leoneses, concretamente de origen sayagués (de Sayago, en Zamora). En una égloga de Juan del Encina se aprecia con claridad el carácter llano y rústico del habla sayaguesa de los pastores Bras y Beneito:

BRAS:	¡Hideputa! ¡Quién pudiera comer más!
BENEITO:	Siéntate, siéntate, Bras, come un bocado siquiera.
BRAS:	No me cumpre, juro a mí. Ya comí tanto, que ya estoy tan ancho que se me rehincha el pancho.
BENEITO:	Siéntati. [...]
BRAS:	¿Qué tienes de comer? Di.
BENEITO:	Buen tocino y aqueste barril con vino del mejor que nunca vi.
BRAS:	Pues daca, daca, comamos y bevamos. Muera gata y muera harta.

JUAN DEL ENCINA, *Égloga* 6, 1496, vv. 5-30

Las muestras de habla popular insertas en obras literarias se van multiplicando conforme crece en volumen y riqueza la literatura castellana. Por eso las encontramos también en obras burlescas, de lenguaje obsceno y sexual, como el que aparece en la anónima *Carajicomedia*, obra de principios del xvi en la que un anciano e impotente caballero intenta recuperar su virilidad visitando con asiduidad los prostíbulos de Castilla. Asimismo las hallamos en obras más versátiles, como el propio *Quijote*, donde algunos personajes no solo presentan rasgos del habla popular, sino que reflexionan sobre las diferencias entre su forma de expresarse y la de la gente cultivada. En realidad, toda la literatura española de tono humorístico o sarcástico, que es ancha en su repertorio y larga en el tiempo, ofrece un variado muestrario del habla popular, desde el *Libro de Buen Amor* al *Quijote*, pasando por *La vida del Buscón* (1626) y las comedias del xvii, hasta la literatura contemporánea.

En cuanto a la lengua escrita, su difusión contó desde mediados del siglo xv con un aliado que vino a cambiar el destino de la cultura europea: la imprenta de tipos móviles. La invención de Johannes Gutenberg en 1449 permitió editar e imprimir libros en mayores cantidades y con menores costes que con las primitivas técnicas de estampado, contribuyendo al crecimiento de la alfabetización y, en consecuencia, al acceso a la lengua culta. La imprenta llegó a España con cierto retraso respecto de otras áreas europeas; lo hizo en 1472 en la ciudad de Segovia, donde se imprimió el primer «libro» de España y en castellano: el «Sinodal de Aguilafuente». En esa misma década se crearon las imprentas de Sevilla, Valencia, Zaragoza, Barcelona y de la localidad toledana de Puebla de Montalbán; en la década de los ochenta llegarían las imprentas de Salamanca o Burgos, y a partir de ahí se extendieron a otras muchas ciudades peninsulares. La imprenta ya fue el medio de difusión de obras muy significativas para la literatura, como *La Celestina* (1499), *La vida de Lazarillo de Tormes* (1554), o para la música, como los libros españoles para vihuela e instrumentos de tecla.

La llegada de la imprenta a España vino a coincidir en el tiempo con la irrupción del Renacimiento artístico y humanístico, surgido en Italia un siglo antes de la mano de Dante Alighieri, Francesco Petrarca y Francesco Bocaccio. En España fue Juan Boscán, poeta y traductor de *El cortesano* de Baltasar di Castiglione, uno de los introductores de las nuevas formas literarias, junto a Garcilaso de la Vega. Y, en el campo del *humanismo,* las pautas marcadas por Erasmo de Rotterdam fueron paralelas a las de Antonio de Nebrija y Juan Luis Vives. Este humanismo abogaba por la recuperación del pensamiento clásico griego y romano para la formación íntegral del hombre, en todas sus dimensiones, escapando del modelo escolástico, fundamentado en un latín medieval. Este auge del humanismo clásico supuso también un reconocimiento de los valores de las lenguas romances, que comenzaban a considerarse aptas para el pensamiento más elevado y para la formación universitaria.

En un plano lingüístico, la recuperación rigurosa de la gramática latina clásica, así como su correcta enseñanza, fue fundamental. En ello sirvió de guía el trabajo filológico del italiano Lorenzo Valla y por ello tuvieron tanto éxito las *Introductiones latinae* de Antonio de Nebrija, publicadas en 1481 y reeditadas de forma ininterrumpida hasta 1598. Y, una vez establecido el modelo de la lengua de referencia, había que trasladarlo a lengua vulgar. En ello se empeñó Nebrija al redactar diversos diccionarios bilingües (latín - castellano - latín), pero singularmente al publicar la *Grammatica Antonii Nebrissensis*, más conocida como *Gramática de la lengua castellana* (1492). Probablemente, el interés último de Nebrija no estuvo en el trabajo filológico, aunque también publicara una ortografía castellana, sino en la construcción final de una obra enciclopédica capaz de reunir la suma del saber humanístico. Sin embargo, en el empeño acabó publicando la primera gramática de una lengua romance, lo que situaba el estudio del español muy por delante del de otras lenguas europeas de la época.

Todos los elementos culturales que acaban de mencionarse no fueron decisivos, de una forma inmediata, para el uso cotidiano de la lengua, ya que los hablantes de la calle, los campesinos y artesanos, permanecían ajenos a ese tipo de avances tecnológicos y saberes humanísticos. Sin embargo, es claro que acabarían afectando a todos los aspectos de la vida de la lengua porque fueron decisivos en la difusión de la literatura popular (leída en voz alta), en la comunicación del pensamiento religioso (a través de los sermones y con los escritos, por ejemplo, de Teresa de Jesús) o en la transmisión de saberes científicos (por ejemplo, con la traducción de las obras de Dioscórides), entre otros muchos ámbitos.

Pero la imprenta no fue la única innovación tecnológica que acabaría repercutiendo en la lengua española. También lo hicieron otros inventos aparentemente desconectados de ella, pero creadores de un efecto mariposa de incalculables consecuencias culturales: el astrolabio náutico, la brújula de marear, las naos, las carabelas, las armas de fuego. En efecto, la creación o el perfeccionamiento de estos instrumentos, junto a las mejoras en las cartas y mapas, hicieron posible pasar de la navegación costera a la astronómica en el siglo xv y, así, el adentramiento en los grandes océanos. Fue Portugal, una nación que mira al Atlántico, la que materializó muchos de estos adelantos, debidamente conjugados con el enorme interés comercial de la «ruta de las especias» para unas sociedades occidentales que experimentaban el despegue de sus actividades económicas. Portugal estableció rutas comerciales siguiendo la costa de África hasta doblar el cabo de Buena Esperanza con dirección a oriente. España, por su parte, prolongó en el xv y el xvi su presencia en el Mediterráneo, ya establecida por la corona catalano-aragonesa. Castilla, desde el puerto de Sevilla, había explorado las tierras del antiguo reino de Fez y había tomado posesión de las ciudades de Melilla y Orán, a las que se unieron las si-

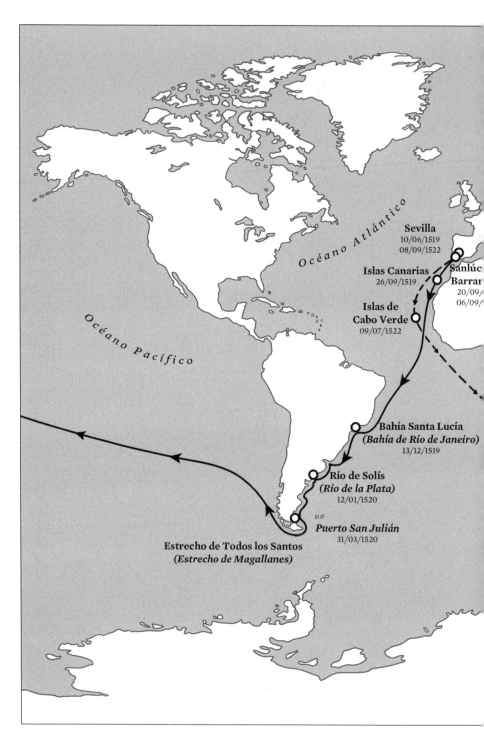

Expedición de Magallanes-Elcano (1519-1522)

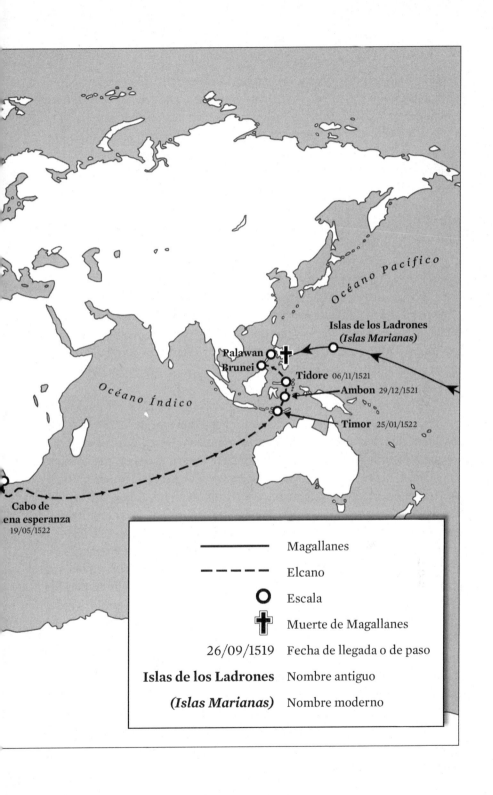

Océano Pacífico

Islas de los Ladrones
(*Islas Marianas*)

Palawan
Brunei

Tidore 06/11/1521

Ambon 29/12/1521

Timor 25/01/1522

Océano Índico

Cabo de
ena esperanza
19/05/1522

————	Magallanes
– – – –	Elcano
O	Escala
✝	Muerte de Magallanes
26/09/1519	Fecha de llegada o de paso
Islas de los Ladrones	Nombre antiguo
(*Islas Marianas*)	Nombre moderno

tuadas en la zona de influencia catalana, desde Argel a Túnez. La presencia del español en el norte de África se remonta, pues, al siglo xv, aunque existieran con anterioridad asentamientos menos arraigados.

En el siglo xv fue también cuando la corona de Castilla abordó el dominio definitivo de las Canarias. Las islas habían sido objeto de expediciones y ocupaciones europeas desde el siglo xiv, algunas de ellas, como la de Juan IV de Bethencourt, más con fines comerciales que de gobierno. Pero entre 1478, con la fundación del Real de Las Palmas de Gran Canaria, y 1496 quedó consumada la ocupación de Castilla, lo que condujo también a la castellanización del territorio insular y, en consecuencia, al desplazamiento definitivo de sus variedades indígenas, llamadas *guanches*. La población de Canarias en el xvi debió rondar los 30.000 habitantes y estuvo concentrada en las islas de Gran Canaria y Tenerife. A ellas llegaron muchos pobladores peninsulares procedentes de la Andalucía occidental, lo que explica en buena parte el modo de hablar canario, en el que se acusa también la influencia de los portugueses. Canarias es un buen ejemplo de la receptividad de los lugares acostumbrados a acoger gente de diversas lenguas y procedencias.

El proceso histórico y lingüístico vivido por las islas fue, de igual manera, uno de los hitos fundamentales para la mayor de las aventuras en la maravillosa historia de la lengua española, la de mayor trascendencia humana y cultural: la llegada al continente americano y su consiguiente expansión. El origen del proyecto fue comercial: la búsqueda de una nueva ruta a oriente. Ahora bien, en poco tiempo se impregnó del espíritu evangelizador que le confirieron los Reyes Católicos, se transformó en una oportunidad de vida para muchos españoles y acabó convertido en un gran proyecto de Estado. La primera consecuencia de ello fue el choque de intereses con Portugal. El conflicto se solventó con la firma en 1494 del Tratado de Tordesillas, que dividía el área de influencia política y comercial de ambas naciones en un límite situado a 370 leguas de Cabo Verde y que explica por qué Brasil habla portugués (al este del límite) y el resto de la América ibérica se entiende en español (al oeste del límite). La colonización de América, además, abrió la puerta a la primera circunnavegación del globo, financiada por España e iniciada en 1519 por el portugués Fernando de Magallanes, con cinco barcos y más de doscientos hombres, y culminada por el vasco Juan Sebastián Elcano con un solo barco y una veintena de supervivientes. Asimismo, la expedición de Miguel López de Legazpi permitió que en 1565 la lengua española llegara hasta las islas Filipinas.

En definitiva, los poblamientos españoles en América y en Asia permitieron llevar hasta allá la lengua popular de los expedicionarios, junto a la más culta de clérigos y maestros, con cargamentos de todo tipo de productos y objetos europeos, incluidos los libros editados en unas imprentas que apenas contaban con unas pocas décadas de existencia. En América y en Asia, en la inmensidad de unos territorios inabarcables, coincidieron pobladores de todas las regiones españolas, pobladores que, mediante su descendencia y en contacto con los nativos de cada área y con los esclavos llevados de África, acabaron dando vida al español americano.

Personajes, personas y personillas

Antonio Martínez de Cala y Xarava

En la localidad sevillana de Lebrija nació Antonio Martínez (1444-1522), uno de los más conspicuos representantes del humanismo español. Estudió en la Universidad de Salamanca y con 19 años se trasladó a Italia, al famoso Real Colegio de España en Bolonia, donde estudió Teología. Cambió su nombre por el de Antonio de Nebrija, al que antepuso «Elio» a su vuelta de Italia. A la edad de 32 años fue contratado por la Universidad de Salamanca, donde dio clases de Gramática y Retórica y desde donde transmitió el humanismo del que se había empapado en Italia. Su bibliografía está jalonada por obras señeras en el estudio de las lenguas latina y española: las *Introductiones latinae* (1481), el *Diccionario latino-español* (1492) o el *Vocabulario español-latino* (1495), junto con la famosa *Gramática de la lengua castellana* (1492), todas ellas modelos imitados durante siglos para la descripción de estas y de otras lenguas del mundo. A pesar de sus muchos saberes filológicos, a Nebrija, como diría Terencio, «nada humano le era ajeno».

Ahora bien, su altura de miras en cuanto al pensamiento no lo alejó sentimentalmente de su Andalucía natal. Así lo revela la adopción del nombre de su villa natal, Lebrija (debidamente latinizado), y así lo demuestra la conservación de su habla andaluza, que no solo se hizo patente en sus escritos, sino que probablemente conservó también en su expresión oral. Este rasgo del gramático, en una época en la que el modelo toledano era el imperante, no pasó inadvertido para sus colegas y oponentes. Juan de Valdés, originario de Cuenca y también humanista de formación italiana, le lanzó reproches muy claros al respecto:

¿Vos no veis que, aunque Librija era muy docto en la lengua latina, [...] al fin no se puede negar que era andaluz, y no castellano? [...] En los [vocablos] latinos se engaña tantas veces que sois forzado a creer una de dos cosas: o que no entendía la verdadera significación del latín (y esta es la que yo menos creo) o que no alcanzaba la del castellano, y esta podría ser, porque él era de Andalucía, donde la lengua no está muy pura.

JUAN DE VALDÉS, *Diálogo de la lengua*, 1535

Dentro de la vida académica salmantina, Nebrija conoció la cara más desagradable de las insidias, rencillas y envidias universitarias. Esta circunstancia fue aprovechada por el cardenal Francisco Jiménez de Cisneros, fundador de la Universidad de Alcalá, para vincularlo a ella mediante su participación en la edición de la *Biblia políglota complutense*, una de las joyas de la edición del Renacimiento español. En Alcalá fue también profesor de Retórica, con el privilegio cisneriano de que «leyese lo que él quisiese, y si no quisiese leer, que no leyese». Y allí mismo publicó, en 1517, su *Reglas de orthographia en la lengua castellana*. Cinco años después, Nebrija murió en Alcalá de Henares, en cuyo suelo universitario fue enterrado. Hoy sus restos yacen anónimos en una fosa común bajo el enlosado de la Capilla del Oidor, junto al cenotafio de Cisneros.

Juan Párix

En la ciudad de Heidelberg, sede de la más antigua de las universidades alemanas, nació Johannes Parix, quien creció en el entorno ideal para dedicarse al oficio de impresor, muy prometedor tras la invención de la imprenta en la cercana localidad de Maguncia. Juan Párix aprendió el oficio y más adelante decidió trasladarse a Roma, donde hacia 1470 ya se habían instalado una docena de impresores. Esta situación le permitió incorporar innovaciones en su trabajo, como la adopción de los nuevos tipos móviles llamados redondos o romanos, al tiempo que iba conociendo a gente interesada por los extraordinarios frutos de las imprentas, entre la que no faltaban clérigos y prelados. Así conoció a Juan Arias Dávila.

Juan Arias era un segoviano que llegó a ser obispo de su diócesis. Cuando, en uno de sus viajes a Roma, conoció los libros que las nuevas imprentas producían, no le cupo duda alguna de que este instrumento le sería de gran utilidad para editar los textos necesarios para la formación del clero que acudía al Estudio General de Segovia. ¿Cómo conseguirlo? El mejor camino era crear una imprenta en la propia ciudad de Segovia, pero para ello necesitaba a alguien que conociera la técnica y que fuera capaz de gestionar todo el proceso de edición. En España no existía tal cosa: ni Salamanca, ni Toledo, ni Sevilla, ni Valencia tenían imprentas o impresores. Por eso pensó inmediatamente en Juan Párix y le cursó una invitación para trasladarse a la ciudad castellana.

Juan Párix llegó a Segovia alrededor de 1470, acompañado de un cargamento con todo lo necesario para comenzar el trabajo de inmediato, de modo que pronto se hicieron algunas pruebas impresas en su nuevo taller. Algo más adelante, en junio de 1472, el obispo Juan Arias convocó un sínodo diocesano, que habría de celebrarse en la villa segoviana de Aguilafuente, y pensó que la edición de las actas sinodales podría ser un buen modo de estrenar la nueva imprenta. Y así fue como el «Sinodal de Aguilafuente» se convirtió en el primer libro impreso en España y en castellano, un valiosísimo incunable que hoy se encuentra depositado en la catedral de Segovia. Entre 1472 y 1475, Párix imprimió siete u ocho obras más. Después, como impresor errante, partió para Toulouse, donde murió en 1505. El municipio de Aguilafuente, en conmemoración de tan relevante hecho cultural, representa cada año el sínodo que dio lugar al primer libro impreso en España y recrea el ambiente de la época de Párix con la participación de la gente del lugar.

En dos palabras

alcahueta

La figura de la alcahueta aparece reiteradamente en la literatura medieval y renacentista española. Se trata de la mujer que concierta, encubre o facilita una relación amorosa, generalmente ilícita. También se la ha llamado *trotaconventos o celestina*: *trotaconventos* es el sobrenombre dado a Urraca, un personaje del *Libro de Buen Amor* experto en los conciertos amorosos; y *celestina* es el nombre que da título al libro de Fernando de Rojas, dedicado a la alcahueta por antonomasia. La palabra *alcahueta* aparece en el *Calila e Dimna* (1251) y *alcahuete* y *alcahuetería* se encuentran en *Las siete partidas* (1252), obras ambas de Alfonso el Sabio. Durante la Edad Media la figura de la alcahueta recibió igualmente el nombre de *me-*

dianera y tuvo tan mala fama que los fueros condenaban directamente a muerte a las que se dedicaran a tal menester. Aunque los primeros testimonios de la palabra *alcahueta* son en femenino, también hay casos masculinos, como el *alcayuete* que figura en *El Corbacho* (1438), de Alfonso Martínez de Toledo, arcipreste de Talavera. Estamos, como se aprecia, ante un elemento literario tan reiterado como efectista.

Las palabras *alcahuete* y *alcahueta* proceden del hispano árabe *alqawwád* y ello explica su temprana aparición en las composiciones literarias castellanas. Su uso ha sido continuo a lo largo de la historia del español, tanto en España como en los territorios americanos. Sin embargo, se ha dado la circunstancia de que su empleo se ha cruzado con el de la palabra *cacahuete*, referida al fruto seco. *Cacahuete* no tiene nada que ver con *alcahuete*: procede del náhuatl *tlalkakáwatl* 'cacao de tierra' —compuesto de *tlalli* 'tierra' y *kakáwatl* 'cacao'— y en México, Honduras y Nicaragua ha dado lugar a la forma *cacahuate*. Ahora bien, en zonas de Centroamérica y el Caribe, así como en España, *tlalkakáwatl* se adaptó como *cacahuete*. Una de las razones de la adaptación con *e* (*cacahuete*) y no con *a* (*cacahuate*) pudo estar, como explican Joan Corominas y José Antonio Pascual, en su interpretación como diminutivo de *cacao* con sufijo *-ete*; sin embargo, también pudo haber existido un cruce con *alcahuete*, por etimología popular.

En las hablas populares castellanas, son múltiples las variantes utilizadas para el fruto seco: en Madrid se usa *alcahué*, con el plural *alcahués*; en Guadalajara, *alcahués*, *cacahués* y *cahués*, con los plurales *alcahueses*, *cacahueses* y *cahueses*; en Cuenca, *alcahuete* y *cahuete*; en Valencia, *cacahuet*; y en Murcia se oye incluso *alcagüeta*, dando lugar a una divertida homonimia (*alcahueta - alcagüeta*) que confunde a los hablantes sobre su origen. Tal vez por ello, en la mayoría de los países hispanohablantes, al fruto seco se le da el nombre de *maní*, de origen caribeño taíno. De esta forma no hay confusión. En los países que usan *cacahuate* (con *a*), la palabra y el objeto también han dado lugar a una mínima fraseología: *importar* o *valer un cacahuate* 'no importar o valer nada'; *ser un cacahuate* 'ser insignificante'.

candela

Las hablas andaluzas comenzaron a dejar huella escrita de su existencia desde muy temprano. Los estudios de Juan Antonio Frago muestran cómo sus características más particulares ya existían en el siglo xv. Estas hablas mostraban rasgos característicos en la pronunciación y en la gramática, pero pronto adquirieron también señas de identidad léxicas. La palabra *candela*, por ejemplo, con el significado de 'lumbre, fuego', es una de las que se considera andalucismo en cuanto a su implantación geográfica. Su origen viene de lejos, dado que aparece en el *Cantar de mío Cid*, en el *Fuero Juzgo* y en Juan Ruiz, pero su uso peninsular se conservó fundamentalmente en Andalucía. El *Diccionario de Autoridades* dice: «Candela se llama también (y se usa mucho en Andalucía y otras partes) la misma brasa de la lumbre, y así suelen decir deme un poco de candela». Su etimología latina remitiría a una forma CANDELA que significaba 'vela' y estaba relacionada con CANDERE 'arder'. Del castellano *candela* saldrían otras formas como *candelabro, candelada* 'quema, hoguera', *candelero* o *candelilla*. Curiosamente, la voz española *candil* 'lámpara' no procede del latín, sino del árabe andaluz. La razón de que su aspecto sea similar al de *candela* está en que el árabe la tomó del griego y este del latín CANDELA, con lo que la misma voz pudo seguir dos caminos diferentes para llegar a un mismo destino.

Candela fue uno de los vocablos que los andaluces portaron en la valija de su habla cuando se trasladaron a la América española. Con el significado de 'lumbre, fuego, brasa' se usa en México desde 1530 y, por tratarse de una referencia tan cotidiana y familiar, ha dado lugar a una interesante serie de frases hechas documentadas desde antiguo: *dar candela* 'molestar' (Colombia, Honduras, Puerto Rico, Venezuela); *comer candela* 'ser valiente' (Antillas); *estar en candela* 'estar en una situación grave' (Cuba, Puerto Rico); *salir en candela* 'apretar a correr'. En la actualidad, está registrado el uso de *a toda candela* 'a toda velocidad' (Honduras, Nicaragua); *de candela* 'en estado de máxima tensión' (Perú); *en candela* 'en peligro; en apuros' (Cuba, República Dominicana, Ecuador).

La larga historia y el amplio uso de la palabra *candela* ha propiciado la multiplicación de sus significados, a base de símiles y metáforas. De este modo, una candela, además de una vela, una hoguera o una brasa, también puede ser una luciérnaga, un carámbano de hielo (en el norte de España), una flor e incluso una unidad fotométrica internacional. En América, puede referirse además a una persona alegre (Caribe y Ecuador), a una respondona e intolerante (Puerto Rico) o a una divertida y ocurrente (Panamá), junto a un disparo, un cartucho de dinamita, un tubo fluorescente o una abeja sin aguijón. En definitiva, *candela* acabó siendo de aplicación a objetos y personas que destacan por su luz y por su fuerza, o que ofrecen alguna de las características del fuego. Estos ejemplos muestran cómo la lengua española ensanchó sus pulmones a su llegada a América, revistiendo de nuevos valores a voces antiguas, muchas de ellas trasladadas desde Andalucía.

PARTE II

Del Imperio
a las revoluciones

7
Lengua y sociedad peninsular en los siglos XVI y XVII

La historia del continente europeo estuvo marcada, en los siglos XVI y XVII, por el auge y el enfrentamiento de dos imperios: el español y el turco. Por entonces el gran Imperio mongol de los legendarios Gengis Kan y Kublai Kan había entrado en un agudo proceso de fragmentación y decadencia. En la misma época, el Imperio incaico, el más extenso del continente americano, se había debilitado enormemente como consecuencia de las luchas intestinas por el trono. En consecuencia, la oposición entre españoles y turcos acabó convirtiéndose en el mayor pulso político, militar y religioso de los inicios de la Edad Moderna.

Por el lado de España, el rey Carlos I, junto a su hijo Felipe II, fueron los máximos representantes de un imperio que se había forjado en los caprichosos movimientos del ajedrez político europeo. Como hijo de Juana I de Castilla y Felipe I el Hermoso, Carlos I heredó los reinos de España, con sus plazas mediterráneas y sus tierras americanas, a las que Isabel de Castilla y Fernando de Aragón no prestaron una atención de preferencia. Como nieto de Maximiliano de Habsburgo y María de Borgoña, el mismo Carlos, al ser elegido emperador, recibió el archiducado de Austria y el Sacro Imperio Romano Germánico, que incluía Alemania, Flandes, los Países Bajos y el Franco Condado. Durante su reinado, además, se circunnavegó el globo, con lo que las islas Marianas y los territorios asiáticos de Filipinas también entraron a formar parte de sus dominios. Por si fuera poco, con Felipe II se consumó la unión ibérica, por ser hijo de Isabel de Portugal, de modo que los dominios portugueses y españoles estuvieron bajo la misma corona entre 1580 y 1640; y el matrimonio con María I convirtió a Felipe en rey consorte de Inglaterra. En la historia de la humanidad pocos imperios ha habido tan impresionantes como el español, aunque Felipe II, emulando a Alejandro Magno, utilizara entre sus divisas la de NON SUFFICIT ORBIS, 'el mundo no es suficiente', que no parecía corresponderse con su apelativo de «Rey Prudente».

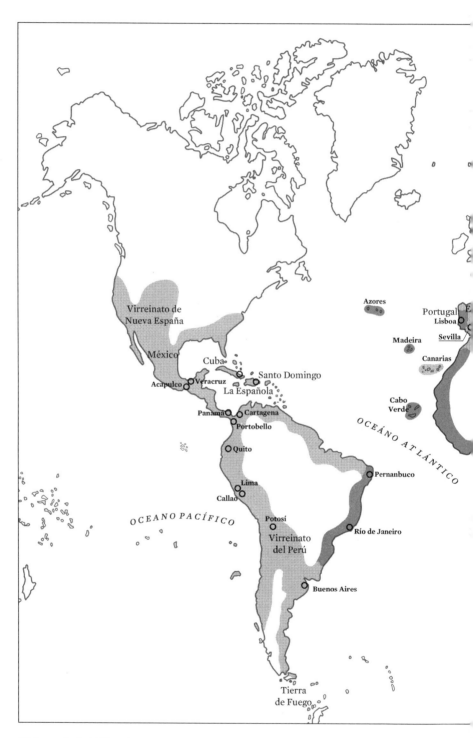

El Imperio de Felipe II

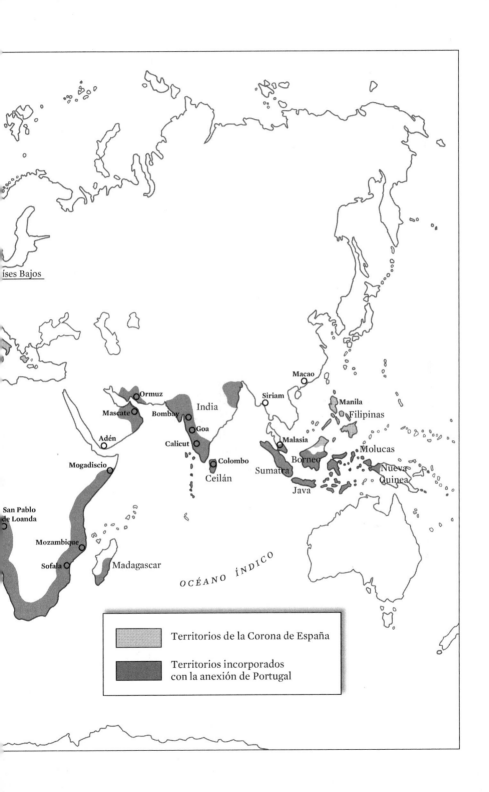

íses Bajos

Ormuz
Mascate
Bombay
India
Adén
Calicut
Goa
Mogadiscio
Colombo
Ceilán
Siriam
Macao
Manila
Filipinas
Malasia
Borneo
Molucas
Sumatra
Nueva
Guinea
Java

San Pablo
de Loanda

Mozambique
Sofala
Madagascar

OCÉANO ÍNDICO

Territorios de la Corona de España

Territorios incorporados
con la anexión de Portugal

Esta situación histórica repercutió, sin duda alguna, sobre el estatus internacional de la lengua española y sobre su extensión geográfica. El español fue trasladado por boca de sus hablantes a los territorios americanos y asiáticos pertenecientes al Imperio. Allí se estableció con distinta suerte y coexistió con las lenguas habladas en cada lugar, unas veces desplazándolas socialmente, otras redistribuyendo sus funciones o mestizándose con ellas. En los territorios donde no llegó a ser lengua de uso cotidiano, su prestigio social se elevó a las cotas más altas entre las lenguas europeas, convirtiéndola en objeto de interés y de estudio.

Ahora bien, dado que la gran política no repercute de manera inmediata en el habla popular, cabe preguntarse cuánta gente hablaba español en la península, más allá de la corte y las catedrales, en los siglos XVI y XVII. España contaba con una población de entre seis y siete millones de habitantes, de los que la mitad eran nacidos en territorios castellanos monolingües, minorías aparte. Entre un 10 % y un 15 % del total de la población de España hablaba la lengua de su respectivo territorio (gallego, catalán, vasco, asturiano) y el tercio de población restante habitaba en territorios históricamente no castellanos (condados catalanes, Aragón, Navarra), pero que paulatinamente se habían ido incorporando a la comunidad lingüística castellana. Esto significa que los hablantes de español o castellano en el siglo XVI sumaban más del 80 % de los habitantes de España. Además, la desproporción geográfica entre Castilla y Aragón era de tres a uno a favor de la primera y la densidad de población era también mucho mayor en el área castellana que en la aragonesa.

Conforme fue avanzando el tiempo, el porcentaje de hablantes de español aumentó gradualmente, sobre todo por el progresivo asentamiento de población hispanohablante en los núcleos urbanos de los territorios no castellanos: Galicia, Valencia, Cataluña, País Vasco. Esto se debió a múltiples factores, como la apertura en estas regiones de organismos públicos —administrativos, judiciales, comerciales— en los que normalmente se utilizaba el castellano, la generalización de la enseñanza —primaria, media y superior— en esta lengua, así como la formación de una clase acomodada, interesada tanto en el comercio interregional como en las influencias políticas que se movían desde y hacia el área castellanohablante. Naturalmente, las diferencias entre regiones geográficas tuvieron su reflejo en la forma del español hablado. Las hablas de la Castilla norteña y de Andalucía contaban ya en el siglo XV con sus rasgos dialectales más característicos. A estas dos grandes modalidades se unían las hablas de los territorios leoneses, castellanas con influencias leonesas, y las hablas de los territorios aragoneses, castellanas con influencias aragonesas y catalanas. Y junto a ellas podría aún pensarse en el castellano urbano de los territorios de Galicia, Vascongadas, Navarra, Cataluña, Valencia o Baleares. Cada una de estas modalidades se mantuvo con más facilidad en la medida en que su población no entraba en contacto con otros territorios. ¿Y qué tipo de población era la menos dada al contacto exterior? Lógicamente, la que tenía menos recursos económicos y menores necesidades o posibilidades de desplazarse: la población rural.

En la España del siglo XVI, al menos tres de cada cuatro españoles eran miembros de comunidades rurales, en su inmensa mayoría simples campesinos o jornaleros, ya que los nobles eran propietarios de casi todo el suelo peninsular, cuando no las órdenes militares o la propia corona. Además, las comunicaciones entre regiones eran difíciles y limitadas a las vías de comunicación de la época. Por ejemplo, el vino catalán, por el costo del transporte, podía resultar más barato en Asturias que en la Meseta central. Las complicaciones para el traslado de personas y productos eran enormes. El historiador Fernández Álvarez afirma que las dificultades que ha de vencer el soldado en tiempo de guerra son las mismas que ha de superar el comerciante en tiempo de paz. Esto significaba que, en aquella época, solamente se trasladaba la gente con dinero y con negocios importantes que resolver. Una consecuencia natural de la amplitud de la población rural fue el mantenimiento de las hablas y dialectos de cada área, reforzado por las altas tasas de analfabetismo. Esa población, además, no solo era usuaria de sus respectivos dialectos regionales, sino que hacía uso habitual de rasgos y expresiones populares o vulgares, como la modificación del vocalismo (*entestino* por *intestino*), de las consonantes (*Hinginio* por *Higinio*), del acento (*méndigo* por *mendigo*), de las sílabas (*guarte* por *guárdate*) o del orden de palabras (*me se cae* por *se me cae*). Igualmente, el empleo continuo de refranes pasaba por propio de los hablantes menos cultos, de gente vulgar y zafia, como se explica en el *Quijote*. En cualquier caso, los refranes constituyen una riqueza expresiva de la lengua española y encierran sentencias tan juiciosas que son capaces de resistir el paso de los siglos, aunque los cambios culturales puedan provocar su abandono.

Refranes del *Quijote* desusados
Ya está duro el alcacel para ponzoñas
Si os duele la cabeza, untaos las rodillas
Regostóse la vieja a los bledos
La mucha conversación engendra menosprecio

Refranes del *Quijote* en uso
Más sabe el necio en su casa que el cuerdo en la ajena
El diablo nunca duerme
Los duelos con pan son menos
Por el hilo se saca el ovillo

Pero, si las áreas rurales eran el entorno ideal para el mantenimiento de las variedades regionales y locales —las castellanas y las no castellanas—, las áreas urbanas eran las que gozaban de más prestigio y las que servían de puerta de entrada para las innovaciones lingüísticas. La ciudad era un espacio que ofrecía representación a todos los grupos sociales y sede a las principales instituciones políticas, religiosas, jurídicas y educativas. En realidad, la proporción de habitantes urbanos apenas sobrepasaba el 10 % del total de la población en los siglos XVI y XVII, pero su capacidad de irradiación de modas y modelos fue creciendo gradualmente. La urbanización fue un proceso muy dinámico en la España peninsular moderna. Entre las ciudades que más crecieron caben destacarse Madrid, Salamanca, Alcalá de Henares, Sevilla, Úbeda y Baeza. Sevilla pasó de 45 000 habitantes en 1492 a 130 000 en 1600. El crecimiento de Madrid fue asimismo espectacular, al pasar de 4 000 habitantes en 1530 a 130 000 en 1600. El traslado de la corte desde Toledo a Madrid provocó una avalancha de población que incluía a cortesanos, clientela nobiliaria, diplomáticos, rentistas y hasta pedigüeños, entre los que había no pocos pícaros.

Campesinos	5.780.000
Pequeños propietarios rurales	25.000
Artesanos y jornaleros urbanos	850.000
Clase media urbana	160.000
Eclesiásticos (con familiares)	70.000
Patriciado urbano	60.000
Pequeña nobleza	50.000
Alta nobleza y clero	5.000

Estructura social de la población española en el siglo XVI.
(Fuente: Fernández Álvarez, 1979)

La lengua española de las ciudades peninsulares presentaba unos rasgos que, aunque surgidos con anterioridad, acabaron generalizándose en el siglo XVI y extendiendo su presencia por la mayor parte del territorio. Uno de estos rasgos fue la igualación definitiva entre los antiguos sonidos /b/ y /v/, resuelta en /b/, de modo que en español no se distingue la pronunciación de una y otra al menos desde el siglo XVI, excepción hecha de algunas áreas marginales o de aquellas que lindaban con otras lenguas que sí mantenían esos sonidos, como el portugués. Otro rasgo de extensión progresiva fue la pérdida de la aspiración procedente de la *efe* inicial latina, muy frecuente desde el castellano antiguo, de modo que lo general pasó a ser *hijo, higo* o *hierro*, sin sonido alguno delante de la primera vocal; solo las hablas más apartadas o arcaizantes mantuvieron la pronunciación de una *efe* inicial o de una aspiración. Un tercer rasgo de pronunciación fue el uso general de *ye* (/y/) y la desaparición de *elle* en muchas áreas: esto es, pronunciar *yave* 'llave', *yega* 'llega', *gayina* 'gallina'. Esto ya había ocurrido en el siglo XV y en las hablas judeoespañolas, pero fue haciéndose la norma del sur peninsular. Del mismo modo, desde el siglo XV se había ido regularizando la pronunciación de la *ese* diferenciada de la *zeta* en todo el norte peninsular (*casa - caza*), mientras que en el suroeste, en Andalucía, no se llegó a distinguir, por lo que solo se pronunciaba uno de los dos sonidos, si bien en la ciudad de Sevilla, el núcleo más influyente, la pronunciación con *ese* (llamada *seseo*) fue la más característica: *sursir* 'zurcir', *sasón* 'sazón'. Sevilla fue un enclave receptor de pobladores de muy diversos lugares, peninsulares y extranjeros, que favorecieron la constitución de una modalidad andaluza sevillana simplificada en algunos aspectos lingüísticos y generalmente más innovadora.

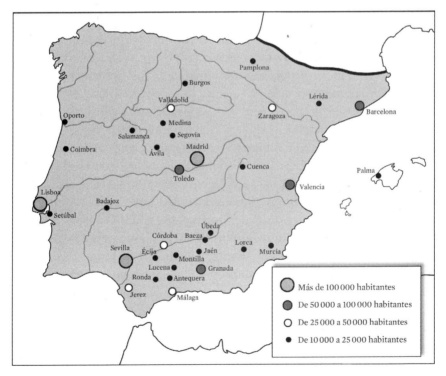

Las principales ciudades españolas y portuguesas hacia 1600.
(*Fuente: A. Ubieto,* Génesis y desarrollo de España, II. *Zaragoza, ICE, 1984*)

En el ámbito de la gramática, el siglo XVI conoció el desarrollo del pronombre *usted* como forma de tratamiento, así como del leísmo de persona (*a mi hermano no le vi; mírale*). Este rasgo gramatical se gestó en el norte de la península y tuvo mayor difusión cuando la corte se trasladó a la ciudad de Madrid, aunque no llegó a alcanzar el territorio andaluz. En cuanto al léxico, en el XVI se produjo la paulatina sustitución de vocablos medievales por otros que se hicieron característicos de la era moderna: ahora se decía *exército*, no *huestes*; *nombrar*, no *mentar*; *granada*, no *minglana*; *esperar*, no *atender*; *contender*, no *barajar*; *cuchillo*, no *ganiveta*; *harto*, no *asaz*; *vez*, no *vegada*; *abaxo* y *arriba*, no *ayuso* y *suso*; *aunque*, no *maguera*; *otro*, no *ál*. Decía el filólogo Galmés de Fuentes, siguiendo los versos de Horacio, que la nueva sociedad había hecho envejecer unas palabras para que florecieran otras, lo mismo que los árboles, al pasar los años, dejan caer sus hojas.

Las características de esta moderna lengua española tuvieron su prolongación fuera del perímetro peninsular. Así, las hablas andaluzas establecieron desde muy pronto unos estrechos vínculos con las hablas canarias. En realidad, la base del español canario está en el andaluz occidental, si bien la particular ubicación y la historia de las islas posibilitaron la incorporación de otras influencias, como la del portugués, la de los términos marineros o la de su propio sustrato guanche, que transfirió palabras como *gofio* 'harina no cernida de cereales tostados', *baifo* 'cría de la cabra' o *mago* 'campesino', todas ellas utilizadas hasta hoy en el habla cotidiana canaria. La circunstancia de las plazas del norte de África, especialmente Melilla y Ceuta, aunque también Larache, Orán o Mazalquivir, fue muy diferente a la canaria. En este caso, la vinculación lingüística con la península tuvo como intermediarios a los funcionarios desplazados hasta cada una de ellas con fines administrativos o militares, frecuentemente usuarios de la modalidad castellana del norte peninsular. Al mismo tiempo, hasta allí llegó población muy humilde, generalmente desde Andalucía, usuaria de la variedad correspondiente, o desde otros puntos norteafricanos, por lo que había un buen número de hablantes de alguna variedad árabe o bereber.

Finalmente, ha de recordarse que la España de los siglos XVI y XVII fue la que aportó la primera población hispanohablante que se trasladaría al continente americano, hecho de gran repercusión para el devenir de la lengua. A pesar de que en aquella época la densidad de población de España era aproximadamente un 50 % de la francesa, lo cierto es que el crecimiento demográfico experimentado entre 1500 y 1600 —cerca de un 40 %—

no llegó acompañado de un crecimiento económico paralelo y suficiente. Ello produjo un aumento del índice de pobreza, que sirvió a muchos de estímulo para embarcarse en la aventura de lo que, durante un tiempo, se llamó las Indias. Sin duda, el perfil lingüístico de esos emigrantes y colonos habría de trasladarse al continente americano, de ahí el interés por dar respuesta a dos cuestiones clave: la procedencia regional de los emigrantes y su extracción social; esto es, su perfil dialectal y sociolingüístico.

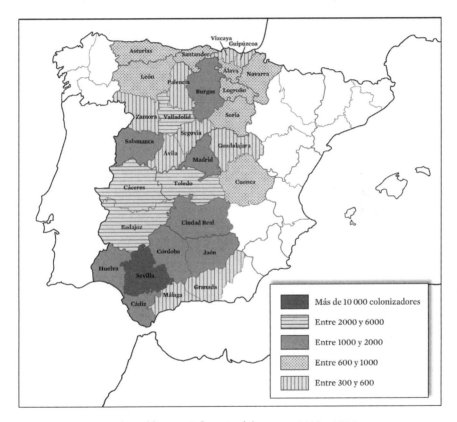

Emigración española a América entre 1493 y 1600.
(Fuente: P. Boyd-Bowman, 1964)

En lo que se refiere a la procedencia regional de los españoles que viajaron a América entre 1493 y 1600, el hispanista Boyd-Bowman publicó a partir de 1964 un meritorio y reconocido estudio en el que se concluía que la región que más emigrantes aportó fue Andalucía (37 %), especialmente Sevilla, seguida por Extremadura (17 %), Castilla la Nueva (15 %) y Castilla la Vieja (14 %). Esto explica que muchas características generales y esenciales del español americano, en la pronunciación, la gramática o el léxico, coincidan con las de las hablas andaluzas y no con las castellanas del norte peninsular. Así, por ejemplo, el leísmo no llegó a trasladarse a América en aquella época porque no existía en Andalucía; su desarrollo en el norte y su difusión desde Madrid se produjeron cuando la colonización ya estaba en marcha.

En cuanto al origen social de los colonos del primer siglo de hispanización de América, se ha repetido que fueron delincuentes y marginados los que quisieron salir de España y que el primer español americano tuvo un carácter vulgar y rural. Sin embargo, los documentos no dan respaldo a estas afirmaciones, como explicó el filólogo Ángel Rosenblat. Por una parte, se ha comprobado que a América viajaron personas de muy diversa extracción social, incluidos nobles, dignidades eclesiásticas, cargos públicos, titulados, gentes de oficios, hidalgos y gentiles hombres. Se redactaron textos legales y reales cédulas que regularon estrictamente el paso a las Indias, señalando explícitamente quiénes estaban autorizados y quiénes no. Las leyes de Indias regulaban el tránsito de pasajeros, así como los asuntos relacionados con cuestiones diplomáticas, comerciales, militares y propiamente navales. La Casa de Contratación de Sevilla, organismo destinado a estos fines, concedía las licencias pertinentes solo cuando los interesados probaban su idoneidad, demostrando, por ejemplo, que no pertenecían a los grupos prohibidos: judíos, herejes, esclavos, gitanos, falsos mercaderes, extranjeros, vagos. De esta forma las autoridades querían asegurar una apropiada difusión de la fe, evitar las mezclas de sangre y garantizar el uso del español como instrumento básico de comunicación. Ello no impidió, sin embargo, que desde 1580 se reconociera el valor de la evangelización en lenguas indígenas, como se aprecia en la Ley 6 recogida en la *Recopilación de Leyes de los Reynos de las Indias*:

> Que los religiosos doctrineros sean examinados por los prelados diocesanos en la suficiencia y lenguas de indios de sus doctrinas.

Por otra parte, los documentos demuestran que la proporción de campesinos que viajaron durante el primer siglo no fue significativa o, al menos, no fue lo suficientemente importante como para impregnar al español americano de una naturaleza necesariamente rural. Vemos, pues, cómo en la España de los siglos XVI y XVII no solo se configuró el español peninsular en su dimensión dialectal y social, sino que también se desarrollaron los más destacados elementos constitutivos del español americano.

Personajes, personas y personillas

Aldonza Lorenzo

En la villa manchega de El Toboso, en pleno corazón rural de la península ibérica, vivía una moza que no parecía destinada a ocupar lugar alguno en la historia de la cultura española. Era hija de Lorenzo Corchuelo y de Aldonza Nogales y todo el mundo la conocía como Aldonza Lorenzo. Un paisano suyo decía de Aldonza que tiraba la barra de hierro tan bien como el más forzudo del pueblo, que era moza hecha y derecha, con pelo en pecho, y capaz de sacar la barba del lodo a cualquier caballero. Comentaban que tenía gran fortaleza y una voz tan potente que un día se puso a llamar desde el campanario a unos que trabajaban la tierra y pudieron oírla como si estuvieran al pie mismo de la torre. Aldonza le sacaba un palmo a cualquier labriego del lugar, era capaz de cargar un costal de trigo sobre un jumento, después de cernerlo ella sola con la criba, lo que la hacía despedir un olorcillo hombruno. Y esas cualidades físicas, además, las acompañaba con tan buen humor que, como la mejor «cortesana», con todos se burlaba y de todo hacía bromas.

Había, sin embargo, quien prefería pensar que todas esas vulgares cualidades no eran más que producto de un encantamiento destinado a ocultar la auténtica realidad. Así lo creía un hidalgo que apenas llegó a verla tres o cuatro veces en su vida, pero que quedó tan prendado de ella que la convirtió en musa de sus pensamientos y en dama de sus porfías. Decía de ella que era la reina de la hermosura, que entretenía sus horas ensartando perlas o bordando con oro de canutillo. Para él, su virtud era tanta que, si tocaba el trigo, de inmediato lo convertía en pan candeal y desprendía la dama un olor tan delicado, una fragancia tan aromática y algo tan bueno que ni siquiera acertaba a nombrarlo. Junto a sus encantos físicos, exhibía una honestidad sin tacha que la hacían valer como la más alta princesa de la tierra. El hidalgo bendecía todos los días de su vida por haberlo hecho digno de amar a tan alta señora, a la que quiso dar un nombre tan elevado como sus virtudes: Dulcinea del Toboso.

Por obra y gracia de Miguel de Cervantes, Dulcinea del Toboso pasó a formar parte del imaginario cultural hispánico como la dama de don Quijote de la Mancha, el personaje más fascinante y complejo de la historia de la literatura en lengua española. Además, la figura de Dulcinea se erigió en antítesis de una Aldonza que se había convertido en lugar común en el habla popular española y que refería siempre a una mujer vulgar y modesta, tal vez algo ordinaria, pero siempre cercana. A esa imagen remite el antiguo dicho popular «A falta de moza, buena es Aldonza», que animaba al hombre a preferir a la mujer que tiene a su lado, antes que a la moza de la casa ajena; o el refrán «Moza por moza, buena es Aldonza», que aconsejaba elegir lo conocido sobre lo desconocido; o, finalmente, la expresión «Aldonza, con perdón», utilizada al mencionar ciertos vocablos inapropiados, aunque Gonzalo Correas, en el siglo XVII, consideraba esta expresión como propia de gente rústica. Y es que la historia de una lengua no solo la escriben los grandes genios, sino que también se sustenta en imágenes, creencias y expresiones profundamente arraigadas en el pueblo.

Benito Arias Montano

Arias Montano fue un portento de saber y de trabajo. La elaboración de una lengua española culta, elevada, apta para la expresión humanística, le debe mucho sin duda a este sabio nacido al sur de Extremadura, en Fregenal de la Sierra, en 1527; curiosamente el mismo año en que nació Felipe II. Se dio además la circunstancia de que ambos fueron a morir en 1598, pero no acabaron aquí las coincidencias. Y es que el conocimiento atesorado por uno y el poder del otro se conjugaron en torno a un proyecto religioso y filológico —en definitiva, humanístico— de gran significación cultural: la edición revisada de la *Biblia políglota complutense*, cuya primera impresión había concluido en 1520. Arias Montano fue comisionado por Felipe II para hacerse cargo de la edición de la que vendría a llamarse la *Biblia políglota de Amberes* o *Biblia Regia* (1572). El trabajo de imprenta correría a cargo del célebre Cristóbal Plantino, en Flandes, todo un símbolo del Renacimiento. El trabajo filológico sería cosa, como era de esperar, de Arias Montano, el más erudito de los humanistas españoles del siglo XVI. Pero, ¿cómo llegó Arias Montano a tanto?

La vida de este ilustre extremeño estuvo realmente dedicada al conocimiento. Tras iniciar su formación humanística en Extremadura, se trasladó a la ciudad de Sevilla para estudiar Filosofía y más tarde, a la Universidad de Alcalá para graduarse en Artes y Filosofía, y especializarse en Teología. En esta misma universidad fue galardonado en 1552, cuando contaba con 25 años de edad, con el primer «lauro poético» de la institución. Culminada su formación universitaria, se retiró a la sierra de Huelva para analizar detenidamente las Sagradas Escrituras, hasta que en 1560 ingresó en la orden de Santiago. Dos años más tarde, recibió licencia para acudir al Concilio de Trento, en cuya asamblea no pasaron inadvertidos sus muchos conocimientos teológicos. A partir de aquí, apenas hubo descanso para él porque se le acumularon cargos y compromisos: capellán de Felipe II, profesor de lenguas orientales, responsable de la Real Biblioteca de El Escorial.

Benito Arias Montano fue el más grande hebraísta del siglo XVI, pero también fue teólogo, científico, traductor y poeta. La mayor parte de las obras de Arias Montano se escribieron en latín. Entre ellas merecen destacarse una *Retórica* (1569), los *Salmos de David* (1571), los nueve tomos de *Antigüedades de los judíos* (1593) y una *Historia Natural* (1601), junto a una producción poética latina reiteradamente elogiada por su calidad y elegancia. Además, se aseguraba que Arias Montano conocía una docena de lenguas: hebreo, caldeo, griego, latín, siríaco, árabe, alemán, francés, flamenco, toscano y portugués. Pero en su bibliografía no podían faltar textos en español, en los que volcó todo su dominio de la lengua. Es así como el español fue haciéndose más culto, más capaz, más rico. Arias Montano escribió paráfrasis poéticas de textos bíblicos, comentarios, sermones, hizo traducciones en verso y, por supuesto, mantuvo una nutrida correspondencia sobre los temas más diversos. Todo ello fue fruto de su sabiduría, pero también de su esfuerzo. Arias Montano compartió con Plantino, además de una buena amistad, el principio recogido en el emblema del gran impresor: «*Labore et constantia*».

En dos palabras

pícaro

El origen de la palabra *pícaro* se da como incierto y su etimología, como discutida. *Pícaro* es el sujeto ruin y de mala vida. Del vocablo se sabe que comenzó a utilizarse en el siglo XVI y que entre sus primeros testimonios está el de Lope de Rueda de 1545 (*¡Ah, pícara!*) y el de Eugenio de Salazar de 1548 («cuando el sol muestra su cara de oro, igualmente la muestra a los pícaros de corte que a los cortesanos»). Según dicen Corominas y Pascual en su diccionario, es probable que *pícaro* sea voz derivada del verbo *picar*, por los varios menesteres que solían desempeñar los pícaros (pinche de cocina, picador de toros...). Sebastián de Covarrubias, en el *Tesoro de la lengua castellana o española*, relaciona la palabra con *pica* y le da el sentido de persona andrajosa y ocupada en cosas viles.

Otra interpretación etimológica hace provenir *pícaro* del francés *picard*, que también dio origen a la palabra *picardía*. Para aceptarlo, sin embargo, habría que demostrar que a los naturales de la región francesa de la Picardía se les atribuyen las cualidades del pícaro español, cosa que no está nada clara, incluso aceptando que *pícaro* pudiera utilizarse como gentilicio. Se ha intentado aducir que el carácter ruin y sinvergüenza era propio de los soldados españoles que habían tenido como destino esta región francesa, pero tampoco convence fácilmente esta posibilidad. El caso es que la etimología de *pícaro* ha sido ampliamente debatida, sobre todo por parte de los historiadores de la cultura y la literatura.

Es innegable, sin embargo, que la figura del pícaro irrumpe con fuerza en la literatura del siglo XVI y que lo hace reflejando un prototipo social que es efecto de una sociedad empobrecida, con una distribución desigual de los recursos y donde las apariencias cumplen una función relevante dentro de la vida social. Los atributos del pícaro no son exclusivos de los jóvenes a los que la vida ha llevado a buscarse su propia suerte; hay pícaros entre el bajo clero y la hidalguía, entre los artesanos y los comerciantes, como los hay entre los viejos y los mozos, entre los naturales y los forasteros o entre los hombres y las mujeres. La literatura picaresca española nos presenta un amplio ramillete de personajes de esta calaña, entre los que sobresalen Lazarillo de Tormes (1554), Guzmán de Alfarache, creado por Mateo Alemán (1599) y Don Pablos, el Buscón, de Francisco de Quevedo (1626). El modelo fue tan exitoso que alcanzó a otras literaturas europeas (Alemania, Francia, Inglaterra) y muy especialmente a la literatura de Hispanoamérica donde *El Periquillo Sarniento,* de José Joaquín Fernández de Lizardi, inauguró el género en 1816.

usted

Las formas de tratamiento son un excelente indicador de cómo se articula la comunicación dentro de una sociedad. Son elementos cambiantes con el tiempo, organizados en sistemas múltiples que pueden convivir y que están fuertemente apegados a las relaciones entre personas y grupos sociales. Los hablantes de español, además, siempre han sido muy sensibles al uso de las formas de tratamiento como un modo de evidenciar las asimetrías sociales. Durante la Edad Media, el castellano había desarrollado un sistema de tratamientos por el que el pronombre *tú* era utilizado para la cercanía y la familiaridad, mientras *vos* lo era para la distancia y el respeto. Esta distribución de funciones comenzó a resquebrajarse en el siglo XVI, cuando la forma de tratamiento *vuestra merced* pasó a usarse en las relaciones de mayor cortesía. Hacia 1600, el uso de *vuestra merced* fue tan frecuente, que derivó en múltiples variantes abreviadas —*vuesa merced, vuesaerced, vuested*— hasta llegar a un poco frecuente *océ*. Y entre esas variantes se incluye *usted*, documentada ya a finales del XVI. De este modo, en el siglo XVII tres posibilidades existían como pronombres de tratamiento en singular: *tú, vos* y *vuestra merced*, con todas sus variantes, incluida *usted*.

Ocurre, sin embargo, que, cuando un nuevo elemento se acomoda en un sistema, suele provocar el reacomodo de los demás. Así fue como *vos* pasó, de indicar respeto, a ser percibido como tratamiento asimétrico entre gente de estatus menor, entre gente rural y para sirvientes o vasallos, al tiempo que se iba cargando de una connotación de desprecio hacia el interpelado. Cervantes, en el *Quijote*, hace alusión a un tipo que «con no vista arrogancia, llamaba de *vos* sus iguales» (I, 51). Durante un tiempo *vos* contendió con *tú* en España para la familiaridad, hasta que el primero fue expulsado del sistema. Asimismo, en el plural se dieron muy curiosas mutaciones y desplazamientos. Para la segunda persona se había desarrollado en la Edad Media el compuesto *vosotros,* que se utilizaba para la distancia y para la familiaridad, alternando con *vos*. La aparición de *vuestras mercedes*, con sus variantes, provocó un reajuste paralelo al del singular, por el que *vosotros* se utilizó para la confianza y *ustedes* para el respeto, que es el uso que pervive en el norte peninsular. No obstante, este reparto no se produjo así en todas las regiones de España puesto que en Andalucía occidental *ustedes* acabó siendo el pronombre de segunda persona en plural para la confianza y para el respeto.

Como en otros casos, el español de América dio continuidad a unos rasgos lingüísticos peninsulares que acabaron adoptando su propia personalidad en los nuevos dominios. De esta manera, a América llegaron *tú, vos* y *usted* para la segunda persona del singular, así como *ustedes* para el plural, prolongando la solución sevillana. La tríada singular se distribuyó en el espacio geográfico y social con distintos resultados, como corresponde a unos elementos fuertemente apegados a la vida comunitaria, dependiendo de la intensidad del contacto con la metrópoli. Así, en la lejana América austral se asentó el pronombre *vos* como forma de familiaridad, dejando *usted* para el respeto o la distancia; es el sistema llamado *voseo*, característico —aunque no exclusivo— del Río de la Plata, donde disfruta de una fuerte implantación social. En el Caribe, en cambio, fue *tú* el que ganó la contienda, desterrando a un *vos* que se percibía como rural, cuando no despectivo. En otras áreas americanas, sin embargo, si bien predomina el sistema de *tú* y *usted*, aún conviven *tú* y *vos,* desde el sur de México hasta Chile, distribuyéndose las funciones del tratamiento de manera diversa y concordando con los verbos de distinta forma: *vos tienes — vos tenés — vos tenís.* Junto a esas posibilidades perviven otras muy interesantes, como el uso de *sumercé* en zonas de Colombia para la expresión de respeto o el *ustedeo* de Costa Rica para la cercanía, que lleva a hablarse de *usted* incluso entre niños y amantes.

8

La vida lingüística de las colonias

La historia lingüística del continente americano es sorprendente. No existe inequívoca constancia de poblaciones ni de lenguas anteriores a la gran migración humana llegada desde Siberia a través del estrecho de Bering hace unos 15.000 años. Una vez en el nuevo continente, los grupos más pujantes se asentaron en Mesoamérica y en Suramérica, a lo largo de la cordillera andina; de hecho hay pruebas de su existencia de al menos 2500 años de antigüedad. En el momento del arribo de los españoles, las etnias más poderosas en América eran la mexica, la tolteca, la mixteca (todas ellas en territorio mexicano), la maya (México y Centroamérica), la chibcha (Colombia) y la inca (los Andes). A pesar de sus diferencias, los miembros de todas ellas recibieron el nombre de «indios», pues los primeros españoles pensaban que habían llegado a las Indias Orientales (Japón, China).

La historia de la lengua española en América suele dividirse en los cinco periodos establecidos por el filólogo argentino Guillermo Guitarte en 1983. Hablaba Guitarte de un periodo de formación del español americano, que abarcaría desde 1492 hasta 1550, con la llegada a los territorios continentales de México (1519) y Perú (1531); el segundo periodo, hasta 1750, sería de florecimiento de las variedades americanas del español; el tercero correspondería al pasaje hacia las independencias, hasta la segunda década del XIX; y los últimos periodos, de independencia, corresponderían a los siglos XIX y XX, respectivamente. Así pues, de los más de 500 años de historia americana del español, unos 300 se caracterizaron por la estrecha vinculación con España y los 200 restantes, por la evolución de la lengua en entornos sociopolíticos independientes, si bien los expertos consideran que el español americano ya había adquirido sus rasgos actuales más representativos mediado el siglo XVII.

El primer periodo histórico no solamente sirvió para la formación de las variedades americanas del español, sino que supuso su primera expansión geográfica, producida de un modo que podría calificarse de fulminante para las condiciones de la época. En poco más de 50 años, los soldados y colonos españoles pasaron de tomar contacto con el Caribe y colonizar Santo Domingo (1498-1502) a fundar la ciudad de San Agustín (1565), la primera en suelo actualmente estadounidense, después de haber entrado en México en 1521 y en Cuzco en 1534. Todo ello fue maravillosamente narrado por los cronistas de Indias. Puerto Rico se fundó en 1509, La Habana en 1514, Lima en 1535, Asunción en 1537, Santa Fe de Bogotá en 1539 y Santiago de Chile en 1541. Semejante sucesión de asentamientos y fundaciones solo pudo realizarse gracias a la existencia de un modelo colonizador y a la detallada planificación de los procesos pobladores. No hay duda de que los españoles, tras unos primeros contactos más inestables, habían ido llegando a América para quedarse y, con ellos, su cultura y su lengua.

La colonización española de América se produjo, además, con un número relativamente limitado de recursos. Para la entrada en México, Hernán Cortés se acompañó de 500 hombres y unos pocos caballos; en su primer viaje al Perú, Francisco de Pizarro llevó 60 hombres. En total, entre los siglos XVI y XVII pasaron a América medio millón de españoles, mientras la población indígena americana podía ser de alrededor de 50 millones, hablantes de entre 1500 y 2000 lenguas, repartidas en unas 170 grandes familias. Ciertamente, el proceso histórico de la conquista española estuvo lleno de luces y de sombras, pero en él confluyeron factores muy diversos, que deben valorarse para el correcto entendimiento del modo en que se vio afectada la situación lingüística de América. Por un lado, el mosaico idiomático de la América del sur y central era de una gran atomización lingüística, lo que favoreció la difusión de lenguas vehiculares de intercambio. En América existían algunas lenguas de mayor extensión, como el náhuatl, el maya, el quechua o el guaraní, que fueron utilizadas por los europeos como instrumento de evangelización, contribuyendo a su mayor expansión y a la aparición del concepto de «lenguas generales», que funcionaban como lenguas francas entre etnias distintas y como vehículo de comunicación con la población colonizadora. Por otro lado, la población hablante de muchas lenguas originarias se vio mermada drásticamente, según regiones, por factores externos, como las rivalidades territoriales, la acción de la conquista armada o el contacto con nuevas enfermedades.

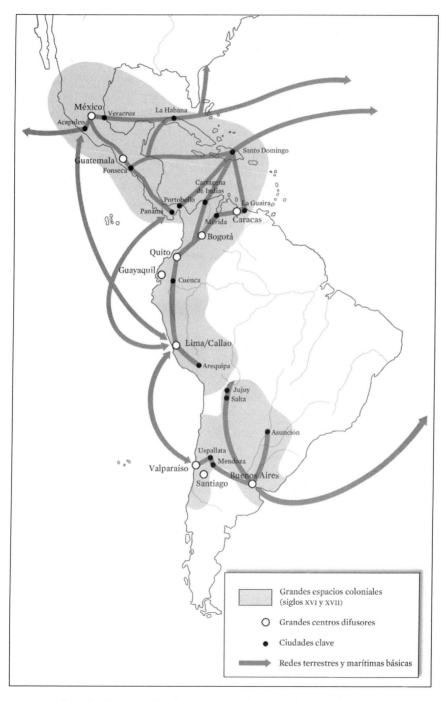

Espacios coloniales y redes de comunicación en América (siglos XVI y XVII)

Además de los grupos étnicos europeo e indígena, la población de la América colonial tuvo otros protagonistas. Se trata de elementos africanos, de una gran importancia histórica para todo el continente, por más que en la lengua española haya quedado una impronta limitada de ellos. La llegada de africanos a América estuvo relacionada con la necesidad de mano de obra para los trabajos y explotaciones de las colonias en todo el nuevo continente. Se calcula que 9,5 millones de esclavos hicieron la ruta entre los costas occidentales de África (Angola, Senegal, Congo, Guinea) y América desde 1505 a 1870. De todos ellos, alrededor de un 16 % tuvieron como destino las colonias españolas. La mayor parte del comercio humano la monopolizaron los portugueses, aunque también participaron británicos, franceses y holandeses.

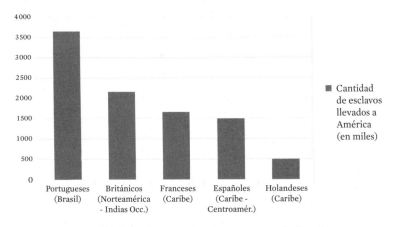

Comercio de esclavos entre 1505-1870, con indicación de país comerciante y destino. (Fuente: Ochoa y Smith, 2009)

Las etnias de procedencia de los esclavos africanos fueron muy diversas (fulani, wolof, mandinga, yoruba, igbo, kongo, mbundu...), lo que también tuvo su incidencia lingüística dado que, al no compartir una lengua entre ellos, se propició la adopción de las lenguas europeas. Asimismo se desarrollaron variedades criollas que incorporaban elementos africanos. A menudo la aparición de esas variedades iba precedida por un habla *bozal*, simplificada y mezclada, surgida de un conocimiento inicial e insuficiente de la lengua europea correspondiente. Esas hablas bozales solían ir desapareciendo conforme la población de origen africano aprendía las nuevas lenguas, pero algunas de las variedades emergidas del contacto se convirtieron en lenguas maternas criollas, como fue el caso del *créole* de Haití, de base francesa, del palenquero de Colombia, de base española, así como del sanandresano de San Andrés y Providencia, de base inglesa. Y, como era de esperar, es consecuencia del contacto entre las lenguas de los africanos y el español la incorporación a este último de voces que, en unos pocos casos, han llegado a ser de uso general: *marimba, conga, pachanga, merengue, mambo, cachimba, macaco, mamba, vudú, timba, mandanga, mondongo*.

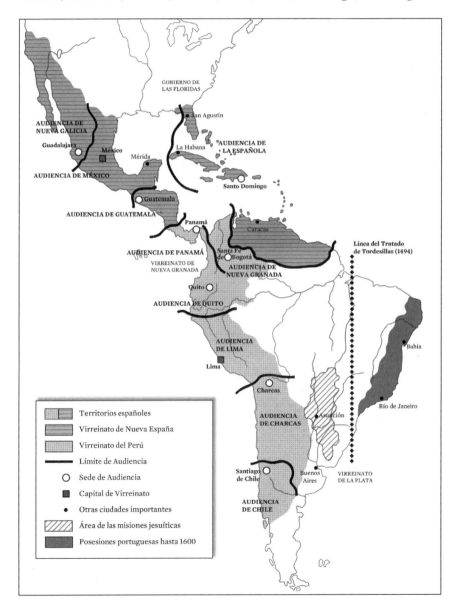

Audiencias en América (siglo XVI)

Los tres grandes grupos etno-raciales de la América colonial —blanco, indio y negro— establecieron sus relaciones de acuerdo con el modelo administrativo y económico impuesto por España. Desde un punto de vista geográfico, resultó decisiva la división del territorio en *virreinatos*. El más antiguo fue el de Santo Domingo, que contribuyó a articular la vida social del Caribe, aunque los virreinatos más grandes y longevos (desde el siglo xvi hasta las independencias) fueron el de Nueva España (México, Estados Unidos y Centroamérica) y el del Perú, del que se desmembraron en el siglo xviii el de Nueva Granada (Colombia, Venezuela) y el del Río de la Plata. En un nivel inferior a los virreinatos, también fueron fundamentales las *audiencias*, que sirvieron para configurar las posteriores naciones independientes y la progresiva diferenciación lingüística entre unas áreas y otras. La mayoría de esas audiencias se crearon a lo largo del siglo xvi (Santo Domingo, Nueva España, Panamá, Lima, Nueva Granada, Charcas, Quito, Chile), aunque otras se segregaron en el siglo xvii (Buenos Aires, Santiago de Chile) o incluso en el xviii (Caracas, Cuzco, Puerto Príncipe).

Ahora bien, la introducción del castellano en las colonias americanas y la consolidación de sus respectivas características lingüísticas fue consecuencia de la vida colonial, de las relaciones sociales que se establecieron entre etnias, razas y clases dentro de las nuevas comunidades coloniales. Para comprender mejor cómo fue ese proceso, prestemos atención a tres aspectos concretos: la transmisión del español a los nativos, la hispanización de la vida social y la formación de rasgos propios del español americano en cada una de las áreas geográficas. Estos tres aspectos se desarrollaron sobre unas bases que el lexicógrafo Luis Fernando Lara considera características de la colonización hispánica, frente a la británica o la portuguesa: la adaptación al territorio, la diversidad de las poblaciones indígenas, el fin evangelizador y la intensidad del proceso urbanizador.

En la transmisión de la lengua a los «indios» nativos americanos influyó tanto el modelo de explotación económica, como el modelo urbano implantado. Uno y otro parten de una realidad esencial: la posición de fuerza y prestigio de los colonos españoles. Esa posición de fuerza derivó de la instauración de un primitivo sistema de encomiendas y de la condición de «hidalguía» concedida por Felipe II desde 1573 a todos los pobladores y a sus descendientes, que, como hidalgos, se convertían en nobles con derecho a ser tratados de «don». Ello posibilitaba que los españoles tuvieran en sus manos el poder social y económico a pesar de su escaso número: entre un 1 % y un 5 % de la población. La encomienda era un sistema socio-económico clientelar por el cual un encomendero recibía los servicios, trabajos y tributos de un grupo de indígenas comandados por un cacique, a cambio de instrucción en la fe católica y de supuestos cuidados materiales. Este sistema, que entró en decadencia ya en el XVII, permitía la transmisión de la lengua española por la vía de la catequización, al tiempo que reservaba al español la posición social más elevada y a las lenguas indígenas la más baja, si bien entre ellas también existía una jerarquía: en México, por ejemplo, el náhuatl tenía mejor consideración, entre los propios indígenas, que el maya o que otras lenguas autóctonas.

Área geográfica	Año 1600	Año 1800
México	40 000	60 000
Caribe	100 000	800 000
Centroamérica	50 000	100 000
Brasil	100 000	800 000
Suramérica	100 000	2 000 000

Estimación de población mestiza de América entre 1600 y 1800.
(Fuente: Ochoa y Smith, 2009)

En tales condiciones de superioridad social y económica, las ciudades coloniales, en su primer periodo histórico, se construyeron en torno al poder de los españoles y al uso público y elevado de la lengua española, situación que tuvo continuidad con los descendientes de los españoles, llamados criollos, que completaron el proceso de *hispanización*. Entre las primeras generaciones de emigrantes españoles, por otro lado, no viajaron apenas mujeres por lo que el fenómeno del mestizaje comenzó a aflorar desde muy pronto. Solo en el siglo XVII se dieron proporciones reseñables de mujeres españolas y de niños llegados de España, fecha en la que el número de mestizos ya era demográficamente muy relevante. Estos mestizos hablaban español, ya que la posición privilegiada de los españoles aconsejaba su aprendizaje, estimulado incluso por las propias madres indias que veían en la lengua un camino para la integración social de sus hijos mestizos y para la elusión de los tributos exigidos a los indios. En un principio, los mestizos, por razones también religiosas, ocupaban un espacio marginal dentro de la sociedad, pero su peso fue creciendo hasta constituir un grupo fundamental en las nuevas sociedades. De igual modo, en las regiones en las que la presencia afronegra era más intensa, el número de mulatos fue aumentando progresivamente, al tiempo que se multiplicaban las posibilidades de los enlaces matrimoniales y los resultados de su descendencia. En México existe un cuadro anónimo del siglo XVIII en el que se ilustran las posibles combinaciones raciales: *español con india, mestizo; español con negra, mulato; mulato con española, morisco; morisco con española, chino; chino con india, salta atrás; salta atrás con mulata, lobo; lobo con china, jíbaro*; y así hasta 53 posibilidades.

Desde una perspectiva lingüística, el español venía a prolongar en las tierras americanas los rasgos desarrollados en la península y en Canarias, de modo que desde allí llegó el seseo, el uso de *tú, vos* y *usted* o el léxico de origen marinero. Ahora bien, las diferencias entre etnias, la división de los trabajos comunitarios y las distancias entre criollos y recién llegados provocaron desemejanzas internas muy interesantes: por ejemplo, entre los que distinguían *ese* y *zeta* (*casa - caza*) y los que seseaban, con triunfo final para estos últimos. En esas diferencias también influía la frecuencia del contacto con la metrópoli: los lugares más cercanos, como el Caribe, reflejaron más frecuentemente los usos de España, mientras que las comunidades apartadas, como los Andes, Chile o el Río de la Plata, disfrutaron más fácilmente de una dinámica propia.

En este entorno multilingüe y multicultural, la lengua española traída por los colonos experimentó una necesaria aclimatación y adecuación a las nuevas necesidades comunicativas. El historiador y dialectólogo Manuel Alvar decía que el español se acriolló al llegar a América. Y, en esa dinámica de americanización del español, fue importante la función de los traductores, llamados *lenguas*, que podían ser indígenas hablantes de español o españoles, sobre todo frailes, hablantes de lenguas nativas. La influencia indígena sobre el español apenas existió en el plano de los sonidos y en el de la gramática, salvo aquellos casos de hablantes bilingües particularmente sensibles a los calcos desde una u otra lengua. Podrían señalarse, con todo, algunos ejemplos de transferencias lingüísticas. En la pronunciación, el español de México adaptó más fácilmente la secuencia *t + l* del náhuatl, lengua de los aztecas, y eso pudo haber influido en el hecho de que en América se pronuncie *a-tle-ta*, con esa separación silábica, y no *at-le-ta*, como suele silabearse en España. En el nivel gramatical, se ha apuntado la incorporación del sufijo *-eco* también desde el náhuatl (*azteca, yucateco, guatemalteco*), aunque ese sufijo también se documenta en lugares muy alejados de México, con lo que se debilita la hipótesis indigenista.

Sin embargo, la influencia indígena sobre el español se hace muy clara en el plano del vocabulario. Las evidencias léxicas de los nuevos contactos lingüísticos se produjeron desde muy pronto; de hecho en el *Diario* de Colón ya se incluyen las primeras palabras antillanas del español

Retrato de castas. Anónimo, siglo XVIII.
(Museo Nacional del Virrerinato, México)

(*hamaca, cacique, tiburón*). En conjunto, la recepción de voces americanas obedeció a una dinámica relativamente compleja, que se puso de manifiesto en los textos de los cronistas de Indias. Un primer fenómeno documentado al respecto es el de la *adaptación léxica*; y es que las realidades con que se iban topando los colonizadores eran tan diferentes de las suyas que no encontraron mejor modo de denominarlas que adaptando las formas de su propia lengua. Así es como comenzaron a llamar *lagartos* a los caimanes, *leones* a los pumas, *peras* a los aguacates, *turmas* a las papas, *piña* al *Ananas Sativus* o *vino* a la chicha indígena. Algunos de estos americanismos perviven; otros no. En ocasiones, más que palabras se utilizaban descripciones y comparaciones, que garantizaban una mejor comprensión para el hablante peninsular: así, los pavos son explicados por el cronista Bernal Díaz del Castillo como «los gallos de los indios» o «las gallinas de las grandes de esta tierra» y Colón se refiere a las hamacas como «redes de algodón». Las viejas palabras de España iban adquiriendo en América nuevos significados ligados a unos referentes tan nuevos como deslumbrantes.

Otro fenómeno frecuente en el español en América fue el de la *adopción léxica*. Cuando una lengua no tiene una palabra para designar una realidad, simplemente puede adoptarla de otra lengua; es lo que se conoce normalmente como «préstamo». Cuando se descubría un nuevo objeto cuya denominación se desconocía, se escuchaba a los nativos para darle el mismo nombre que ellos, más o menos acomodado a la pronunciación española. Así es como se incorporaron decenas de indigenismos y americanismos al léxico del español, general o regional: desde el arahuaco se incorporaron *ají* 'pimiento picante' o *iguana*; desde el náhuatl, *guajolote* 'pavo', *petate* o *tomate*; desde el quechua, *cancha, pampa, poncho, cóndor* o *papa*; desde el guaraní, *mandioca* o *tucán*.

Y aún hay otro proceso digno de mención: el de la *creación* de nuevos términos. Porque a veces no basta con adaptar lo propio o adoptar lo extraño; a veces la realidad es tan sorprendente y maravillosa —o se aprecia de una forma tan distinta— que la solución más natural es simplemente la creación léxica, la denominación mediante nuevos compuestos y derivados: *fruta de la pasión* 'maracuyá', *fruta bomba* 'papaya', *flor de ángel* 'acacia', *flor de balsa* 'oso hormiguero', *hoja capote* 'hoja del tabaco'; y también *almagarrote* 'persona alta y poco inteligente' (Bolivia), *chichipato* 'persona que se dedica a hacer pequeños negocios' (Colombia), *bichicome* 'indigente que vive de desperdicios' (Uruguay), *gallogallina* 'indeciso; cobarde' (Nicaragua).

En definitiva, la larga historia del español americano explica que su vocabulario haya ido adaptándose, adoptando y creando formas de acuerdo con las necesidades de cada entorno, hasta caracterizar a cada una de las principales áreas dialectales. Estas áreas —la caribeña, la mexicano-centroamericana, la andina, la chilena, la austral— presentan diferencias entre sí de naturaleza léxica o gramatical, como habrá ocasión de comentar. Y también muestran diferencias fonéticas: la veloz habla del Caribe ofrece pérdidas de consonantes en posición final de sílaba; la parsimoniosa habla austral favorece el uso de fuertes sonidos palatales; las variedades de México y Perú mantienen una sólida pronunciación de las consonantes. Todo esto es reflejo de la historia, de la geografía y de las peculiaridades culturales de cada área americana. No obstante, el español dispone de un amplio espacio compartido por todas las variedades, que permite hablar de la existencia de una comunidad lingüística que ha pervivido en el tiempo y ha proporcionado cohesión a un abigarrado mosaico cultural.

Personajes, personas y personillas

Doña Marina

Malinalli Tenépatl era una joven mexica, nacida cerca de la costa caribeña de México e hija de un cacique que casó con una señora distinguida de otro pueblo indio. La llamaron *Malinalli*, hierba torcida, y después añadieron a su nombre el de Tenépal, que significa dueña de la palabra. Malinalli era inteligente y hermosa, tanto que, por una disputa entre grupos rivales, fue entregada a un cacique de Yucatán. Ella era hablante de náhuatl, pero su convivencia entre yucatecos la convirtió también en hablante de maya. Después, a la edad de 17 años, como consecuencia de un acuerdo negociado en Tabasco entre el español Hernán Cortés y el cacique de Yucatán, Malinalli fue entregada de nuevo como parte de un botín de esclavas y así pasó a convivir entre españoles y a aprender su lengua. Cortés no tardó en prendarse de ella; de hecho, fueron amantes y tuvieron un hijo, al que llamaron Martín, uno de los primeros mestizos mexicanos o, al menos, uno de los más célebres. Malinalli, al ser bautizada, adoptó el nombre de Marina, aunque al poco tiempo fue conocida como la Malinche, bien porque los indios habían comenzado a llamar a Cortés *Malinallitzin* 'el señor de Malinalli', bien porque *Malintzin* era el nombre de la diosa luna, única hembra entre los astros, como Malinalli lo fue en un mundo de hombres.

Debido a sus habilidades lingüísticas, Malinalli no tardó en convertirse en intérprete personal de Cortés, por delante del célebre Jerónimo de Aguilar. Y por su inteligencia y decisión no tardó en ganarse la confianza del capitán y de su gente española. Irónicamente, la hija de un cacique, entregada dos veces como esclava, se había convertido en consejera de un gran jefe militar, lo que le granjeó la admiración y el respeto de los españoles, que pronto la llamaron doña Marina. Esta joven mujer, que apenas vivió 27 años, había conseguido ser, por su trilingüismo y su astucia, pieza crucial en la conquista de México. Su figura se representa en algunos lienzos con un tamaño mayor que la de Cortés, al que también llamaban el *huehue* 'viejo' de Marina.

Visto desde la historia, la Malinche es una de las grandes mujeres protagonistas en la formación del mundo hispánico y, como tal, se ha convertido en un personaje polémico. Unos valoran sus cualidades humanas, su capacidad mediadora, su inteligencia, su trascendencia en la historia de una de las grandes naciones hispanohablantes. El discurso posrevolucionario mexicano la convirtió en imagen de la traición a un pueblo, al tiempo que víctima de una circunstancia conflictiva. Algunos la elevan a símbolo del mestizaje mexicano, madre de una nueva raza. Y para unos pocos doña Marina fue simplemente un prodigio lingüístico y comunicativo, antonomasia de los traductores que intermediaron entre varios mundos y culturas en una época crucial de la historia de occidente.

Antón Pirulero

Allá por 1580, Antón era oficial del Santo Oficio de la Inquisición, aunque realmente no se consideraba un gran experto ni en libros prohibidos ni en autos de fe. A decir verdad, no era hombre de grandes luces, pero sabía cumplir su deber. Había entrado muy joven a formar parte del Santo Oficio, movido por su sincera fe católica y gracias a la influencia de un tío dominico. El problema era que no disfrutaba con su trabajo. Un buen día, un fiscal inquisidor le preguntó si le interesaba viajar a las Indias con su mismo empleo. Las tierras del Perú se habían pacificado finalmente y necesitaban gente dispuesta a trabajar para la Inquisición. Así que Antón decidió cambiar de vida, anhelante de conocer el Nuevo Mundo y protegido por las influencias del fiscal.

Una vez en Lima, encontró un acomodo decente y comenzó a hacer su trabajo, con la grata sorpresa de que los favores que hacía a las personas denunciadas ante la Inquisición, por pequeños que fueran, solían ser generosamente compensados con plata recién extraída de las minas de Potosí. Entre su silencio, cuando se le pedía, la vista gorda, cuando parecía conveniente, y el buen trato que daba al algunos de los procesados, Antón fue amasando una fortuna que despertó su gusto por la buena vida. Y así llegó un momento en que pensó que, con la plata guardada y el poco entusiasmo que le iba quedando por el oficio, tal vez merecía la pena volver a su añorada España. Dicho y hecho, a los pocos meses renunció a su puesto, tomó un barco que lo llevó desde el Callao a Panamá; allí embarcó en otro para La Habana y desde Cuba navegó hasta Sevilla.

Al principio, Antón pasó desapercibido entre sus compatriotas: un indiano más que volvía desencantado. Pero todo cambió cuando su plata comenzó a correr de mano en mano y su nombre de boca en boca. Antón «Perulero» le decían, porque peruleros eran los que llegaban del Perú. A Antón le complacía ser centro de la atención ajena y no se hacía de rogar a la hora de relatar las maravillas de las tierras del Perú, donde los pájaros tenían «ojos de hombre y pies de pescado»; y donde «los monos tenían la cara detrás y el culillo delante.» Su nueva vida se acomodaba perfectamente a su personalidad, despreocupado por las urgencias, bien servido en su buena casa y rodeado de muchachos que atentos siempre lo escuchaban. Tan popular se hizo, que los niños jugaban cantando su nombre: «Antón, Antón, Antón Perulero, cada cual, cada cual que atienda su juego».

NOTA. El apelativo no era nada personal. Sebastián de Covarrubias, a comienzos del XVII, ya explica que *perulero* es el que llega rico de las Indias. Después, en 1899, la Academia Española definió *perulero* como la persona que se distrae en los negocios de los demás y desatiende los propios. El caso es que de tanto repetir la retahíla, «Antón Perulero» o «Pirulero» acabó convirtiéndose en un juego de prendas con el que aún los niños cantan el refrán.

En dos palabras

canoa

La palabra *canoa* procede de la familia del arahuaco y ofrece la especificidad de ser el indigenismo y americanismo más antiguo de la lengua española. El primer testimonio escrito que de ella se tiene aparece en el diario del mismísimo Cristóbal Colón, con fecha de 26 de octubre de 1492. Pocas veces existe la posibilidad de fechar de un modo tan preciso la llegada de una nueva palabra a una lengua. Igualmente interesante es el proceso de aceptación general del préstamo. En este caso, se trata de la denominación de un tipo de embarcación desconocido para los españoles, en cuya experiencia lo más similar eran las almadías formadas por troncos amarrados entre sí que, a modo de balsa, servían para deslizarse río abajo en el norte de España. Por eso cuando Colón tuvo que referirse a las naves hechas con un madero vaciado, alternó el nombre de *almadía* con el de *canoa*. La alternancia de ambas voces la explica muy bien el filólogo Humberto López Morales: en su diario, Colón usa *almadía* 19 veces el 13 de octubre y el 7 de diciembre el triunfo de *canoa* puede darse por absoluto, pues el almirante no volvió a utilizar la forma peninsular. En 1495, Antonio de Nebrija incluyó *canoa* en su *Vocabulario español-latino*, quedando registrada por vez primera en un diccionario. Y, desde el español, *canoa* ha pasado a todas las lenguas occidentales: en italiano, *canoa* o *canotto*; en francés, *canot*; en inglés, *canoe*; en alemán, *Kanu*.

Como es previsible en la historia de una palabra de tan longeva existencia en español, los usos de *canoa* han ido multiplicándose. En España, ha pasado a ser el nombre de otros tipos de embarcaciones similares, pero en América se utiliza también para denominar objetos que tienen forma acanalada o, de algún modo, parecida a una canoa: una teja, un cajón, una vaina, una artesa, una cubierta, un conducto. También sirve en Puerto Rico para llamar al plato hecho con plátano maduro asado, relleno de carne y queso. Y a ello puede añadirse su uso en la fraseología: en Colombia, *poner la canoa* es buscar donde comer a costa ajena y *pedir canoa* es pedir ayuda; en Centroamérica, *mojársele a uno la canoa* es manifestar un hombre su tendencia homosexual.

La palabra caribeña *canoa* no llegó sola al español. Junto a ella desembarcaron otras, principalmente del arahuaco taíno y del caribe. Desde el taíno, como la propia *canoa*, entraron *cacique, maíz, batata, carey, enaguas, guacamayo, tabaco* o *yuca*. De la lengua caribe provienen otras como *caimán, caníbal, piragua, butaca* o *loro*. Estos vocablos fueron americanismos incorporados en una primera fase de formación del español americano, por eso pudieron trasladarse, ya dentro del español, hasta las demás variedades que iban forjándose en diferentes regiones del continente americano.

gachupín

Un cachupín es la persona española que se establece en América. Se usa en México, generalmente como *gachupín*, y también en Venezuela, Cuba y Bolivia, a veces con la forma *gachupo*. La voz ya aparece en el *Diccionario de Autoridades* de la Real Academia Española (1729) definida como «español que pasa y mora en las Indias». Al significado general ha de añadírsele, no obstante, la connotación que le daban los criollos al llamar así a los recién llegados de España, debido a su torpeza e ignorancia de las cosas americanas, por lo que su equivalente era el de 'torpe, zoquete'. El poeta Juan de la Cueva, en 1545, llama *cachopines* a los españoles recién llegados a México; el jesuita Juan de Cárdenas decía en 1591: «el cachupín recién venido de España criado en aldea»; y en 1611 recitaba Juan de Cigorondo: «Venga norabuena / el cachupín nuevo a la tierra». Hoy, el *Diccionario de americanismos* de las Academias (2010) lo da como palabra anticuada y el general de la Real Academia Española, como despectivo y coloquial, mientras que Luis Fernando Lara, en su *Diccionario del español usual de México*, etiqueta *gachupín* como ofensivo y lo define como 'persona natural de España, en particular la que vive en México'. De las tiranteces entre criollos y advenedizos dan asimismo cuenta algunos refranes mexicanos: «gachupín amo en hacienda siempre es causa de contienda» o «gachupín con criollo, gavilán con pollo».

El origen de la palabra *cachupín* o *gachupín* ha sido largamente discutido. Las explicaciones más plausibles la hacen provenir de la península: en el norte se ha usado *cachopo* y *cachopín* con el significado de 'cosa pequeña' y también como 'necio, torpe', que tendría relación con *gachupino* 'muchacho, niño'; incluso el poeta Luis de Góngora utilizó *cachopino* con el significado de 'recién nacido'. La hipótesis peninsular, además, podría apoyarse en el empleo de *cachopo* en *El Victorial* de Díez de Games (1431-1449), anterior, por tanto, a la llegada del español a América, aunque su significado no está claro. El filólogo Alatorre, por su parte, prefiere la explicación que remite *cachupín* al apellido familiar *Cachopín*, del norte de España, sin que sepamos muy bien si estos Cachopines, con fama de presuntuosos, mencionados por Jorge de Montemayor y por Cervantes, sirvieron de referencia para el nuevo término cuando llegaron a América o más bien cuando regresaron al solar peninsular, envanecidos por su nueva fortuna de indianos.

Sea como sea, los términos que califican y descalifican a la gente recién llegada a una tierra son habituales en los entornos de migración. En

Argelia, por ejemplo, llamaron *pied-noir* 'pies negros' a los europeos residentes en tierras argelinas. En las Indias también fue frecuente el uso de *chapetón*, documentado desde mediados del siglo XVI, aplicado a los españoles recién llegados, especialmente en el área de Perú, donde se usó *godo* para lo mismo, que es como llaman en Canarias a los peninsulares. En Argentina, mayormente desde el siglo XX, se llama *gallegos* a los españoles y no solo como gentilicio, sino con valor despectivo. Las situaciones de migración suelen provocar la aparición de este tipo de descalificaciones, que simplemente revelan una dinámica de tensión social entre naturales y extranjeros, ricos y pobres, veteranos y advenedizos. En el caso de *gachupín*, la historia juega con unos procesos de ida y vuelta en los que no se sabe dónde comienza lo americano y dónde termina lo peninsular.

9
Escritura y literatura en España y América

En la España de la dinastía de los Austrias, la autoridad se sustentaba sobre un gran aparato burocrático. La administración del Estado obligaba al registro de procesos que afectaban a la vida cotidiana de prácticamente toda la población, del que era responsable un nutrido cuerpo de servidores públicos. Estos servidores, desde los más cercanos a la corona hasta los que convivían con el pueblo, debían cumplir un requisito indispensable: el dominio de la escritura. Así, la habilidad para la lectura y para la lengua escrita funcionó *de facto* como mecanismo de acceso al poder, al alcance de muy pocos. Esta realidad prolongaba la vida sociocultural de la Edad Media, en la que el pueblo llano tuvo un escaso contacto con la cultura letrada.

A pesar de las similitudes con la situación medieval, durante la Edad Moderna se produjo, por un lado, una ampliación de los poderes del Estado, con toda su parafernalia documental y, por otro, un progresivo crecimiento de la alfabetización y del acceso popular a la cultura. Si el clero y la nobleza, además de los judíos, fueron los únicos estamentos cuyos componentes podían considerarse completamente alfabetizados al concluir la Edad Media, durante el siglo XVI accedieron a las letras otros grupos sociales, principalmente los artesanos y comerciantes que desarrollaban su actividad en los núcleos urbanos. Y es que las ciudades se convirtieron en los mayores focos de alfabetización y, por lo tanto, fue en ellas donde se concentró más gente capaz de leer y escribir. En las ciudades se crearon más escuelas de primeras letras que en las áreas rurales; en ellas se concentró la actividad religiosa más multitudinaria; en ellas, en fin, se fundaron las universidades y se instalaron las imprentas. Entre 1499, fecha de fundación de la Universidad de Alcalá, y 1717, fecha de constitución de la universidad catalana de Cervera, se fundaron en España más de dos docenas de universidades. Asimismo, a comienzos del XVI ya existía una veintena de imprentas distribuidas por toda la península. Obviamente, la extensión social de la cultura letrada afectó a la lengua española de diversos modos, creando modelos de referencia para la escritura, enriqueciendo la lengua de los alfabetizados, aumentando el número y la difusión de las creaciones literarias.

La historia de la lengua española vivió durante los siglos XVI y XVII una de sus épocas más admirables gracias a la literatura; no en vano al periodo que encabalga ambas centurias se le da el nombre de Siglo de Oro. Si la épica fue el primer gran hito literario castellano durante la Edad Media, con el *Cantar de mío Cid* como máxima expresión, durante la Edad Moderna la creación literaria experimentó una nueva revolución, nacida de la importación de los modelos italianos. En esa revolución fue clave la obra del barcelonés Juan Boscán porque, al traducir en 1528 *El cortesano* de Castiglione, tuvo que introducir formas discursivas y estilísticas nada habituales en español. Asimismo, al componer sonetos y otros poemas al modo italiano, trasladó a España géneros, metros, temas literarios, voces y giros novedosos, que Garcilaso de la Vega, amigo de Boscán, también utilizó en su obra poética. Valga como ejemplo la complejidad sintáctica exhibida por Garcilaso para referirse al «simple» concepto del amor: «monte de inconvenientes muy espeso», «dulces prendas por mi mal halladas», «bien que por términos me distes», «mal que me dejastes».

Avanzado el Siglo de Oro, aún puede hablarse de otra revolución formal en el lenguaje literario. Es la que supuso la obra del cordobés Luis de Góngora, catalogada bajo los rótulos genéricos de *gongorismo* o *culteranismo*. La literatura de Góngora quiso apartarse de las formas clásicas del primer Renacimiento para manejar un lenguaje más culto y complejo, en el que la perfección poética se alcanzaba tomando vocablos directamente del latín o del griego, jugando con el orden de palabras («*cuantas* la Libia engendra *fieras*»), calcando construcciones latinas, utilizando numerosos esdrújulos o incluyendo constantes referencias al mundo grecolatino. Tan extremo fue en algún caso el uso de estos elementos, que otros escritores de la misma época no dudaron en criticarlo con dureza. Lope de Vega, en *El desprecio agradecido* (1647), apunta una lista de vocablos de los que decía: «a quien llama la ironía cultos, por mal cultivados»; y el más satírico Francisco de Quevedo compuso un soneto para burlarse del culteranismo y de su léxico. El primer cuarteto decía así:

> Quien quisiere ser culto en sólo un día,
> la jeri (aprenderá) gonza siguiente:
> fulgores, arrogar, joven, presiente,
> candor, construye, métrica armonía.

Y, tras el soneto, Quevedo añadía el siguiente estrambote:

Que ya toda Castilla,
con sola esta cartilla,
se abrasa de poetas babilones,
escribiendo sonetos confusiones;
y en la Mancha, pastores y gañanes,
atestadas de ajos las barrigas,
hacen ya cultedades como migas.

FRANCISCO DE QUEVEDO, «Receta para
hacer Soledades en un día», 1625

Es innegable que las prácticas poéticas gongorinas se situaban bien lejos del castellano de las urbes españolas, pero no lo es menos que tuvieron una enorme influencia sobre otros muchos creadores y que contribuyeron a ensanchar los registros formales de la lengua. El léxico cultista de Góngora, al principio extraño, no solo no cayó en saco roto, sino que pasó en parte al acervo común, incluidas muchas de las voces criticadas por Lope de Vega o por Quevedo. Las palabras *juventud* y *joven, proceloso, excelso, inmóvil, prodigioso, umbría, libar* o *conculcar* son cultismos de cuño gongorino que enriquecieron nuestra lengua y han sabido resistir el paso de los siglos. Estos cultismos se unieron a los muchos introducidos por otros autores, como fray Luis de León, a cuya obra debemos la familiaridad actual con los verbos *aplicar, ceñir, convertir, desesperar, fatigar* o *sujetar*.

No obstante, durante el Siglo de Oro, el ideal de escritura no estaba precisamente en lo complejo. De los cuatro estilos propuestos por el griego Demetrio en el siglo I a. C. (llano, elevado, elegante y vigoroso), fue sin duda el *estilo llano* el que sirvió como guía principal para el despliegue de la lengua española, hablada y escrita. El precepto general era «escribir como se habla» y, al hablar, hacerlo con llaneza. Así lo propugnaban tratadistas como Juan de Valdés y así se intentaba llevar a la práctica —a veces de forma impostada— en la literatura más exitosa. Esta llaneza la hacía más cercana a los lectores y a los que oían las lecturas en voz alta, creándose un rico juego de influencias entre lo literario y lo popular que contribuía a enriquecer la lengua de todos.

Entre las obras más populares, más leídas y escuchadas del siglo XVI estuvo *Los siete libros de la Diana* de Jorge de Montemayor (1559), una novela pastoril reeditada y traducida en múltiples ocasiones durante décadas. Y entre las obras más populares del siglo XVII destacó muy singularmente *El ingenioso hidalgo don Quijote de la Mancha* (1605, 1615), de Miguel de Cervantes. El *Quijote* es una novela de numerosos registros lingüísticos, en los que se incluyen las hablas populares y repetidas referencias a la oposición entre el hablar afectado y el hablar llano, así como entre el habla cuidada y la vulgar. Recuérdense los diálogos entre don Quijote y Sancho Panza, analfabeto; entre este y el bachiller Sansón Carrasco; o entre don Quijote y unos cabreros, también analfabetos. Las correcciones hechas por los cultos no solían aceptarse de buen grado por los reprendidos, pero el hecho es que el propio Sancho Panza acaba enmendando a su mujer, Teresa Panza, también analfabeta, por decir «revuelto» en vez de «resuelto».

La calidad de la literatura española no pudo pasar inadvertida en las colonias. Téngase en cuenta que, tan solo un mes después de ponerse a la venta la primera edición del *Quijote* en Madrid, se envió un cargamento de decenas de ejemplares a Cartagena de Indias. Existe un importante número de referencias que hablan de viajeros que leyeron el *Quijote* en su travesía a América, de cómo los primeros ejemplares corrieron de mano en mano o del impacto que la novela provocó entre los escritores y la gente culta de las colonias. Hubo que esperar hasta el siglo xix para que las imprentas hispanoamericanas editaran el *Quijote*, pero la influencia de su estilo, su lenguaje y sus valores ya había penetrado profundamente en la cultura de una población que, como en España, iba alfabetizándose poco a poco, a la vez que daba forma a sus propias modalidades lingüísticas.

Para la definitiva implantación del español como lengua de las colonias, fue decisiva la prestigiosa influencia de los modelos culturales de la península. Pero, al mismo tiempo, tuvo que darse en América un factor fundamental, especialmente significativo en las regiones de concentración indígena, como México o el área andina. Se trata de la creación de una estructura educativa colonial en todos los niveles de enseñanza, desde las primeras letras a la universidad. Las escuelas se crearon, en principio, para la educación de los criollos y con un nítido carácter evangelizador, puesto que fueron las órdenes religiosas las que las organizaron y atendieron. Sin embargo, desde muy pronto se prestó atención a la formación de los indígenas, sobre todo por medio de las escuelas de oficios, como la escuela de artes y oficios de San José de los Naturales, abierta en México por el franciscano fray Pedro de Gante en 1523. También hubo escuelas destinadas a la nobleza india y a sus descendientes, como la de Santa Cruz de Tlatelolco, que intentaron buscar no solo la implicación social de los grupos indígenas, sino la formación de unas utópicas comunidades indígenas autosuficientes; todo ello sin descuidar los valores sociales asociados al cristianismo. De estas escuelas salieron finalmente numerosos maestros, intérpretes, jueces y gobernadores. Y es importante saber que muchos de estos proyectos educativos se vehicularon a través de las lenguas indígenas más extendidas, hasta que en 1559 una ordenanza real exigió a los religiosos enseñar la lengua castellana, para hacer más fácil el adoctrinamiento en el Evangelio y el acomodo a la manera de vivir de los peninsulares y los criollos.

Dentro del proyecto educativo colonial se incluía la fundación de universidades. Así, en 1538 se fundó la Real Universidad de Santo Tomás de Aquino, en la República Dominicana; en 1551 la Universidad de San Marcos de Lima y la Real Universidad de México; y en 1552, la Real Universidad de La Plata, en Bolivia. Estas fechas, ya llamativas por tempranas, adquieren más significación si se tiene en cuenta que la Universidad de Ginebra se fundó en 1559 o que la más antigua universidad en la América anglosajona, la de Harvard, no se fundó hasta 1636. Como es natural, la fundación de universidades en lugares tan alejados como México o Perú requirió la instalación de imprentas, que llevaron a América los conocimientos y la literatura de la época, además de artes, vocabularios, doctrinas y catecismos, y que supusieron un respaldo esencial para la implantación de la lengua española.

La particular situación lingüística de las colonias españolas propició la convivencia en su estructura educativa de al menos tres lenguas, que tuvieron que distribuir sus funciones sociales y comunicativas. Por un lado, tanto en la enseñanza elemental como en la universitaria, se hacía uso de la lengua latina, merecedora por ello del máximo rango en la transmisión de la cultura. En las escuelas abiertas para criollos, indígenas y mestizos se enseñaban las lenguas de mayor prestigio, de modo que, junto al latín, se enseñaba también el español, hablado y escrito, y, además, la escritura romanizada de las lenguas indígenas más apreciadas, como el náhuatl. De esta forma, según explica la lingüista Claudia Parodi, los indígenas letrados y las personas cultas en América hablaron y escribieron, con mayor o menor pericia, el latín, el español y una o más lenguas indígenas, lenguas que también aprendieron muchos de los religiosos llegados de España. Tal convivencia de lenguas se organizó en una jerarquía según la cual en la parte más alta de la escala se situaban el latín y el español, el primero por encima del segundo, y en la parte baja, las lenguas indígenas, las mayoritarias por encima de las minoritarias.

«Mapa itinerante de los caminos donde anduvo Don Quijote», del cartógrafo
Tomás Gómez, incluido en la edición del Quijote de Joaquín Ibarra (1780)

Paralelamente al crecimiento de una población alfabetizada, los territorios americanos vieron surgir un grupo de personas letradas y cultas entre las que no tardarían en destacar, con un lenguaje propio, las primeras figuras literarias coloniales. No obstante, en un periodo que consideraríamos transitorio, el uso culto del español americano reflejó directamente la influencia de los autores más célebres de la España peninsular. Ya se ha comentado, a modo de ejemplo, el éxito inmediato que el *Quijote* cosechó en América. En México, en 1602 existía un teatro donde se representaban las obras de Lope de Vega y luego de Calderón de la Barca. Además, los primeros escritores en español, incluidos los cronistas de Indias (Bernal Díaz del Castillo, Pedro Cieza de León), habían nacido en España, como fue el caso del soldado Alonso de Ercilla, autor del poema épico *La Arau-cana* (1569-1589), o del jurista y teólogo Bartolomé de las Casas.

Por otro lado, los maestros, traductores e intérpretes —laicos y religiosos, de cualquier raza— fueron ocupando lugares relevantes en la vida cultural de las colonias. México y Lima, como capitales de los virreinatos de Nueva España y del Perú, se convirtieron en centros de la vida intelectual de sus respectivos territorios y tanto fue el afán de erudición de criollos y mestizos, que pronto demostraron un excelente dominio de las claves literarias europeas, en géneros tan diferentes como la historia, la lírica o el teatro. Y es aquí donde sobresalen dos nombres ilustres: el de la mexicana sor Juana Inés de la Cruz y el del Inca Garcilaso de la Vega, cuya muerte se produjo casualmente el mismo año y fecha en que murió Miguel de Cervantes (23 de abril de 1616).

El peruano Inca Garcilaso fue hijo de un capitán español y de la princesa Isabel Chimpu Ocllo, nieta del noble inca Túpac Yupanqui. Fue, por tanto, un mestizo ilustrado y de buena posición social: el primer mestizo de la América hispana, no biológico, sino cultural, sincretismo de dos mundos, simbiosis de dos culturas. Su trabajo más destacado es el que narra la historia de los incas y la conquista del Perú, en sus libros *Comentarios reales de los incas* (1609) e *Historia general del Perú* (1617). En él se registran americanismos —algunos caribeños, otros mexicanos y otros quechuas—, pero su autoridad es reconocida en el uso general de la lengua, como se comprueba en las citas que de él incluye el académico *Diccionario de Autoridades* (1726-1739).

Sor Juana Inés de la Cruz, por su parte, mostró dominio de diferentes géneros y estilos literarios, tanto de temas religiosos como profanos, y es considerada como la más importante creadora del barroco americano, con una pluma equiparable en calidad a la de los mejores escritores europeos. Sus obras se reunieron en tres volúmenes publicados a finales del siglo XVII: *Inundación castálida de la única poetisa, musa décima, Sor Juana Inés de la Cruz; Segundo volumen de las obras de Sor Juana Inés de la Cruz; y Fama y obras póstumas del Fénix de México*. En ellas se mencionan y manejan como recurso los rasgos lingüísticos de los indígenas, los mestizos y los negros, pero sus poemas destacan más bien por el uso de cultismos, así como por la calidad y precisión de su lenguaje.

Juana Inés fue una niña prodigio, nacida en San Miguel de Neplanta, México, en 1651, que escribió su primer poema con ocho años de edad, que aprendió náhuatl de niña y que brilló en la corte de los virreyes por su erudición, talento e inteligencia con tan solo catorce años. A los dieciocho ingresó en el convento de San Jerónimo y tan grande llegó a ser la fama de la joven monja que su celda se convirtió en lugar de encuentro de poetas e intelectuales de la corte, incluidos el mismísimo virrey y Carlos de Sigüenza y Góngora, pariente del famoso poeta cordobés. En esa misma celda realizaba experimentos científicos, practicaba con varios instrumentos musicales y disponía de una selecta biblioteca filosófica y literaria. La figura humana y literaria de sor Juana Inés de la Cruz es una *rara avis* en el panorama barroco americano. Si ser religioso, escritor, poeta por encargo, músico, defensor de los derechos de la mujer, así como saber latín y componer en esa lengua, ya es inusual en cualquier época, serlo y acumular esos conocimientos en el siglo XVII y siendo mujer fue algo sencillamente extraordinario.

Personajes, personas y personillas

Juan de Sarriá, hijo

A comienzos de 1605, Juan de Sarriá, librero de Alcalá de Henares, trasladó en burro a Sevilla un cargamento de 61 cajas de libros. Su destino era América, concretamente un librero de Lima llamado Miguel Méndez, con el que Sarriá mantenía relaciones comerciales desde hacía tiempo. En esas cajas se incluían unos setenta ejemplares de una novela de Miguel de Cervantes recién publicada: *El ingenioso hidalgo Don Quiijote de la Mancha*. El barco con los libros zarpó de Sevilla en marzo de 1605 e hizo escala en Canarias, por lo que no pudo cruzar el Atlántico hasta el mes de junio. El destino de la nave, bautizada como *Nuestra Señora del Rosario,* era Portobelo, en Panamá, con una escala previa en Cartagena de Indias.

Entre los muchos que dieron la bienvenida al barco en el continente americano, había un muchacho de algo más de veinte años, hijo del librero alcalaíno, que también tenía por nombre Juan de Sarriá. Después de cumplir con los muchos, tediosos y caros trámites de la aduana, el joven Sarriá se encargó de transportar los libros por tierra desde Portobelo hasta la ciudad de Panamá, en la costa pacífica, siguiendo un camino quebrado y angosto, por donde apenas podían moverse las mulas a cuyos lomos se transportaban los libros. No hubo manera de evitar que algunos bultos se mojaran, por lo que, al llegar a la ciudad de Panamá, Sarriá tuvo que deshacer los fardos, recuperar los ejemplares menos dañados y volver a empaquetar. Por fortuna, solo uno de los volúmenes perdidos era un *Quijote*. Nunca don Quijote y Sancho Panza habrían imaginado que atravesarían el istmo de Panamá a lomo de jumentos, en una aventura digna de la pluma de Cervantes.

El joven Sarriá, quién sabe si perdido en el laberinto de los muelles y los albergues portuarios de Panamá o de El Callao, ya en Perú, no pudo entregar los libros hasta junio de 1606, un año y medio después de que salieran de Alcalá de Henares. La entrega al librero Miguel Méndez quedó registrada en un largo documento firmado ante notario, en el que constaba la existencia de al menos 72 ejemplares del *Quijote*. Dice Irving Albert Leonard, narrador de este extraordinario relato, que, según Ricardo Palma, el primer ejemplar del *Quijote* lo había llevado a Lima el conde de Monterrey, virrey del Perú, y que pudiera haber sido este ejemplar y no los de Sarriá el primero que llegó a América. Pero concluye Leonard que «en tanto no se exhiba una prueba incuestionable, las seis docenas de ejemplares del embarque a que nos hemos referido son los primeros que, de acuerdo con constancias auténticas, se desembarcaron en el virreinato». Las influencias de la genial obra de Cervantes, desde *El Periquillo Sarniento* (1816) a la literatura de Jorge Luis Borges, forman ya parte de la historia de la literatura y de la lengua española.

Juana Chuquitanta

Al sur del Perú, en la altura de los Andes, cerca de la ciudad de Ayacucho, vivió Cusi Ocllo, conocida como Juana Chuquitanta. Juana había vivido la llegada de los españoles a las tierras de los incas, pero nunca los trató de modo directo. Ella era «Chuquitanta», nieta del rey Pachacútec e hija de Túpac Yupanqui, décimo soberano de los incas. Su lengua era el quechua y su cultura se había transmitido de padres a hijos durante generaciones. Tanto las amaba y tan bien las conocía que llegó a ser admirada por el modo de contar sus historias y relatos. Juana consideraba un deber transmitir todo lo que sabía a sus hijos, especialmente a Huaman Poma y al pequeño Quichuasamín. Un deber y un placer. Todas las tardes, a la luz del fuego, les narraba las luchas de los incas viejos, de las dinastías Hurin Cuzco y Hanan Cuzco, del primer soberano tahuantinsuyo y, por supuesto, del gran Túpac Yupanqui.

Pero no todo eran historias de guerras y conquistas. También les hablaba de Viracocha, el maestro del mundo, el dios más antiguo del viejo Perú, el que surgió de las aguas para crear el cielo y la tierra, acompañado del pájaro Inti, que conocía todo el presente y adivinaba el futuro. Y les contaba cómo la Yacana, que solía caminar con su largo cuello por la Vía Láctea, bajó del cielo para beber agua y gobernar a las rumiantes llamas. Dicen que la Yacana cayó sobre un hombre, que quedó cubierto con su lana; una lana que era de todos los colores, como el arco iris. El hombre vendió la lana y, con la ganancia, compró una llama macho y otra hembra de las que formó un rebaño de tres mil cabezas. Contaba Juana que la Yacana bajaba a beber agua del mar porque, si no lo hiciera, todo el mundo quedaría inundado.

Huaman Poma y Quichuasamín disfrutaban con las narraciones de su madre. Cuando crecieron, sin embargo, un hermano mayor y mestizo los llevó a la gran ciudad y les hizo aprender latín y gramática. Los dos llegaron a dominar la escritura en español. Con el tiempo, Huaman Poma hizo fortuna gracias a sus habilidades lingüísticas: llegó a ser «lengua» o traductor de oidores y corregidores, hasta convertirse en todo un funcionario civil. Quichuasamín, en cambio, no lograba ser feliz. Disfrutaba con el conocimiento de nuevas cosas y con la escritura, pero sencillamente no era feliz. Por eso un buen día decidió volver a las tierras de Ayacucho, junto a Juana, su madre, pero con un propósito muy claro: poner en español las historias de incas que su madre le contara. Todos en el Perú debían conocer esos relatos, los incas y los españoles. Y así lo hizo. Curiosamente, su hermano Huaman Poma sintió una tentación similar y decidió escribir una larga carta al rey de España para narrarle la historia del Perú y de las cosas que los españoles hacían por allá.

Los escritos de ambos hermanos tenían mucho en común: historias narradas por Juana, infinidad de palabras procedentes del quechua, saltos de una lengua a otra que reflejaban la viveza de una sociedad de contactos. Pero el destino de los escritos de uno y otro fue muy diferente.

Los de Quichuasamín desaparecieron entre los escombros de un terrible terremoto que destruyó su ciudad; la obra principal de Huaman Poma, titulada *Nueva crónica y buen gobierno* (1615-1616), se conserva hasta hoy, casi milagrosamente, y es una joya de cultura hispánica.

En dos palabras

estilo

La literatura del Siglo de Oro español mostró una gran preocupación por el estilo. El hecho no resulta extraño en una época en que las posibilidades de la escritura se iban multiplicando, al tiempo que se confrontaban los modos de escribir clásicos con los tradicionales en cada lengua. La palabra *estilo* procede del latín STILUS, donde ya tenía varios significados. El primario era el de 'estaca' o 'tallo', puesto que la palabra era de la familia del verbo STIGO que significaba 'pinchar'. De ahí derivó el significado de 'punzón para escribir'. Este punzón era el instrumento utilizado normalmente para escribir sobre tablillas enceradas y disponía por el otro extremo de una pequeña espátula. La escritura consistía en hacer incisiones con el punzón sobre la cera y en rasar la cera con la espátula cuando había que enmendar errores, de donde viene la idea de hacer *tabula rasa*, tan utilizada metafóricamente en la filosofía.

La palabra STILUS tuvo, sin embargo, un significado más, relacionado con el anterior, que era el de 'manera de escribir' y también 'arte de escribir'. Desde antiguo, estos significados se vincularon a la palabra griega equivalente e incluso llegó a escribirse con una y griega (*stylus*), error de origen que explica las formas *style* del inglés y del francés. Aunque el castellano conoció la voz *estelo* en la Edad Media para referirse a una estaca, la palabra *estilo* no entró en castellano hasta el siglo XV, si bien no tuvo una amplia difusión hasta el siglo XVI. Fue utilizada por Garcilaso de la Vega y, muy especialmente, por algunos tratadistas, como Juan de Valdés, quien la usó con profusión en su *Diálogo de la lengua* (1535): «podemos leer para hacer buen estilo»; «estilo castellano»; «unas veces alza el estilo al cielo y otras lo abaja al suelo»; «el estilo va bien acomodado a las personas que hablan». Desde el siglo XVI se habla en español de *estilo* a propósito de las culturas (estilo latino, estilo italiano, estilo castellano), a propósito de los autores (estilo de tal o cual escritor) o del lenguaje (estilo natural, elevado, afectado). No obstante, el significado fue ampliándose poco a poco y acabó aplicándose a las personas, el arte, la moda, la forma de vivir y otros muchos ámbitos que implican usos, costumbres o maneras de manifestarse.

Pero hay más. En Argentina, *estilo* es una composición musical de origen popular y aire melancólico para guitarra y canto; en El Salvador, el *estilo* es un gesto o una actitud, generalmente de desprecio; y *coger estilo* es 'enmendarse' para los jóvenes puertorriqueños. Y aparte están los derivados y compuestos, como el coloquial *estiloso*, muy aplicable a todo lo que nos parece original; o como *estilográfica*, el instrumento de escritura que en América suele llamarse *pluma fuente* o *lapicera*, aunque, en caso de duda, la mayoría de los países hispanohablantes coincidimos en una misma voz: *pluma*, a secas. Y, entre las plumas, las hay incluso estilosas.

entremés

El significado más difundido de *entremés* es el de cada uno de los alimentos que se degustan mientras se sirven los platos principales en una comida; esto es, entre plato y plato. El origen de la palabra suele remitirse a un antiguo compuesto del francés (*entre—mès*) referido a lo que se ponía entre dos cosas, particularmente entre dos platos o manjares. Modernamente, los entremeses —su uso en plural es también habitual— suelen tomarse antes de la comida, al menos en España, por lo que el valor del formante *entre* parece haberse difuminado. Junto a este significado, se utilizó en la Edad Media el de 'obra o diversión de un acto público', pero hasta el siglo XVI no comenzó a usarse como pieza dramática jocosa y breve intercalada en la representación de otra obra más larga y seria, sustituyendo al más clásico *paso*. Explica Roque Barcia en su *Primer diccionario general etimológico de la lengua española* (1880) que no debe extrañarse que el entremés se representara entre manjar y manjar puesto que las antiguas crónicas hablan de banquetes que duraban seis o siete horas, lo que los hacía necesarios contra el achaque de aburrimiento.

A pesar de que la voz *entremés* parece muy transparente en cuanto a su procedencia, los historiadores de la lengua no coinciden totalmente en sus opiniones. Concretamente, Corominas y Pascual proponen, frente al francés, un origen catalán (cat. *entremès*), donde se utilizaría con los dos significados, el gastronómico y el literario. Como argumento esgrimen que ya se usaba en catalán en el siglo XIV, de donde pudo pasar al castellano, al tiempo que recuerdan el desarrollo más temprano del teatro en la literatura catalana que en la castellana. De todos modos, el catalán lo tomó a su vez del francés, de manera que la discrepancia no resulta tan radical.

Finalmente, resulta interesante comparar la evolución del significado gastronómico con la del literario. Si en el primero se produjo un desplazamiento que ha llevado a hablar de entremeses aunque no se sirvan entre nada, en el segundo también se dio una evolución que llevó a denominar *entremés* a obras totalmente independientes, no intercaladas en otras de mayor entidad. Gil Vicente, a finales del xv, todavía compuso entremeses como obras secundarias, pero en el siglo xvi las cosas comenzaron a cambiar. Sebastián de Horozco pasa por ser el autor del primer entremés exento y después llegó la época de esplendor, con Lope de Rueda, Lope de Vega, Miguel de Cervantes y Calderón de la Barca. Aunque algunos entremeses, sobre todo de Cervantes, habían pasado a formar parte de la cultura popular —*El retablo de las maravillas, El viejo celoso, La cueva de Salamanca*— en el siglo xviii el entremés desapareció de la escena, literalmente.

10
El español en Europa y Europa en el español

La presencia de España al oeste del Atlántico, aparte de suponer un imprevisto choque socioeconómico, tuvo importantes consecuencias políticas y culturales en el seno de la sociedad peninsular. Para España, la llegada a América supuso no solo el descubrimiento de unos pueblos y territorios desconocidos para ella, sino también un descubrimiento de sí misma, de sus cualidades y señas de identidad, evidenciadas en el contraste con el otro, como propondría Tzvetan Todorov. Hasta 1492, las preocupaciones de Castilla y Aragón, pronto unificadas en España, habían mirado hacia el Mediterráneo, hacia el norte de África y muy particularmente hacia Europa. América, sin embargo, provocó el desvío de la atención hacia un nuevo horizonte, aunque este no se vislumbró de un modo inmediato y absoluto. Al menos durante el siglo XVI, los asuntos europeos y mediterráneos siguieron siendo prioritarios para la corona española: los primeros, por interés político; los segundos, por la amenaza de la armada del gran imperio turco en un *Mare Nostrum* compartido y disputado.

La política europea fue crucial tanto para Carlos I de España —y, no se olvide, emperador de Alemania— como para Felipe II. Ambos lo demostraron en diferentes ocasiones y ambos fueron conscientes de la importancia que tenía la lengua en relación con los asuntos de Estado. En el siglo XVI, España no era ni mucho menos la mayor potencia demográfica del viejo continente: si la población española estaba entre seis y siete millones de habitantes, Francia y Alemania duplicaban con creces esa demografía; no así Inglaterra o los Países Bajos, con la mitad de la población que España; ni Portugal, que no llegaba al millón y medio de habitantes. Pero una cosa era la demografía y otra la política o el poderío militar, que sí situaban a España a la cabeza. El peso de la política española ayudó a que el idioma español acrecentara su presencia en Europa, al tiempo que vehiculó la incorporación de elementos lingüísticos europeos al español.

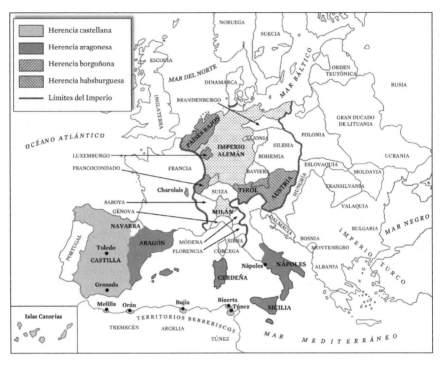

La herencia de Carlos V.
(Fuente: CNICE, Ministerio de Educación, España)

En lo que atañe a la posición de la lengua española en Europa, constituye un hito —casi un mito— la intervención del mismo emperador Carlos ante la Corte Pontificia de Roma, el 17 de abril de 1536. En un momento dado del encuentro entre el embajador de Francia, obispo de Mâcon, el
papa y el rey de España, el francés interrumpe el discurso del español porque dice no comprender la lengua del emperador, a lo que Carlos repuso:
«Señor obispo, entiéndame si quiere, y no espere de mí otras palabras que
de mi lengua española, la cual es tan noble que merece ser sabida y enten-
dida de toda la gente cristiana». Menéndez Pidal interpretó este lance
verbal como la proclamación de la lengua española como lengua común
de la cristiandad y como lengua oficial de la diplomacia. Sin embargo, esta
anécdota, mil veces repetida, difumina otros muchos aspectos de la presencia del español en Europa, que había ido estableciéndose desde bastante antes de tan solemnes proclamaciones.

El prestigio de España en la Europa de los siglos XVI y XVII comenzaba en lo político y concluía en la moda (las golillas, las capas, las calzas,

el color negro), pero afectaba ineludiblemente a la lengua. La influencia de España se hizo patente en Inglaterra, en Francia, en Italia, en los Países Bajos, en Portugal. En cada lugar adquirió matices diferentes, pero en todos se observaban rasgos comunes, que solían concluir en un mayor aprecio por la lengua española. Es obvio que el simple interés foráneo por una lengua no influye de un modo directo sobre su historia ni su evolución interna, pero también es evidente que el prestigio reconocido por los ajenos afianza los usos propios y facilita los intercambios lingüísticos entre unos y otros.

Las relaciones de España con Inglaterra, como es bien conocido, no fueron de amistad ni parabienes durante la época que nos ocupa, más allá del breve matrimonio de Felipe II con María I de Inglaterra. De hecho, entre 1585 y 1604 se libró una guerra anglo-española, con un significativo componente religioso, que tuvo como momentos críticos la derrota de la Armada Invencible española en 1588 y el tratado de paz firmado en 1604, por el que una debilitada Inglaterra venía a reconocer a España como la principal potencia de Europa. De hecho, el rey Jaime I afirmaba ante el embajador de España en 1617: «Por supuesto que yo sé que, en cuanto a grandeza, el rey de España es más grande que todos los reyes de la Cristiandad juntos». Y la lengua española formaba parte del imaginario cultural inglés, tanto como lo pudo ser la francesa en aquella época. El profesor estadounidense Robert Spaulding rescata a este respecto las alusiones del dramaturgo Ben Jonson en su obra *El alquimista* (1610), cuando se afirma del español que es admirable y galante o cuando se dice que el *gênet* español es el mejor caballo, la barba española la de mejor corte, la gola española la mejor prenda o la pavana española la mejor danza. La resonancia de la cultura española en Inglaterra se ejemplifica también en el hecho de que la primera traducción del *Quijote* se hizo al inglés, en 1612, por parte de Thomas Shelton, a la que siguió la de César Oudin al francés (1614), ambas anteriores a la publicación de la segunda parte de la novela.

Las relaciones con Francia, siempre estrechas y fluidas, tuvieron sus épocas de tirantez y sus tiempos de confianza. Durante el siglo XVI, hubo momentos de tensión, como se deduce de las explicaciones del famoso hispanista César Oudin. Según Oudin, sus propios trabajos sobre el español los escribió, no por amor a España, sino para que sus compatriotas conocieran de primera mano las atrocidades cometidas durante la conquista de América y para que los capitanes franceses pudieran descubrir las tácticas de los españoles. En el siglo XVII, sin embargo, las cosas cambiaron, especialmente gracias a los matrimonios de Estado entre los Austrias y diversas casas francesas. Felipe II se casó con Isabel de Valois; Luis XIII de Francia se desposó con Ana de Austria, hija de Felipe III; y Felipe IV se casó con Isabel de Borbón. El deseo de aislar a Inglaterra fortaleció las relaciones hispanogalas, hasta el punto de que numerosos franceses cruzaron los Pirineos en el siglo XVII para desempeñar todo tipo de trabajos en España: comerciantes, agricultores, pastores y otras gentes de oficios modestos y no tan modestos. Todo ello contribuyó a que la lengua española estuviera de moda en Francia, lo que llevó a Miguel de Cervantes a incluir en su obra póstuma, *Los trabajos de Persiles y Sigismunda* (1617), la siguiente afirmación, algo exagerada: «En Francia ni varón ni mujer deja de aprender la lengua castellana». Y es significativo que esta obra se publicara simultáneamente en varias ciudades de España, en Lisboa y en París.

En cuanto a los lazos entre España e Italia, estos venían de lejos. Muestra de ello es la apertura en 1364 del Real Colegio Mayor de San Clemente de los Españoles, creado en la Universidad de Bolonia por iniciativa del cardenal Gil de Albornoz y que en la actualidad sigue recibiendo estudiantes de España. Sin embargo, las relaciones se estrecharon especialmente desde la segunda mitad del siglo XV, cuando la familia Borgia, de origen valenciano, vio convertido a Alejandro Borgia en el papa Calixto III y después a Rodrigo Borgia en el papa Alejandro VI, en 1492. Además, no puede olvidarse que muchos judíos españoles acabaron en Italia, donde fueron protegidos después de la expulsión. No en vano, la primera Biblia completa impresa en español fue la *Biblia de Ferrara* (1553). Así pues, puede decirse que desde esta época la hispanización de Italia fue intensa, casi tanto como la italianización de la cultura española.

Al margen de la corte papal, la región italiana más cercana a España fue, sin duda, Nápoles, provincia española entre los siglos XVI y XVIII, gobernada por virreyes que actuaban en nombre de los monarcas españoles. Lógicamente, estos hechos históricos familiarizaron a los habitantes de la península itálica, sobre todo a los del sur, con la lengua española, como se desprende de la frase de Juan de Valdés, paralela, aunque anterior, a la ya citada de Cervantes a propósito de Francia: «En Italia así entre damas como entre caballeros se tiene por gentileza y galanía saber hablar el castellano». Igualmente intensa fue la presencia en Italia de intelectuales españoles que buscaban beber en las fuentes del humanismo y del Renacimiento, aunque en el esfuerzo también acabaran dejando su impronta hispánica.

Vemos, pues, que cuando se habla de las relaciones culturales entre España y Europa, debe dedicarse un capítulo muy especial a los contactos e intercambios con Francia y con Italia, ambas muy importantes para la historia del español. Esa importancia se aprecia, por ejemplo, en que el francés y el italiano fueron a menudo las primeras lenguas a las que se tradujeron importantes obras de la literatura española. Y el logro no queda aquí porque estas dos lenguas sirvieron de puente para que los libros españoles acabaran traduciéndose a otras lenguas europeas que no contaban con traductores desde el español. Gracias a la traducción de *La Celestina* al italiano, la influencia de esta joya del Renacimiento español pudo extenderse a Inglaterra o a Alemania. Cuenta el investigador Carlos Clavería que los libros de Antonio de Guevara, conocido escritor renacentista, pasaron al alemán desde el italiano, al húngaro desde el latín, al holandés desde el alemán y el francés, y al sueco desde el alemán, en una intrincada cadena de traducciones eslabonadas.

La influencia de la lengua española sobre Inglaterra, Francia o Italia puede rastrearse en dos hechos muy reveladores: por un lado, la publicación de obras dedicadas a la enseñanza y el aprendizaje del español; por otro, la aceptación de hispanismos en las respectivas lenguas de estos países. En Italia existió una producción importante de obras dedicadas al estudio de la lengua española: unas establecían comparaciones entre idiomas, otras eran diccionarios y otras, gramáticas. En Francia, la gran figura de este primer hispanismo fue César Oudin; suyos fueron los principales diccionarios y gramáticas, que no solo se reeditaron sucesivas veces, sino que sirvieron como referencia y modelo en trabajos similares hechos en Francia con posterioridad o para otras lenguas, como el alemán o el italiano. Finalmente, la bibliografía inglesa no desmereció en cantidad a la publicada en el continente, destacando los nombres de Richard Percivale o John Minsheu. Este último editó en bilingüe unos diálogos que eran muy apreciados por los estudiantes de español y cuyo título explicaba con claridad: «aprovechables para el aprendiz de español y no desagradables para cualquier otro lector». La fórmula de los diálogos —entre una dama y un galán, para levantarse por la mañana, para cobrar deudas, para hablar a la mesa, para ir a la iglesia...— fue también muy exitosa entre los estudiantes italianos y franceses.

En lo que se refiere a la introducción de hispanismos en otras lenguas europeas no suele conocerse que son de origen español, fácilmente reconocible, la voces *azienda, camarilla, complimento, disinvoltura, flotta, guerriglia* o *lindo*, por mencionar algunas voces de uso general en toda Italia, aparte de los hispanismos regionales de Nápoles o de Calabria. En francés se usa por influencia española *alguazil, camarade, fanfaron, adjudan, guitare, mantille, caramel, disparate*; y el inglés incorporó *booby* (< bobo), *cargo, desperado, flotilla, mosquito, negro, parade* (< parada) o *cockroach* (< cucaracha). Asimismo, no es menos importante recordar que muchas de las voces prestadas por el español a estas lenguas procedían de las lenguas indígenas de América: en italiano, *caccao, cioccolata, patata, tabacco, vainiglia*; en francés, *cacao, chocolat, cigare, tabac, tomate, vainille*; en inglés, *cocoa, chocolate, potato, tobacco, tomato, vanilla*. La influencia hispana llegó a hacerse patente hasta en la fraseología, como revela el uso en inglés de algunas sentencias, como «there are no birds in last year nests» 'en los nidos de antaño, no hay pájaros hogaño', el último de los refranes citados en el *Quijote*.

Como era de esperar, el contacto del español con las lenguas europeas no dejó secuelas solamente en una dirección. Las lenguas vivas en contacto se influyen, se prestan formas y se adaptan para hacer más fácil la comunicación. La huella del inglés sobre el español durante los siglos XVI y XVII no fue especialmente profunda. Bien es verdad que algunas voces como *introvertido* o *extravertido* se tomaron directamente del inglés, sin embargo la mayoría de las voces procedentes de esta lengua se transmitieron al español a través del francés. Tal fue el caso de *franela, carpeta* ('tapete'), *galerna, francmasón* o *antílope*. No ocurrió lo mismo con la lengua francesa. Durante el Siglo de Oro español, la influencia del francés se aprecia en el léxico de campos muy diversos: por ejemplo, el de la vida militar, al que se incorporaron voces como *arcabuz, trinchera, tropa* o *bagaje*; también el de la vida marinera: *babor, estribor, carlinga, obenque*; y, por supuesto, el de la vida cotidiana, tanto en lo que se refiere a la casa (*billete, bufete, taburete, servilleta, dintel, crema, paquete*), como a la vestimenta (*chapeo* 'sombrero', *pantufla*) o a la alimentación (*fresa, clarete*). Los préstamos del italiano reflejaban la extensión e intensidad de las relaciones entre los dos países, como se ha explicado. El léxico español incorporó italianismos procedentes del mundo de la cultura, del ejército, del comercio, de la vida cotidiana y de otros campos. Como muestra de los préstamos en la esfera del arte, pueden mencionarse los vocablos *balcón, diseño, estuco, fachada, festón, pedestal* o *pilastra*. A propósito del léxico militar, pueden citarse *caporal, carromato, casamata, centinela, escolta, explanada, parapeto* o *terraplén*.

Dentro aún del ámbito románico, las relaciones entre las lenguas portuguesa y española, más que de vecindad, fueron de hermandad, por la escasa distancia lingüística existente entre ellas y por la frecuencia de los casos de bilingüismo, tanto en las áreas de frontera geográfica como en los espacios culturales más elevados, cuyos protagonistas se movían con toda familiaridad entre las lenguas y las imprentas lusas y las españolas. Los casos de los portugueses Gil Vicente y Jorge de Montemayor, que escribían en español, son paradigmáticos, a los que podría unirse el de Luis de Camões, entre otros. Sin duda, España y Portugal integraban una misma esfera cultural, lo que facilitaba la entrada de lusismos en español y de hispanismos en portugués. Además, en la época, los portugueses consideraban su tierra como parte de «España» (de la *Hispania* peninsular) que compartían con castellanos, aragoneses y otros pueblos.

Por último, merece comentarse el caso específico de la relación de España con los territorios de Flandes, entendidos como los Países Bajos españoles, que entonces contaban con 17 provincias, incluida Luxemburgo. La cercanía entre estas tierras y España se aprecia en numerosas manifestaciones culturales, como la publicación en Amberes, en 1646, de la anónima novela picaresca *Vida y hechos de Estebanillo González*, cuya acción se desarrolla parcialmente en Flandes. Los vínculos con Flandes saltaron a un primer plano político cuando la hija de los Reyes Católicos, Juana, fue casada con Felipe el Hermoso, señor de Flandes y Borgoña, además de heredero del emperador Maximiliano. Esta herencia recayó en Carlos I, que siempre mostró gusto por las costumbres y usos borgoñones, aun viviendo en España desde joven. Al mismo tiempo, también existió en Flandes un gran interés por España, como lo demuestra la publicación de dos gramáticas de la lengua española durante el siglo XVI.

En 1566, la presencia en los Países Bajos de tropas comandadas por el duque de Alba transformó la fisonomía militar de Flandes, con esperables consecuencias lingüísticas. Y es que el ejército del duque no estaba formado solo por españoles, sino que tenía una composición multinacional, que incluía soldados de cinco naciones —Alemania, Borgoña, Inglaterra, Irlanda, Italia— además de valones y holandeses. Cada una de estas unidades nacionales era comandada por oficiales que coordinaban sus acciones utilizando como lengua franca el español, que también era la lengua en que las autoridades locales despachaban con las españolas. El humanista Benito Arias Montano, en una carta al duque de Alba, afirmaba en 1570:

> Y puesto que muchos en Flandes saben lengua española por conocer la necesidad que tienen de ella así para sus cosas públicas como para la contratación, con todo esto la estimaran más viendo que el Rey y sus Príncipes y Ministros la estiman.

La peculiar situación de multilingüismo en Flandes, desplegada, además, sobre un territorio donde se usaban como lenguas populares el francés y el neerlandés, junto a otras variedades, llevó a la adopción por parte del español de préstamos de estas dos lenguas. Desde el neerlandés llegaron algunos vocablos, como se refleja en este fragmento de una comedia escrita por los hermanos Figueroa:

> No hubo más lugar en Flandes,
> que en aprender el lenguaje
> del país, y el que la guerra
> en sus términos encierra;
> llamando al hurtar *pillaje*;
> a la prensa, *contradique*;
> a la manteca, *buturo*;
> a la almena, *casamuro*;
> a los lugares, *Mastrique*,
> *Bulburque, Brujas, Dunquerque,*
> *Lovaina, Ostende, Malinas*;
> a las montañas, *colina*;
> a las tapias, *onaberque.*
>
> Diego y José de Figueroa y Córdoba,
> *Mentir y mudarse a un tiempo*, 1650

Con todo, la mayor parte de las voces militares adoptadas en esas tierras proceden del francés y muchas de ellas sobreviven hasta nuestros días: *calibre, carabina, circunvalación, convoy, patrulla, petardo, recluta* o *víveres*.

Finalmente, en Ámsterdam fue tal el peso de la comunidad judía sefardí que las sinagogas, creadas por portugueses, adoptaron el español como lengua religiosa. Los sefardíes celebraron academias literarias, organizaron representaciones teatrales, realizaron traducciones y produjeron una literatura en lengua española; a la vez, entre los siglos XVI y XVIII, desplegaron una maravillosa labor de impresión de textos en lengua española, a la que convirtieron en su «segunda lengua sagrada». A la vista de todo ello no es fácil imaginar relaciones más estrechas y sutiles que las establecidas por las lenguas en el seno de Europa.

Personajes, personas y personillas

Ambrosio de Salazar

En 1572, nació en Murcia (España) Ambrosio de Salazar, uno de los maestros de español más representativos de los siglos XVI y XVII y personaje señero de España en Europa. Durante su juventud, Salazar no pudo escapar a la tentación de alistarse en el ejército y participar en las guerras, mitad religiosas y mitad políticas, que España libraba por Europa. Y fue así como el destino dirigió sus pasos hacia Francia, donde su inquietud intelectual le hizo no solo aprender la lengua, sino conocer los entresijos de la cultura gala. Perdida la fortuna y el entusiasmo, Salazar decidió quedarse en Francia y vivir allí como maestro de español. Así fue como se estableció en Ruan, capital de la Alta Normandía.

Pero, Salazar era más que un maestro; era un intelectual, escritor y gramático. En su haber cuentan distintas composiciones y recopilaciones, entre las que sin duda destaca su libro *Espejo general de la gramática en diálogos*, publicado en Ruan en 1614. Se trata de una obra bilingüe, destinada al aprendizaje de la lengua, que reunía historias y cuentos distribuidos en siete partes, propuestos para cada día de la semana. La continuación de su título general era muy ilustrativa: *para saber perfectamente la lengua castellana, con algunas historias muy graciosas y de notar*. Esta obra y su fama de maestro lo condujeron a ser intérprete de los reyes franceses Enrique IV y Luis XIII, así como secretario de la reina Ana de Austria. Esto supuso para Salazar una proyección social que no había podido imaginar cuando, empobrecido por la guerra, tuvo que retirarse a enseñar español en una escuela.

A partir de 1615, su vida cortesana le deparó trabajo y fortuna. Al tiempo, la mejora de las relaciones con España hicieron crecer la demanda de español y, por tanto, de los apreciados servicios de Salazar, que afirmaba: «Se hallarán en París la tercia parte de cortesanos que saben hablar castellano y la mayor parte sin haber estado en España». El éxito de este ilustre murciano lo llevó a enfrentarse a los gramáticos locales, incluido el célebre César Oudin, que se sentían minusvalorados. La clave de su éxito en la enseñanza estuvo en la práctica del diálogo y de otras habilidades comunicativas. A ello dedicó treinta años de su vida, durante los cuales publicó libros de gramática, relatos o traducciones en ciudades como Ruan, París y Bruselas. Ambrosio de Salazar es un intelectual del Siglo de Oro que representa muy bien a los muchos lectores y profesores de español que un día salieron de su patria buscándose la vida y acabaron ganándosela mediante la enseñanza de su lengua.

María do Ceo

A caballo entre los siglos XVII y XVIII, María do Ceo fue una de las pocas mujeres que consiguieron inscribir su nombre en el elenco de escritores más relevantes de la lengua española. Ella y su hermana Isabel fueron educadas desde el humanismo y ambas fueron poetas y dramaturgas. Resulta llamativo que María, siendo portuguesa, deslumbrara con sus poemas en español. Pero más singular aún fue que lo consiguiera haciendo vida de monja en un mismo convento durante toda su vida: el convento franciscano de Nuestra Señora de la Esperanza de Lisboa.

Efectivamente, María do Ceo profesó a la edad de 18 años en el monasterio donde consumiría toda su vida religiosa, comunitaria y creativa; y fue una vida bien prolongada porque sor María murió allí mismo casi centenaria. En el convento fue novicia, monja, maestra, vicaria, contadora y abadesa, pero, sobre todo, allí se convirtió en una mujer de letras capaz de cultivar el verso y la prosa, tanto en portugués como en español. Ambas las alternó como recurso literario, y en ambas adquirió una celebridad que trascendió los muros del convento en Portugal y las fronteras de su país hasta llegar a España y al resto de Europa. Tanto asombro causó que una parte de su obra la firmó con el seudónimo de Maria Clemência, para que la fama no llegara a perturbar su vida conventual.

La obras en español firmadas por María do Ceo de las que se tienen noticias incluyen una novela pastoril, tres comedias y ocho autos alegóricos. Además, en 1748 se publicó en Madrid una miscelánea titulada *Obras varias y admirables de la Madre María do Ceo*. Resulta curioso, sin embargo, que esta obra contara con un «traductor», cuando se afirmaba que había sido escrita en castellano y que tan solo se habían enmendado algunos lusismos y malos usos «que si en la corte de Lisboa no pueden afear, en la de acá desdicen la moda». Esto simplemente revela la autenticidad del conocimiento del español por parte de María do Ceo, así como la importancia que en Portugal se concedía a la literatura y, muy especialmente, al teatro en español. En definitiva, el hecho de que una mujer recibiera consideración de escritora destacada en la literatura española del siglo XVII ya es excepcional de por sí, pero lo es más cuando se valora que María do

Ceo nunca salió de su Portugal natal, por muy familiar que resultara allá la lengua española.

En dos palabras

bizarro

La palabra *bizarro* es un interesante ejemplo de cómo se establece el juego de préstamos léxicos entre lenguas europeas, de modo que, llegado un momento, resulta difícil dilucidar la exacta procedencia de una palabra. El origen primero de *bizarro* no parece estar claro. Se piensa en un étimo vasco (*bizarr* 'barba'), pero Corominas y Pascual prefieren pensar en una posible creación expresiva. El caso es que la documentación más temprana de esta voz corresponde al italiano *bizarro*, donde se utilizó desde el siglo XIII con el significado de 'iracundo'. El mismo Dante Alighieri habla de *spiritu bizarro* para referirse a la rabia impotente del furioso. Desde este significado, se pasó a los de 'fogoso, brioso' y 'vivaz, agudo'; de estos, al de 'pulido, pulcro' y de ahí, al de 'extraño, fantástico, caprichoso, desusado'. La cadena de desplazamientos es algo larga, pero nada extraña en la historia de una lengua centenaria.

Para la historia del español, es interesante saber cuándo y desde dónde se incorporó esta forma. La primera documentación existente resulta significativa: es de 1528 y procede de *Retrato de la lozana andaluza*, de Francisco Delicado, una obra cuyos vínculos con Italia son bien conocidos. Se trata, pues, de un italianismo adoptado por el español con el significado de 'fogoso, bravo, valiente, galante' y también con el de 'pulcro, pulido, lucido'. El poeta Baltasar del Alcázar escribía en 1550: «Dadme un bizarro espíritu encendido»; Lope de Vega anotaba en 1598: «Aquel de valiente aspecto, bizarra vista y apacible rostro»; y sin embargo, Luis Belmonte decía en 1600: «La túnica bizarra 'pulcra' y transparente». El italianismo llegó al francés en 1533 —*bizarre*— con el significado de 'extraño, fantástico' y solo más adelante significó "valiente", tal vez por influencia del español *bizarro*, como se desprende de los diccionarios bilingües de la época.

En cuanto al significado 'extraño, fantástico, caprichoso' tan temprano en la lengua francesa, no parece haber existido antiguamente en español. Desde luego, el vocabulario italiano-español de Franciosini (1620) no lo recoge, como tampoco lo hace el *Diccionario de Autoridades* en el siglo XVIII. Es más que probable que la palabra española *bizarro* se pusiera en boca de personajes afrancesados como galicismo en la época de los primeros Borbones, pero el hecho es que con el valor de 'extravagante' solo comenzó a registrarse con fuerza desde el siglo XX, pero en este caso fue por influjo del inglés. El inglés, a su vez, lo tomó del francés a mediados del siglo XVII y por ello la palabra inglesa *bizarre* se pronuncia de forma afrancesada. En español, *bizarro* está registrado en el *Diccionario de americanismos* de las Academias como 'cosa extraña, rara, insólita' en Puerto Rico, Chile y Argentina. Así es como la cadena se prolonga en eslabones de formas y significados, de boca en boca y de lengua en lengua.

escaparate

De 1605 es una de las documentaciones más antiguas de la palabra *escaparate* en español: procede de la novela *La pícara Justina*, de Francisco López de Úbeda. El significado con que primero aparece es el de 'armario con puertas de cristal para guardar cosas delicadas'. Así lo utiliza también Cervantes, si bien para 1725 ya se habían desarrollado usos metafóricos, como el que encontramos en el escritor Diego de Torres Villarroel cuando dice: «A mí, pues, se me ha plantado en el escaparate de los sesos vender mis sueños». Su amplio uso justifica que el *Diccionario de Autoridades* incluyera esta palabra en 1732, de la que dice sin dudar: «El origen de esta voz es teutónico».

La etimología propuesta por Corominas y Pascual para *escaparate* es el neerlandés antiguo *schaprade* que significaba 'armario, especialmente el de la cocina' y que se componía de *schapp* 'estante, armario' y *reeden* 'preparar'. La palabra pudo pasar al español por los contactos con los territorios de Flandes durante los siglos XVI y XVII, para referirse, bien a los armarios con las características referidas, bien a los que se instalaban en los buques. Sea como fuere, el vocablo español fue trasladado a América, aunque algo tardíamente, donde se sigue usando para referirse al armario donde se guardan la ropa y otros objetos personales, en Cuba, la República Dominicana, Colombia y Venezuela, aunque en Cuba se decía también de la persona muy alta y robusta.

A partir del significado de armario con puertas de cristal, la palabra *escaparate* comenzó a aplicarse, tiempo después, al espacio exterior de las tiendas, cerrado con cristales, donde se exponen las mercancías a la vista del público. Este es el uso mayoritario hoy en España y lo es tan de España que sueña extraño a oídos de los hispanohablantes americanos, que prefieren *aparador* (México), *mostrador* (Caribe), *vidriera* (Cuba, Puerto Rico, Centroamérica, Colombia, Venezuela) o *vitrina*, la variante más extendida. Las acepciones de 'apariencia ostentosa' o 'lugar donde se hacen patentes unos rasgos' también son usadas mayoritariamente en España. Voces como esta ejemplifican no solamente el estrecho vínculo que ha existido entre España y otros países europeos, sino la forma en que cada territorio hispanohablante ha seguido, en muchos casos, los derroteros marcados por su propia historia.

11

La lengua ilustrada

La política, la literatura y, en general, el mundo de la cultura habían elevado el reconocimiento de la lengua española a cotas nunca conocidas. El siglo XVII fue el punto culminante en el ascenso del español en la escala del prestigio internacional. Este prestigio contribuyó asimismo a su mayor aprecio dentro de la península, una vez convertida en la lengua de España por antonomasia. Indudablemente, la diversidad y amplitud de los dominios geográficos del español fueron un factor de crédito para la lengua, pero sin duda resultó fundamental el reconocimiento dado por los propios castellanos, por los demás pueblos que componían la España unificada y por Portugal. Ese reconocimiento se observa en las loas y apologías de la lengua redactadas por numerosos intelectuales, entre las que destacamos esta del cronista Rafael Martín de Viciana:

> Muchas veces he pensado la excelencia que tiene la lengua castellana, entre otras lenguas, tanto que en toda parte es entendida y aun hablada; y es por ser graciosa y autorizada de sílabas en las dicciones y por tener mezcla de muchas lenguas. [...] y hay ciudades muy grandes y populosas donde se habla la perfecta lengua castellana muy galana, cortesana y graciosa, y muy esmerada y estimada por todos los reinos y provincias del mundo, por ser muy inteligible y conversable.
>
> RAFAEL MARTÍN DE VICIANA, *Libro de alabanzas de las lenguas hebrea, griega, latina, castellana y valenciana*, Valencia, 1564

Asimismo resulta ilustrativa esta otra cita del siglo XVII:

> Han levantado nuestros españoles tanto el estilo, que casi han igualado con el valor la elocuencia, como emparejado las letras con las armas, sobre todas las naciones del mundo. I esto de tal suerte que ya nuestra España, tenida un tiempo por grosera y bárbara en el lenguaje, viene hoy a exceder a toda la más florida cultura de los griegos y latinos.
>
> FRAY JERÓNIMO DE SAN JOSÉ, *Genio de la historia*, Zaragoza, 1651

Estos dos fragmentos revelan una actitud universal: la de aplicar adjetivos meliorativos a la lengua propia. En efecto, el elogio hacia la lengua propia no fue patrimonio exclusivo de los españoles, sino que también se practicó en otras naciones, como revela la publicación en 1525 de *Prose della volgare lingua*, de Pietro Bembo, y en 1549 de *Défense et illustration de la langue française*, de Joaquim du Bellay. Sin embargo, no por ello dejó de evidenciarse la importancia que el castellano había alcanzado en España. Las comparaciones con las lenguas clásicas o el italiano mostraban asimismo su alta consideración como lengua de cultura. Hans-Martin Gauger afirma que en el siglo XVII el español se pone, en la conciencia misma de los españoles, a la altura del francés y del italiano.

Ahora bien, tan altas cotas de prestigio y elogio no son fáciles de mantener durante mucho tiempo, sobre todo si se trata de prolongar el nivel excelso que la literatura en lengua española había alcanzado de la pluma de tantos escritores excepcionales entre el siglo XVI y el XVII. En efecto, el estilo barroco, por su propia condición, fue entrando en un proceso de decadencia, de complicación tan innecesaria como falta de calidad. Ello desencadenó una gran cantidad de críticas en el siglo XVIII, muy bien plasmadas por el Padre Isla que, con toda ironía, ponía estas palabras en boca de fray Gerundio, su más famoso personaje:

> [...] con especialidad en esta invención de voces nuevas y flamantes, alambicadas de la lengua latina, es [usted] inimitable; y yo tengo ya apuntadas algunas para valerme de ellas en ocasión y tiempo, con la seguridad de que, aunque no haga más que hablar en ese estilo, no ha de haber sermón de cofradía que no me busque. Ya sé que al mar salado siempre le he de llamar *salsuginoso elemento*; a la vara de Aarón, *aaronítica vara*; al contraer el pecado original, *traducir el fomes del pecado*; *Adán futurizado*, al decreto de la creación de Adán; a su misma creación, *adamítico fundamento*; *universal opificio*, a la fábrica de todas las criaturas; a la naturaleza ciega, *cecuciente naturaleza*; y a un deseo ardiente y encendido, *ígnitas alas del deseo*.
> JOSÉ FRANCISCO DE ISLA, *Fray Gerundio de Campazas*, 1758, cap. 3

Definitivamente, la literatura y la lengua escrita o declamada al estilo barroco comenzaron a alejarse del entendimiento popular y, en consecuencia, a perder influencia sobre los usos lingüísticos cotidianos de la gente. En el plano literario, la situación desembocó en el ascenso de un paradigma simplificado, el Neoclásico, que proponía el seguimiento de los modelos latinos y griegos, una vuelta al referente aristotélico y racionalista, que en España introdujo Ignacio Luzán con su *Poética* (1737). El exceso de libertad en la forma de la creación y de fantasía en el contenido, característico del barroco, acabó alimentando un deseo de reflexión sosegada, de crítica racionalista, de erudición y gusto por el dato cierto o la referencia directa. Al mismo tiempo, se fue haciendo evidente un déficit en el ámbito científico y tecnológico, en el que Francia e Inglaterra se habían adentrado con decisión desde el siglo XVII. Este déficit también se apreciaba en la propia lengua, puesto que el español no contaba por entonces con los recursos léxicos y discursivos necesarios para su expresión. Todo ello hizo que la mirada se fuera tornando hacia la Francia de la Ilustración. Asimismo, en España se produjo un hecho histórico que también facilitó este giro, decisivo para el conjunto del mundo de la cultura hispánica: la llegada de la dinastía de los Borbones, precisamente con el francés Felipe de Anjou —Felipe V—, a partir de 1700.

La subida de los Borbones al trono español se produjo tras la Guerra de Sucesión y la firma de los tratados europeos conocidos como Paz de Utrecht. Esos tratados tuvieron como primera consecuencia el desplazamiento de la lengua española, en su dominio político, administrativo y militar, de los Países Bajos, del Milanesado, de Nápoles y de Cerdeña, con la consecuente mengua de su prestigio. Una vez reconocido e instalado Felipe V como rey de España, se inició una serie de reformas conocidas como *borbónicas*, que se fueron introduciendo entre 1700 y 1807, con el propio Felipe V y su hijo Carlos III como principales motores reformistas. Se trataba, en líneas generales, de desplegar una monarquía al estilo francés: centralizada e ilustrada. El modelo político que la guiaba era el absolutismo y su modelo ideológico, el despotismo ilustrado. Un ministro de Felipe V, José Campillo, afirmaba sin reparo que en una monarquía no era menester que todos discurrieran ni tuvieran grandes talentos, «siendo pocos los que deben mandar, que son los que necesitan luces superiores». Interpretado este pensamiento desde la perspectiva de la lengua, el gobierno fomentaba la existencia de una minoría ilustrada y culta, y de una mayoría popular sin especial instrucción, lo que favorecía el uso de las modalidades lingüísticas populares apegadas a cada región. Estas variedades, además, estaban subordinadas en estima a los usos de una nobleza que no había perdido sus privilegios con el cambio de dinastía y de la que dependía una población rural grande y sin alfabetizar.

Las reformas borbónicas más significativas se produjeron en los terrenos de la administración, la justicia, la economía y el ejército.

Consecuentemente, la vida cotidiana de los españoles de España y de las colonias americanas se vio afectada de un modo notable, hasta el punto de provocar levantamientos y motines en diversos momentos, como la rebelión de los indios de Cochabamba, en Bolivia, o de Túpac Amaru, en Perú. Con todo, nos interesan aquellas reformas que pudieron incidir de un modo más directo sobre la vida de la lengua y de los hablantes. Estas pueden sintetizarse en una frase escrita por Miguel Antonio de Gándara dentro de una obra encargada por Carlos III. La frase sostenía que:

> A la unidad de un rey son consiguientes necesarios otras seis unidades: una moneda, una ley, un peso, una medida, una lengua y una religión.
>
> MIGUEL ANTONIO DE GÁNDARA, *Apuntes sobre el bien y el mal de España*, 1762

Aunque la lengua aparece mencionada expresamente en esa breve pero crucial relación, los demás elementos también afectaban a la dimensión social del español. Esto es así porque la unidad de la moneda, el peso y las medidas amplía el mercado y posibilita un más frecuente contacto entre gente de procedencia diversa, con el consecuente intercambio de elementos lingüísticos, así como su nivelación en todos los planos. En cuanto a la ley, las reformas exigían el uso del español como lengua vehicular de la justicia y de la enseñanza superior, que abandonaba definitivamente el latín como lengua de instrucción y ordenaba sus contenidos de acuerdo con principios ilustrados. Esto exigía la introducción de materias como las matemáticas o la biología y la incorporación del pensamiento de la época, traducido al español desde el francés.

Junto a estos factores de uniformidad, España conoció durante el siglo XVIII otros elementos de modernización, como la supresión de los peajes (*portazgos, pontazgos, barcajes*) y aduanas interiores (*puertos secos*), la ampliación en más de un millar de kilómetros de la red de carreteras, organizada de acuerdo a un patrón radial desde Madrid, o la construcción de centenares de puentes y canales. Todos estos proyectos venían a favorecer la movilidad poblacional y, por tanto, su nivelación lingüística, como también lo hacía la vida militar, a la que se incorporaron decenas de miles de nuevos reclutas procedentes de las levas (maleantes, vagos y desocupados) y de las quintas (un quinto de cada municipio debía militarizarse).

En líneas generales, la población española conoció un crecimiento notable a lo largo del siglo XVIII, pues se pasó de 8 millones en 1700 a 11,5 millones en 1797, con un elevado porcentaje de campesinos. Merece destacarse, sin embargo, el protagonismo que fueron adquiriendo las ciudades, con su pequeña burguesía y sus clases medias, decisivas para la general implantación del español en todas las regiones de España. En el siglo XVIII, la lengua española se había instalado de manera estable en ciudades como Valencia, Santiago de Compostela, Bilbao o Barcelona. En las ciudades ilustradas se daban cita la nobleza, la burguesía, el clero y los gremios. De estos grupos, el que más se fortaleció fue el de la burguesía y el que más se debilitó fue el clero, que en la segunda mitad de siglo se redujo a más de la mitad, debido a la secularización del modelo ilustrado y a la preeminencia que se pretendía dar a la vida civil sobre la religiosa, así como a la corona sobre la Iglesia, en cualquiera de sus organizaciones (Santo Oficio, enseñanza, órdenes religiosas). En las ciudades era donde se daba una mayor concentración de escuelas y, por tanto, de gente alfabetizada, aunque a finales del siglo XVIII la tasa general de escolarización estaba tan solo en el 23 %, con una significativa desproporción entre sexos: 46 % de niños y 10 % de niñas.

La composición interna de las ciudades reflejaba quiénes y cuántos eran los líderes de esas comunidades lingüísticas. El censo de 1787 ofrece una interesante información sobre los principales grupos urbanos de España, de la que se deduce que la población urbana alfabetizada podría estar en torno al 35% de su total, un porcentaje bajo, pero notablemente mayor que el de las áreas rurales.

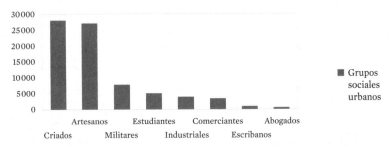

Grupos sociales urbanos. (Fuente: Censo de Floridablanca, 1787)

Asimismo las ciudades del siglo XVIII se caracterizaron por una mejora notable de sus condiciones sanitarias y de seguridad, que hacía posible el aumento de la población y una convivencia más humanizada. Los

Borbones promovieron nuevas infraestructuras urbanas (alcantarillado, iluminación, fuentes), así como normas cívicas y de vestimenta que no siempre fueron bien recibidas: de hecho, la prohibición de las capas largas y los sombreros de ala ancha fue una de las «excusas» esgrimidas como causa del motín de Esquilache, contra el ministro de Carlos III así llamado. Por otro lado, es en el siglo XVIII cuando comienza a manifestarse la rivalidad política, económica y comercial entre Madrid y Barcelona, ambas con más de 100 000 habitantes por entonces.

Las reformas y acuerdos borbónicos también llegaron a América y, como era previsible, afectaron a la lengua española allí utilizada. Así, en 1750 se marcaron las fronteras definitivas entre los territorios de España y Portugal, tanto en América como en el Pacífico, quedando fijados los dominios de sus respectivas lenguas. En general, las reformas borbónicas fueron dirigidas a una explotación más eficiente de los recursos de las colonias, para beneficio de la Real Hacienda, y a la protección de las posesiones españolas contra las incursiones piratas promovidas desde Francia, Inglaterra u Holanda, especialmente en el área del Caribe. Asimismo la monarquía borbónica abrió las puertas a la influencia francesa sobre las colonias, en su vertiente ilustrada y literaria, pero también en su vertiente política. La Ilustración supuso una mejora en la educación de los grupos de mayor poder en América, las élites criollas, que accedieron al mundo neoclásico y al de las ideas revolucionarias. De este modo, poco a poco fueron creándose espacios literarios ilustrados (Quito, Caracas, Bogotá), emancipados de las grandes capitales virreinales y liberados del monopolio intelectual de la metrópoli.

A pesar del predominio criollo, generalmente monolingüe en español, las sociedades americanas en las que el componente indígena era más importante ordenaban su bilingüismo en un complejo entramado de relaciones sociales y lingüísticas. Probablemente por ello y por el espíritu uniformador que caracterizó a la monarquía, Carlos III decidió legislar en beneficio de la lengua española en el campo de la educación. La obligatoriedad de la enseñanza del español en la América hispanohablante no llegó hasta 1770, mediante una Real Cédula promovida por el arzobispo de México, Francisco Antonio Lorenzana, en cuyo título se decía: «a fin de conseguir que se destierren los diferentes idiomas de que se usa en aquellos dominios y solo se hable el castellano». Ocurrió, sin embargo, que la cercanía de la fecha de la Real Cédula con la de las independencias y la inmensidad de la geografía americana hicieron que su cumplimiento no pudiera llevarse a la práctica de forma general.

Asimismo, si bien la corona tendió a legislar en beneficio del español, los misioneros no siempre renunciaron a la práctica de las lenguas autóctonas regionales; no lo hicieron tras la ordenanza real de 1559 y tampoco lo harían ahora. El caso más representativo fue el de las misiones o reducciones jesuíticas, establecidas entre Argentina, Paraguay y Brasil, en zona de habla guaraní principalmente. En estas misiones se consideró esencial enseñar a leer y escribir a los indígenas, así como formarlos en distintos campos y tecnologías. En ellas se crearon escuelas de primera enseñanza, para niños y para niñas, y desde allí se enseñaba el español, con el uso del guaraní como instrumento para hacer más fácil el aprendizaje. Los maestros de las misiones publicaron en sus propias imprentas libros en español y libros en guaraní, dedicados a cuestiones gramaticales, léxicas o doctrinales. Las reducciones jesuíticas fueron desapareciendo tras la *Pragmática Sanción* de 1767 que, emulando lo hecho por Portugal y Francia, decretaba la expulsión de los jesuitas del territorio español.

Otra muestra relevante de la política lingüística religiosa son las misiones franciscanas de California, en territorio estadounidense. Estas misiones se integraron en el proceso colonizador de la corona española y se organizaron como comunidades en las que participaban indígenas de distintos grupos étnicos y diferentes lenguas. En ellas se enseñaba la lengua española y en lengua española, a la vez que se adoctrinaba y se adquirían otros conocimientos, pero las lenguas nativas también se utilizaban con estos mismos fines. En las misiones más pobladas llegaron a convivir 2000 personas, que eran instruidas en agricultura, ganadería y oficios para conseguir la autosuficiencia, aunque no siempre con resultados satisfactorios para los indios. La primera de las misiones fundadas fue la de San Diego de Alcalá (1769), a las que siguieron otras veinte, dispuestas linealmente hacia el norte hasta San Francisco.

En resumen, el siglo XVIII supuso para las comunidades hispánicas la apertura hacia un nuevo modelo educativo y la ordenación de la vida social en torno a los conceptos de centralismo y de uniformidad. De ello se derivó una mayor cohesión entre los pueblos que componían la España colonial y la peninsular, que se apreció en el uso común de unas mismas medidas, unas mismas monedas, unas mismas leyes y, sobre todo, una misma lengua. Esa lengua, la española o castellana, recibió protección jurídica y el apoyo de las instituciones creadas según el modelo absolutista imperante en la política y en la economía.

Personajes, personas y personillas

Eugenio Espejo

Podría resultar chocante que el hijo de un indígena llamado Chuzig y de una mulata, esclava liberta, llamada Aldás se convirtiera en uno de los más insignes representantes del movimiento ilustrado de la América andina. Este fue el caso de Eugenio Espejo, cuyo apellido fue adoptado tardíamente por su padre. Espejo nació en Quito, Ecuador, en 1747. A la edad de quince años ya era bachiller del colegio jesuita de San Gregorio; apenas cumplidos los veinte era doctor en Medicina por la Universidad de San Marcos y con menos de veinticinco se tituló en Derecho Civil y Canónico. Espejo fue, por tanto, abogado, médico y científico, con incursiones significativas en el mundo del periodismo, la filosofía y la política. Toda una figura de la Ilustración americana y promotor en su país del movimiento independentista.

La lengua española de Espejo recibió la influencia del pensamiento y el estilo de numerosos autores, bien por la vía del conocimiento directo, bien por la de la traducción. Fue lector empedernido del matemático francés Blaise Pascal, conoció los trabajos de los teólogos jansenistas, así como de los grandes filósofos: Montesquieu, Voltaire, Rousseau. En su biblioteca tampoco faltaron los autores españoles de la época, especialmente Feijoo y su *Teatro crítico universal*. Entre su obra, muy crítica, destaca *El nuevo Luciano de Quito o despertador de los ingenios quiteños* (1779), en la que expresa su opinión sobre la situación cultural de la capital ecuatoriana y analiza los métodos de enseñanza al uso. En su haber se cuenta también una iniciativa muy del siglo XVIII: la fundación de la Sociedad patriótica de amigos del país de Quito, también conocida como la «Escuela de Concordia».

El nombre de Eugenio Espejo resulta sugerente para la historia de la lengua española no porque el personaje fuera un escritor especialmente brillante, sino porque simboliza a la perfección el concepto de «mestizo ilustrado». La Ilustración llegó a la América hispanohablante de la mano de la dinastía borbónica y gracias a la apertura comercial hacia los territorios alejados de las capitales de los grandes virreinatos. Esto permitió el acceso de los hablantes cultos, fueran criollos o mestizos, a las corrientes intelectuales ilustradas, francesas y españolas. De este modo, el español de todas las ciudades americanas tuvo la oportunidad de incorporar los términos, discursos y conceptos que acompañaban a los nuevos tiempos.

María Josefa Alfonsa Pimentel

El siglo XVIII creó un nuevo tipo de sociabilidad, reservada, eso sí, a los grupos más adinerados. Consistía en el encuentro de personas procedentes de muy distintos campos intelectuales con el fin de intercambiar datos y opiniones, así como de ponerlos en debate, sobre los novedosos temas que la sociedad ilustrada estaba viendo florecer. Estos encuentros solían producirse en espacios apropiados para ello, generalmente salas informales bien dispuestas para el diálogo, la interacción intelectual y el placer de la palabra. La iniciativa nació en la Francia del siglo XVII, cuando la marquesa de Rambuillet diseñó su nueva casa con este fin primordial, creando el concepto de «salón» e iniciando el movimiento de las *preciosas*. En principio, las reuniones eran organizadas por mujeres, muchas de ellas nobles, que rechazaban el amor físico a cambio del disfrute del espíritu, si bien, según explican Cantó y Romero, muchas *salonières* francesas no dudaron en utilizar la sexualidad como ingrediente de sus tertulias. El hecho es que los «salones» consiguieron atraer a lo más granado de la intelectualidad ilustrada, a los más talentosos, ingeniosos y poderosos políticos, escritores, científicos, profesores, filósofos, músicos y artistas de la época.

En España, el salón más conocido fue el de María Josefa Alfonsa Pimentel, duquesa de Benavente y condesa de Osuna, considerada como la figura femenina más relevante del siglo XVIII español, por combinar las cualidades de la cultura, la inteligencia, la curiosidad científica o el conocimiento de idiomas, con la nobleza, el encanto y la amistad sincera. La inquietud de su espíritu fue tal que llegó a adquirir un telescopio a la edad de 83 años. Aunque alternó épocas de bonanza con momentos de dificultades económicas, lo cierto es que la duquesa dispuso de un salón en Madrid que ofrecía la posibilidad de disfrutar de unas maravillosas veladas musicales. Todo ello estaba al alcance de muy pocos, pero la nobleza supuso una oportunidad para que una mujer obtuviera protagonismo más allá de las celdas de un convento.

Al salón de la duquesa de Benavente acudieron personas tan relevantes de la España ilustrada como los escritores Ramón de la Cruz o Leandro Fernández de Moratín, junto a extranjeros tan distinguidos como el naturalista alemán Alexander von Humboldt o el literato estadounidense Washington Irving. El complejo arquitectónico incluía parques y canales, que permitían el acceso en canoa, así como una magnífica biblioteca, sobre todo de temas musicales. Probablemente, estos acontecimientos sociales tuvieron poca incidencia en la lengua del pueblo más humilde, relegado mayoritariamente a trabajar las tierras de los nobles que peroraban en los salones, cuando no a los diminutos talleres y comercios que proliferaban en unas ciudades de población creciente. Sin embargo, estas formas de sociabilidad fueron decisivas para el funcionamiento de otros mecanismos de desarrollo lingüístico, como la recepción de neologismos, la traducción de conceptos propuestos desde otras lenguas o la difusión de elementos léxicos, gramaticales o discursivos nacidos de las nuevas necesidades expresivas y de la influencia recibida desde Francia.

En dos palabras

peluca

Al contemplar los retratos de los más ilustres personajes del siglo XVIII francés o español, un rasgo llama poderosamente la atención: la exuberancia de sus pelucas. Pero, ¿de dónde procede la palabra española *peluca*? No es de extrañar que de la lengua francesa; concretamente de la palabra *perruque*. La primera documentación en español corresponde a *perruca* (1607) y *peluca*, por influencia de *pelo*, no aparece hasta 1721 y con más frecuencia desde 1727, fecha en la que se documentan tanto *peluca* como *peluquín*. Ahora bien, la cuestión más interesante se plantea a propósito de la palabra francesa *perruque*.

La etimología de *perruque* no es muy clara, pero existen algunos datos relevantes y razonables que podrían explicarla. Y es que *perruque* viene de la forma antigua *perruquet,* que significaba propiamente 'loro' y que era el apodo que se daba a los funcionarios de la justicia en Francia en el siglo XV, por «alusión burlesca a sus locuaces peroraciones y por comparación de su cabellera o peluca rizada con las plumas que forman el copete de los loros», según explican Coromines y Pascual. A partir de la referencia a los funcionarios, *perruque* pasó a denominar la cabellera postiza —a veces natural— que los caracterizaba. Así, tenemos:

fr. *perruquet* 'loro' > fr. *perruque* 'peluca' > esp. *perruca* > *peluca*

Además del español, otras lenguas europeas adaptaron igualmente el francés *perruque* para sus respectivos vocablos: en catalán *perruca;* en italiano, *parrucca;* en alemán, *Perücke;* en inglés, *peruke* o *periwig,* que luego se abrevió en *wig*. Ahora bien, la historia nos depara algo tan curioso como interesante porque, para explicar el origen de la antigua palabra francesa *perruquet* 'loro', hay que recurrir a un vocablo español: *periquito*. Este *periquito* sería el diminutivo de *Perico*, nombre familiar de *Pedro* o *Pero*. Tenemos, pues:

esp. *Pedro* > *Pero* > *Perico* > *Periquito* > fr. *perruquet*

Siendo así, la dificultad estaría en explicar por qué el francés antiguo recurrió a *periquito* (nombre propio) para crear *perruquet* con el significado de loro. Eso queda en la nebulosa de la historia, aunque no sería la primera vez que un nombre de persona acaba aplicándose a un animal: *martín pescador, santateresa* 'mantis religiosa', *mariquita* 'insecto coleóptero', *marica* 'urraca' (*Marica* y *Mariquita* son variantes familiares de *María*), como también usamos nombres de animales para aplicarlos a personas (*Paloma, León, Delfín*). El uso de *perico* o *periquito* para denominar al pájaro no comenzaría hasta el siglo XVII.

botarate

Las hablas canarias ocupan un lugar de honor en la historia de la lengua española. Han sido bisagra entre los usos peninsulares y los americanos, y han prestado algunas de sus peculiaridades, según la época, a ambos lados del Atlántico, a la vez que han recibido la influencia de las dos orillas haciendo suya la fusión. La palabra *botarate,* con el significado de 'tonto' o 'loco', aparece documentada en la península desde el siglo XVIII, concretamente en el *Diccionario de Autoridades* de la Real Academia, lo que indica que pudo tener empleo ya en el siglo XVII. El *Diccionario crítico etimológico castellano e hispánico* apunta que puede proceder de un cruce del viejo vocablo castellano *boto* 'necio, torpe' con el portugués *patarata*, aplicado al mentiroso o al vanidoso. El cruce daría lugar a *botarata*, empleado en el Caribe y América Central, así como a *botarate*, con el significado de 'persona alborotada y de poco juicio'.

El español de Canarias también hizo suya la palabra *botarate*. Sin embargo, el *botarate* canario no parece el mismo, pues su significado es el de 'derrochador' o 'manirroto'. ¿Por qué este nuevo significado? Es probable que este uso se deba a una asociación popular con la palabra *botar*, en el sentido de 'tirar el dinero': *botar* 'tirar, lanzar' es un marinerismo característico del español canario que también pasó a América. El botarate sería, por tanto, el que bota dinero con facilidad. Este significado se registra por primera vez en 1889, en la obra *Voces nuevas en la lengua castellana* de Baldomero Rivodó, pero a partir de ahí las referencias son abundantes en estudios y diccionarios. Tendríamos, pues, un vocablo peninsular que recibe en Canarias un nuevo significado, como consecuencia de una nueva asociación léxica.

La palabra *botarate*, una vez reconstituida en las islas Canarias, emprende una nueva vida que la lleva al español de las Américas en el siglo XVIII. Con el significado de 'derrochador' o 'malgastador de los bienes de fortuna', se utiliza en Bolivia, Chile, Colombia, Cuba, El Salvador, Guatemala, Honduras, México, Nicaragua, Panamá, República Dominicana y Venezuela, especialmente en el habla rural. En estos países ha alternado con *manisuelto*. Asimismo *botarate* está documentado en los Estados Unidos, incluido el español de la Luisiana, llevado allá por pobladores canarios alrededor de 1780. En definitiva, *botarate* llegó como peninsularismo a las Canarias con el significado de 'necio' y se trasladó a América como canarismo con el significado de 'derrochador'. No es mal ejemplo de la función intermediaria que Canarias ha cumplido en la historia de la lengua española.

12

Entre ciencias y academias

En la Europa de los siglos XVIII y XIX, el francés se consideraba la lengua idónea para satisfacer los más altos fines comunicativos. La lengua francesa era el idioma de la burguesía de una Alemania fragmentada, donde su más grande pensador, Leibniz, escribía en francés y en latín. También era la lengua de los zares de Rusia, de la nobleza y de las clases pudientes, que podían adquirirla como lengua materna. Ello se debió al peso de la política de Francia, al carácter innovador de su pensamiento, desde René Descartes a Jean-Jacques Rousseau, al prestigio de su cultura, representada por el proyecto de la *Encyclopédie*, y, por supuesto, al atractivo de su estilo de vida, moda incluida. Como no podía ser menos bajo la dinastía de los Borbones, la influencia francesa también alcanzó a España y dejó inevitables secuelas sobre el español. No todo se recibió sin resistencia, pero el influjo acabó alcanzando incluso a los más apegados a los modos tradicionales.

Para la lengua cotidiana fue muy significativa la inclusión de voces y usos de la lengua francesa —esto es, de galicismos— en el mundo del vestuario, la gastronomía, la vida social y familiar o la cultura. El fenómeno no pasó inadvertido a la inteligencia de escritores como Tomás de Iriarte, José Cadalso o Francisco Nipho, entre otros. Nipho, en un texto aparecido en Madrid en 1764 y titulado *La nación española defendida de los insultos del Pensador y sus secuaces*, decía que se estaba introduciendo:

> un formulario o epílogo de recetas de moda mixtas de algunos vocablos sacados del diccionario de la extravagancia, como «buen tono», «buena compañía», «rizado en ala de pichón», «peluquín escarchado», «color de pompadour», «sopa a la reina», «ragut», «cabriolet», «desobligante» y todo el guirigay y jerga de los petimetres.
>
> FRANCISCO NIPHO, *La nación española defendida de los insultos del Pensador y sus secuaces*, 1764

Aunque algunas de estas formas de origen francés suenan perfectamente habituales en el español actual, lo cierto es que en el siglo XVIII
chocaban fuertemente a los lectores. Así le ocurría a Iriarte, que afirmaba
en su opúsculo *Los literatos en cuaresma* (1773):

> Sermones y comedias (o tragedias) he oído yo demasiado a la francesa;
> quiero decir escritos en una lengua parecida a la castellana; pero que usa
> ciertas voces como verbi gracia ... Son tantas que no sé por cuál empezar.
> [...] *Detalle*, en vez de pormenor; [...] *rango*, por clase, esfera, jerarquía, con-
> dición, calidad, estados; *el fondo del corazón*, por lo íntimo del corazón;
> celo *por* el bien público, amor *por* la patria, en vez de celo *del* bien público,
> amor *a* la patria.
>
> Tomás de Iriarte, Los literatos en cuaresma, 1773

Los usos afrancesados que causaban «sorpresa» (*sorpresa* es otro
galicismo) no se limitaban al léxico, sino que procedían también de la gramática: «se pone *su* sombrero en *su* cabeza»; «era allí *que* solía descansar»;
«oyó una frase *tratando* del mismo tema»). Del mismo modo, se introdu-
jeron los vocativos *papá* y *mamá*, que comenzaron su pugna por desplazar
a los tradicionales *padre* y *madre* o a los populares *papa* y *mama*, disputa
que se sigue librando en nuestros días. Incluso en la fonética se hizo pal-
pable el afrancesamiento: se pronunciaba *archant* 'dinero' (de *argent*),
chaqué o *saqué* (de *jaquette*) y *pichón* (de *pigeon*). La figura social por antonomasia, en cuya boca se ponían todas estas peculiaridades, era la del
petimetre (de *petit maître*), prototípicamente un joven artificial, algo afe-
minado y ocioso por su buena posición. Cuando, más allá del amanera-
miento, se exhibía una aceptación de las modas de Francia, se hablaba de
afrancesados, que no escasearon entre la pequeña burguesía y las clases
medias. Estos llegaron a cumplir una función decisiva en la sociedad na-
poleónica española, así como en la difusión de sus innovaciones.

La tendencia al afrancesamiento mostrada por las incipientes clases medias, en cierto modo, simbolizaba la asunción de la modernidad, ya
que fue en ellas donde se produjo una transformación social más profunda. Frente a esto, surgió un movimiento que valoraba lo propio y se complacía en lo tradicional, sobre todo si era nacido del pueblo. Así fue como
emergió el *casticismo*, el aprecio por lo castizo y auténtico, también en la
lengua hablada, que fue muy bien recibido por la nobleza. Este movimiento, sin embargo, no era incompatible con la recepción de los modelos
franceses, como demostró Gaspar Melchor de Jovellanos, admirador del

racionalismo francés, que no dudaba en recurrir a voces populares de su Asturias natal en la correspondencia privada. El casticismo popular se manifestaba en la manera de hablar, pero también en la de vestir, en la de bailar y en la de comer. Además, tuvo manifestaciones particulares en cada área geográfica porque, si en Madrid se presentaba en forma de *majismo*, con majas y majos adornados con madroños, chalecos y pañuelos en la cabeza, en Andalucía se expresaba en forma de *flamenquismo*, de aprecio por lo flamenco, por lo popular andaluz, con toros y bailes, que en el siglo xix se trasladaría a la literatura e inundaría el habla de voces y giros andaluces, así como de cantes y coplas.

Las hablas populares del siglo xviii también se caracterizaron por el desarrollo de modalidades étnicas y jergales, entre las que sobresalía el caló de los gitanos, especialmente en Andalucía. En aquella época, solamente la ciudad de Sevilla albergaba a unos 10.000 gitanos y la convivencia propició el traspaso a las hablas andaluzas de muchos elementos léxicos y fraseológicos del caló: *canguelo* 'miedo', *chipén* 'estupendo', *churumbel* 'niño, bebé', *gachó* 'hombre', *menda* 'yo', *parné* 'dinero', *piño* 'diente', *pinrel* 'pie'. Al mismo tiempo, el habla gitana entró en contacto estrecho con germanías y jergas de delincuencia, produciéndose entre ellas un intercambio de componentes léxicos. El caso es que unas y otras penetraron en el español de Andalucía y encontraron una vía de acceso a la lengua general a través de la popularización de lo andaluz.

La jerga de los delincuentes fue recogida por Juan Hidalgo en su *Vocabulario de germanía* (1779). Allí se documentan voces como *acorralar, birlar, cuatrero, greñas, fornido, piltra* 'cama', *soba* 'paliza' o *trena* 'cárcel'. Algunas de ellas procedían de jergas más antiguas, como el *revesado*, que consistía en cambiar el orden de las sílabas o de los sonidos para que la palabra no se reconociera: *chepo*, 'pecho'; *lepar* 'pelar'; *trigo* 'grito'. Aquí estuvo, además, el origen de muchas formas trasladadas a las jergas del español americano: al *caló* mexicano o centroamericano, al *coba* boliviano, al *coa* chileno o al *lunfardo* rioplatense. Junto a estas jergas, convivían otras profesionales que permitían la comunicación entre canteros, arrieros, cesteros o tejeros. Cosa distinta eran las imitaciones del habla de los negros o de los indios, utilizadas como recurso cómico en el teatro clásico de España y de América.

Estamos comprobando cómo, por una vía o por otra, el caudal léxico del español del setecientos se fue agrandando y respondiendo a necesidades expresivas derivadas de los avances y las condiciones sociales propios de la época. Hasta tal punto se incrementó el potencial léxico del español que el filólogo José Antonio Pascual ha afirmado que el 80 % del vocabulario del español actual procede del siglo xviii. Para comprender esta afirmación hay que tener presente el léxico asociado a cosas aparecidas durante los tiempos ilustrados. Se trata de recursos expresivos que acompañaron a los conocimientos científicos y tecnológicos de la época. No olvidemos que en ese siglo se producen, con Leibniz, grandes avances en las matemáticas, con Laplace en la física y con Lavoisier en la química. Fueron decenas las palabras introducidas desde las ciencias: *aerostática, barómetro, electricidad, inoculación, mecanismo, microscopio, papila, retina, telescopio, termómetro*; y decenas las palabras procedentes de la filosofía, la sociología o la política: *criterio, fanatismo, fenómeno, filantropía, ilustrar, inmoralidad, materialismo, misantropía, patriotismo, público, tolerancia*; incluso entonces nació el actual uso de la palabra *cultura*.

Todas estas voces fueron manejadas y difundidas por un sistema educativo que se reformaba según las pautas de la Ilustración. Pero el nuevo lenguaje de la ciencia y la tecnología comenzaba a ser moneda corriente, no solamente en la enseñanza formal, sino también en los nuevos museos, los nuevos jardines botánicos o las expediciones científicas, como las de Alejandro Malaspina o Celestino Mutis, con las que España hizo unas contribuciones decisivas para el conocimiento del mundo. Ese lenguaje también permitía dar contenido específico a las nuevas academias militares y colegios profesionales, pero sobre todo era el que articulaba las nuevas «sociedades económicas de amigos del país», creadas en las provincias españolas y en las americanas, en las que se daban cita pensadores, religiosos y científicos. En España, la primera de estas sociedades fue la Real Sociedad Bascongada, creada en 1765. Asimismo los nuevos conocimientos, acompañados de sus vocablos, fueron recogidos en obras enciclopédicas o en diccionarios de términos científicos, entre los que ocupa un lugar de honor para la lengua española el firmado por el jesuita vasco Esteban Terreros: *Diccionario castellano con las voces de ciencias y artes, y sus correspondientes en las tres lenguas francesa, latina e italiana* (1786-1788).

Ahora bien, si de diccionarios relevantes se trata, ninguno de la época tuvo la trascendencia del *Diccionario de la lengua castellana*, publicado entre 1726 y 1739, conocido como *Diccionario de Autoridades* y elaborado por la Real Academia Española. Esta Academia se fundó en 1713 y fue una de las instituciones señeras de la política cultural de los Borbones, junto a la Biblioteca Real, fundada en 1712, y la Real Academia de la Historia, de 1738. La Academia Española venía a entroncarse en la política centralizadora y uniformadora que guiaba, al modo francés, a la monarquía absolutista en los terrenos de la economía, la sociedad y el ejército. Y, en esa política, la lengua cumplía una función determinante. Como explica el historiador Ruiz Torres, «la comunidad política en torno al rey debía tener una sola lengua y esa lengua cultivarse con esmero para mayor gloria de la patria», planteamiento que no es exclusivo de España o Francia, sino que también era dominante en Inglaterra o Alemania. A pesar de todo, en el origen de la Academia Española se identifican elementos que no obedecen directamente a la aplicación de una política cultural de la monarquía y que tampoco coinciden necesariamente con los fines y métodos que hoy guían a la institución.

La iniciativa de reunir a un grupo de intelectuales españoles interesados por las artes, las ciencias y, en general, por la cultura y el pensamiento correspondió a Juan Manuel Fernández Pacheco, marqués de Villena, que, en torno a su bien nutrida biblioteca, organizó una tertulia de ilustrados o *novatores* a comienzos del siglo XVIII. En la tertulia se dieron cita algunos de los más brillantes hombres de letras de Madrid. Sus intereses no eran en principios lingüísticos, sino generales por cuanto los asuntos tratados concernían a las artes y a las ciencias, con una inclinación especial hacia lo literario. De hecho, como explica el filólogo Víctor García de la Concha en su historia de la Academia, el proyecto de Fernández Pacheco preveía abrir la iniciativa a la universalidad de los saberes. Tanto la idea de la tertulia como la del tratamiento de asuntos de letras y de ciencias contaban con antecedentes destacados. Así, el Renacimiento había servido de estímulo para la organización de academias literarias, inspiradas en la «Academia» fundada por Platón, que proliferaron por la Europa humanista. En España, hubo academias en distintas ciudades: en Zaragoza existió durante el siglo XVII la «Academia de los anhelantes» y en Valencia, la «Academia de los nocturnos»; todas en ellas creadas para la reunión de literatos fundamentalmente, aunque no les fueron ajenos los asuntos relativos a las matemáticas, las ciencias naturales, la música, el arte, la medicina o incluso la corrección lingüística.

Por otro lado, Fernández Pacheco conoció bien otras iniciativas europeas que le sirvieron de inspiración conforme su tertulia iba consolidándose. Una de ellas fue la Accademia della Crusca de Florencia, creada en 1583 con el fin de conservar la pureza de la lengua vulgar florentina y de separar, en asuntos lingüísticos y estilísticos, «el grano de las granzas». Esta academia había publicado en 1612 el *Vocabolario degli Accademici*

Portada de los Estatutos *de la Real Academia Española (1715)*

della Crusca, construido sobre la lengua de Dante. En Francia, por su lado, existía la Academie Française, fundada en 1634 por el cardenal Richelieu y que en 1694 publicó la primera edición de su *Dictionnaire de l'Academie Française*. Richelieu fue el primero que apreció la trascendencia política de una academia bajo la autoridad real, capaz de oficializar una lengua al servicio del Estado absolutista; y así fue como una tertulia literaria se convirtió en organismo oficial para la normalización y perfeccionamiento de la lengua francesa.

Vemos, pues, que los antecedentes españoles y europeos sugerían distintas formas de canalizar las inquietudes de los intelectuales aglutinados en torno al marqués de Villena. A la vez, en ellos hubo una sincera preocupación por el estado de postración en que había caído la literatura de España y por la artificial complejidad en que parecía haberse instalado la lengua escrita, factores implicados en la pérdida de prestigio del español en Europa. Así es como se conformó el proyecto de crear una Academia centrada en fijar la forma de la lengua y en propiciar su adecuado uso y enseñanza. El modelo de la academia francesa y la cercanía que el propio Fernández Pacheco y otros miembros de la tertulia primigenia mantenían con la Casa Real aconsejaron solicitar la protección de la corona, que finalmente se concedió, mediante Real Cédula, el 3 de octubre de 1714.

La falta de un diccionario español equiparable al de la Crusca para el italiano o al de la Academie para el francés hizo que en la fundación de la Academia se decidiera «ordenar un diccionario, abundante de voces, autorizadas con ejemplos de los mejores autores, claro en la explicación, fácil en el uso». Así se explica en el prólogo del diccionario conocido como *Autoridades,* nombre debido al uso de citas de los mejores autores como ilustración de las entradas. Para la redacción de la obra se tuvo muy en cuenta el antecedente del *Tesoro* de Sebastián de Covarrubias (1611), pero el nuevo proyecto iba más allá. Con el fin de hacer el diccionario más manejable y de revisar algunas decisiones tomadas para la primera edición, se público en 1780 el *Diccionario de la lengua castellana*, conocido como *Usual*, que apareció desprovisto de la cita de autoridades. En esta edición, se incluyen voces provinciales procedentes de doce regiones peninsulares, con lo que el concepto de «provincialismo» quedó asumido desde muy pronto por la lexicografía académica.

Como labor previa a la confección del diccionario, la nueva Academia tuvo que afrontar un reto extraordinariamente complejo, aunque con apariencia simple: la redacción de una ortografía que permitiera algo tan elemental como definir el orden de las palabras dentro del diccionario. Las decisiones en materia ortográfica se tomaron teniendo en cuenta tres criterios: el origen de la palabra, su pronunciación y el uso escrito. Así se construyó la *Ortografía* académica, finalmente publicada como tal en 1741, cuyos criterios generales siguen reconociéndose en la escritura contemporánea. El criterio etimológico justifica, por ejemplo, que haya formas escritas con *b* y con *v*, aunque no exista diferencia en su pronunciación; el criterio fonético hizo posible la cercanía entre la lengua escrita y la lengua oral, mucho mayor que la existente en lenguas como el inglés o el francés; el criterio del uso respetaba algunos de los hábitos más consolidados.

En lo que se refiere a la *Gramática de la lengua castellana*, publicada en 1771, la Academia también recurrió al uso de autoridades, que había servido de fundamento al diccionario, y trabajó con 37 autores de diferentes materias. En el momento de construir la estructura de la obra, fue casi obligado manejar el modelo gramatical de Antonio de Nebrija porque, además de ser la primera, había sido con diferencia la más estudiada hasta entonces. No obstante, el deseo de hacer de la gramática académica un instrumento útil para la enseñanza y la convicción de que el razonamiento está íntimamente ligado a la expresión gramatical, condujeron al seguimiento de las gramáticas hechas en Francia, deudoras de los estudios sobre lógica. El ingrediente final lo aportó Ignacio Luzán, que abogó por una gramática con pocas reglas, pero muy claras.

Durante el siglo XVIII, la Real Academia Española dedicó importantes esfuerzos, primero, a perfilar sus propios fines y modos de trabajar; después, a establecer criterios y modelos sobre los que construir sus obras fundamentales. En aquella época, la tradición lexicográfica en español era exigua, como lo era la experiencia en la elaboración de ortografías externas a la tradición latina o la redacción de gramáticas orientadas a la instrucción de los jóvenes. El éxito de estas empresas fue, sin embargo, amplio e inmediato, hasta el punto de servir de base para el cumplimiento de una función social que ha ido adaptándose a las exigencias de cada periodo histórico. La historia de la lengua española *hablada*, sobre todo en el siglo XVIII, no dependió para su devenir de lo acontecido en el seno de la Academia Española. Sin embargo, la historia de la lengua española *escrita* exige prestar una atención singular a las decisiones académicas plasmadas desde entonces en sus ortografías, gramáticas y diccionarios.

Portada de la primera Ortografía *académica (Real Academia Española, 1741)*

Personajes, personas y personillas

Gregorio Mayans

Los ilustrados españoles no respondían todos a una misma pauta de pensamiento, pero en ellos se identifican dosis de racionalismo, de erudición y de espíritu crítico que permiten identificarlos fácilmente. A los primeros ilustrados —pensadores, científicos, humanistas— se les dio también el nombre de *novatores* y entre ellos se encontraba el valenciano Gregorio Mayans y Siscar, nacido en 1699, un año antes del fin de los Austrias, y fallecido en 1781, unos años antes de que lo hiciera el rey Carlos III. Mayans tuvo formación jesuítica, especialmente en Filosofía y Leyes. Con menos de 25 años consiguió doctorarse y ganar una cátedra de Derecho en la Universidad de Valencia, tierra a la que estuvo siempre muy unido y cuna también del humanista Juan Luis Vives, a quien Mayans veneraba.

Después de unos años universitarios y de algunas disputas nada infrecuentes en este entorno de enseñanza, Mayans se trasladó a Madrid, donde llegó a ocupar el puesto de bibliotecario real, en la institución fundada pocos años antes por Felipe V. Su actividad intelectual y bibliológica fue enorme durante los años que allí pasó, desde donde pudo labrarse una excelente fama entre los humanistas de Europa. Cuando un tiempo después se retiró a Valencia, no cesaron sus iniciativas investigadoras y culturales, que lo llevaron a fundar la Academia Valenciana en 1742, así como a ejercer la crítica contra todo aquello que no se correspondía con la altura intelectual que España merecía. Consecuencia del ejercicio de su espíritu crítico, que lo acompañó toda su vida, fueron las enemistades ganadas con personas, como Benito Feijoo, y con instituciones, como las Academias de la historia y de la lengua. En el caso de la Real Academia, mantuvo buenas relaciones con el fundador y su familia, e incluso llegó a calificar de loable el diccionario académico, pero las rencillas personales le hicieron comentar un tiempo después que se trataba de una obra que hacía mal uso de las fuentes y que evidenciaba falta de experiencia e ignorancia del latín.

El principal legado de Mayans fue, sin duda alguna, su obra de erudición, singularmente el libro *Orígenes de la lengua española compuestos por varios autores* (publicado en 1873) y *Vida de Miguel de Cervantes Saavedra* (1737), la primera biografía sobre el autor del *Quijote*. En *Orígenes*, Mayans editó por primera vez una obra fundamental: *Diálogo de la lengua*, de Juan de Valdés, escrito en 1535. Asimismo, al publicarse *Orígenes* se incluyó «Oración en que se exhortaba a seguir la verdadera idea de la elocuencia española», donde hacía una crítica severa de los efectos lingüísticos del barroco:

> Toda Europa desprecia y aún hace burla del extravagante modo de escribir que casi todos los españoles practican hoy. Es casi nada lo que se traduce de nuestra lengua a las otras, argumento claro del poco aprecio que se hace a nuestro modo de pensar, enseñar y decir, y más en un tiempo en que, codiciosa Francia de enriquecer su idioma con los mejores escritos que ha logrado el mundo, no se acuerda de los nuestros.
>
> GREGORIO MAYANS, «Oración en que se exhorta a seguir
> la verdadera idea de la elocuencia española» (1873)

Su mensaje reflejaba perfectamente el sentir de la Ilustración española en lo que a la lengua y el estilo se refiere. Mayans abogaba abiertamente por la promoción de la mejor elocuencia española, que él ponía en boca de fray Luis de León, Quevedo o, por supuesto, Cervantes.

La doctora de Alcalá

María Isidra de Guzmán y de la Cerda, hija de nobles, nació en Madrid en 1768 y fue la primera mujer que accedió en España al grado de doctor. Lo hizo en la Universidad de Alcalá, a la corta edad de 16 años, tras completar sus estudios universitarios y previo permiso y dispensa del rey. Pero su currículum académico no terminó en esto, ya que al doctorado unió el título de maestra de la Facultad de Artes y Letras Humanas y el de catedrática de Retórica. Los reconocimientos y méritos de la vida social, que también los tuvo, eran algo más normal entre las damas de alta cuna. Tal vez por este motivo, la recepción de su título de doctora se transformó en un solemne acto en el que se dio cita toda la grandeza madrileña y lo más florido de su corte. El acto fue de tal magnitud que no había en la universidad recinto adecuado para ello, por lo que se celebró en el palacio arzobispal de Alcalá, acompañado de un refresco al que, por cierto, no fueron invitados los estudiantes. Ofendidos estos, irrumpieron tumultuosamente en la fiesta y no dudaron en repartirse los dulces y confituras destinados a los más nobles invitados.

María de Guzmán atesoraba muchos y admirables conocimientos, entre los que brillaban el dominio de las lenguas latina, griega, francesa e italiana, así como los de física y matemáticas. Esos conocimientos, junto a sus títulos académicos y nobiliarios, hicieron posible su recepción como «socia» en la Real Academia Española, donde pronunció un discurso titulado «Oración del género eucarístico» (1784). En ese discurso, María de Guzmán no escatimó elogios hacia la Academia que la recibía como socia:

> Admitid el duelo a que os desafía una joven española, que ha empleado sus pueriles ocios en la lección e inteligencia de vuestros diccionarios: ponedlos en paralelo con el que acaba de dar a luz nuestra Real Academia Española: cotejad el primor, tersura y brillo de sus voces: el nervio, énfasis y gala de sus frases: la prodigiosa variedad, multitud y gracia de sus proverbios, que me atrevo á llamar inimitables.
>
> MARÍA ISIDRA DE GUZMÁN, «Oración del género eucarístico» (1784)

Sin duda, las facilidades que la nobleza le ofreció a María para adquirir una formación elevada fueron muchas, pero no por ello dejó de ser complicado acceder a un mundo intelectual gobernado por hombres. Así lo demuestra el hecho de que hasta un siglo después, en 1882, ninguna mujer española pudo acceder al grado de doctor. La alfabetización de las mujeres y su aceptación en la universidad fueron hechos decisivos para la extensión de la lengua culta, a la que solamente se accede a través de la educación.

En dos palabras

dialecto

La primera documentación del término *dialecto* en una lengua vernácula europea corresponde a la lengua francesa. Según el *Trésor de la Langue Francaise,* fue en la advertencia al lector que precedía a las *Odas* de Ronsard (1550) donde por primera vez se hablaba de *dialecte.* En principio, se utilizó para hacer referencia a una modalidad lingüística de un lugar determinado; después, para aludir a las variedades del francés. Además, en 1565 Ronsard habló de dialectos a propósito de las variedades de la lengua griega, significado que fue el primitivo en diversas lenguas. En el caso de la lengua española, la primera documentación de la palabra *dialecto* —por lo sabido hasta hoy— es de 1580 y corresponde a Fernando de Herrera. Entre sus primeros testimonios, encontramos algunos que hacen referencia a la forma de hablar en un territorio determinado, incluyendo variedades propiamente dichas de la lengua castellana o modalidades lingüísticas diferentes de la española castellana.

Las acepciones con que se ha utilizado la palabra *dialecto* en español a lo largo de la historia han sido fundamentalmente cuatro. Primero, como lengua o idioma propio de un lugar o de un grupo de hablantes: *los sujetos* [...] *de semejante ascendencia* [...] *no usan de otro dialecto que el castellano* (anónimo, 1771. España). Segundo, como lenguaje o sistema de comunicación: *el humano dialecto* (Fernando Calderón, 1842. México). Tercero, como variedad lingüística utilizada en un territorio determinado o derivada de otra: *en Corrientes los campesinos usan un dialecto español muy gracioso* (Domingo Faustino Sarmiento, 1845-1874. Argentina). Finalmente, como forma de hablar: *yo soy esquisito en el dialecto* (Alonso de Castillo Solórzano, 1637. España).

Además de estos cuatro valores fundamentales, han existido otros, de menor profusión, referidos a modos de hablar característicos de determinados grupos sociales o profesionales: «dialecto jácaro» 'habla de los rufianes', «dialecto gitano», «dialecto filosófico», «dialecto artístico». A todo ello se añade la referencia a los dialectos como «estilos» en diversas materias vinculadas a las artes. En general, los dialectos son variedades que no se consideran modelos de buen hablar, pero lo cierto es que la lengua española está formada por decenas de estas variedades, que le dan forma y la enriquecen.

vacuna

El origen de la palabra *vacuna* es bien simple: se trata de un derivado de *vaca*. Su significado genérico sería, pues, el de perteneciente o relativo a las vacas. Y así aparece documentado desde el siglo xv, cuando se usaban expresiones como «las vacunas reses pacen muy desparramadas» para aludir a la actividad preferida por este tipo de ganado. Sin embargo, a caballo entre los siglos xviii y xix, comenzó el uso de *vacuna* como sustantivo y con un nuevo significado. José Celestino Mutis hace mención en 1802 del «hallazgo de la vacuna»; en 1806, el poeta Manuel José Quintana dedica unos versos «A la expedición española para propagar la vacuna en América» y, en 1816, en Costa Rica, Juan de Dios de Ayala afirmaba: «La vacuna progresa felizmente entre todos estos habitantes». Había nacido un principio orgánico que ayudaría a erradicar enfermedades. Pero, ¿por qué el nombre de *vacuna*?

El procedimiento de la vacunación, de posible origen oriental, fue conocido en Europa en 1721, cuando Lady Wortley Montague, siguiendo una técnica aprendida en Turquía, «viruló» a su hija de dos años contra la viruela. Más tarde, en 1796, en una época de gran propagación de esa enfermedad, el médico inglés Edward Jenner observó que las mujeres que ordeñaban vacas adquirirían una enfermedad denominada «viruela vacuna» (en inglés *cowpox*), pero no caían enfermas de «viruela común». Esto lo llevó a tomar una muestra de viruela vacuna de una granjera y a inyectarla en el brazo de un niño, que efectivamente cayó enfermo de viruela vacuna. Cuando se recuperó, se le inyectó viruela humana, pero esta vez no enfermó, por haber padecido previamente la vacuna. Así pues, «poner una vacuna» consistía en inyectar «viruela vacuna», de donde quedó el nombre de *vacuna*. La primera documentación de la palabra francesa *vaccine* es de 1799; de aquí pasó al inglés y probablemente a la lengua española, mediante un calco derivado de *vaca*.

Los neologismos aplicados a descubrimientos e innovaciones científicas pueden crearse mediante procedimientos muy simples, como la derivación de un nombre común (de *vaca, vacuna*), pero existen otros mecanismos. Muchos de los neologismos científicos incorporados en el siglo XVIII procedían de creaciones a partir de las lenguas clásicas, especialmente del griego: *barómetro, hidrometría, oxígeno, telescopio*; otros se crearon por derivaciones cultas: *deglución, ductibilidad, vitrificación*. Y ya desde aquella época se conoce el problema de deslindar el vocabulario científico del general. ¿Puede decirse que *vacuna* o *virus* sean términos científicos? Llega un momento en que las palabras pasan a ser patrimonio de todos los hablantes de una lengua por igual y no solo de los especialistas en una materia.

Parte III

De las independencias al siglo xxi

13

Constitución de las naciones lingüísticas

El arranque del siglo xix fue un punto de inflexión en la historia de los territorios hispánicos y para el devenir de la lengua española. A partir de 1808 se abrió una etapa en la que España emprendería un nuevo rumbo político y los virreinatos americanos, un sendero que habría de conducirlos hacia la independencia de sus repúblicas. El proceso obedeció en cada territorio a diferentes causas eficientes, formales, finales y materiales, pero se precipitó con la irrupción de Napoleón Bonaparte en el panorama político europeo, español y americano. España, que había cerrado sus fronteras con la vecina Francia por miedo al contagio de las ideas revolucionarias, se alió con Napoleón, quien en 1807 ocupó militarmente el territorio español con la excusa de llegar a Portugal, que era favorable a Inglaterra. Esta alianza se volvió contra el rey Carlos IV, que acabó abdicando en el propio Napoleón, tras la renuncia al trono del príncipe Fernando. Por su parte, Napoleón nombró rey de España a su hermano José, hecho que, por un lado, llevó a un mayor afrancesamiento de la corte y que, por otro, desencadenó el rechazo popular contra los franceses y condujo a la Guerra de la Independencia entre 1808 y 1814.

En ese clima de guerra y desgobierno de España, los territorios americanos, con las élites criollas a la cabeza, encontraron el momento idóneo para hacer visible su desacomodo con la metrópoli. El malestar, de raíz socioeconómica, ya venía de lejos y los Borbones no lo habían podido aplacar, a pesar de las mejoras introducidas en la vida social de las colonias, dentro de un clima de apertura intelectual y comercial. Las secesiones americanas comenzaron en forma de revueltas entre 1740 y 1807 (Caracas, México, Quito, Santiago de Chile, Charcas) y culminaron con las declaraciones de independencia a partir de 1810. El proceso independentista fue largo y desigual a lo largo y ancho de la América hispana: en 1810 se eligió la primera Junta de Gobierno para las provincias del Río de la Plata, comenzó la guerra en México y se formó la primera Junta de

Gobierno de Chile. Las rebeliones, gritos y batallas se fueron sucediendo en una cascada sin freno, con el liderazgo de generales y próceres, muchos de ellos criollos, como Simón Bolívar, Miguel Hidalgo, José de San Martín, José de Sucre, Bernardo O'Higgins, José Martí o José Artigas, entre otros. Además de los señalados, como hitos significativos por su dimensión política y cultural, merecen destacarse la formación de la Gran Colombia (Venezuela, Colombia y Ecuador) en 1819, la proclamación de Agustín de Itúrbide como emperador de México (1822) o la muerte de Simón Bolívar (1830). Así, hacia mediados del siglo XIX, el mapa político y lingüístico del español de América ya había quedado dibujado. Finalmente, tras la pérdida para España de Cuba, Puerto Rico y Filipinas en 1898, se fundó la república cubana en 1902 y en 1903 Panamá consumó su independencia de Colombia.

El nacimiento de las repúblicas americanas, así como sus consecuencias lingüísticas, ha de entenderse en su contexto demográfico. Durante el siglo XVIII, la migración española no había ido más allá de los 100.000 viajeros y los peninsulares no llegaban al 1% de la población hispanoamericana. Los movimientos de independencia se fraguaron, pues, entre la amplia población no española. Efectivamente, a comienzos del siglo XIX la composición étnica de los territorios americanos era, aproximadamente, de un 20% de blancos, un 25% de mestizos, un 45% de indios y un 10% de negros. Esta distribución no era exactamente así en todo el territorio, puesto que los blancos y mestizos se concentraban principalmente en las ciudades. Por distintas razones sociales, económicas e ideológicas, los movimientos de independencia estuvieron guiados por los criollos, blancos o mestizos, cuya presencia urbana les había permitido acceder a una mayor cultura y a los medios políticos y militares más influyentes de la época. Y esto explica también que la lengua en que tomaron cuerpo tales movimientos no fuera otra que la lengua española. Los mestizos se situaban en los contextos socioculturales de sus padres, españoles o criollos, que hacían uso del español como lengua dominante en la política. Juan Antonio Frago ha explicado que el concepto de *criollo* responde más a un sentido lingüístico y cultural que racial, y así fue empleado por los mismos americanos.

Las nuevas repúblicas se caracterizaron por dos rasgos principales, en lo que a la lengua española se refiere. Por un lado, las comunicaciones entre unos territorios americanos y otros seguían siendo tan pésimas como en la época de la colonia. Este factor se agravó, desde una perspectiva comunicativa, cuando la autonomía política llevó a cada nueva nación a ocuparse y preocuparse por su constitución interna, a configurar sus

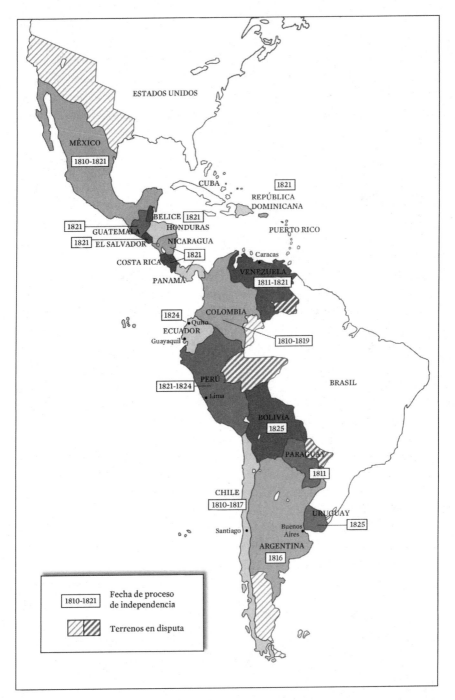

Proceso de independencia de las repúblicas americanas (1810-1830)

propias instituciones. Las variedades lingüísticas de cada región redujeron su contacto con las demás y fortalecieron sus señas de identidad, de acuerdo con su nueva personalidad histórica. Asimismo el carácter rural e indígena de una gran parte de la población contribuyó al mantenimiento de las modalidades populares del español en cada rincón geográfico, así como de las lenguas indígenas más alejadas del contacto con la realidad urbana.

Por otro lado, las nuevas naciones consideraron esencial el uso de la lengua española como instrumento para su construcción social y política. La independencia exigía crear instituciones políticas, jurídicas, educativas, sociales, militares, de acuerdo con el espíritu de las grandes revoluciones de finales del XVIII y del liberalismo llegado de España. La única lengua adecuada para ello en las nuevas naciones era la española, que era, además, la lengua de los libertadores. Es cierto que en México y Perú existía una gran población indígena, pero era hablante de muchas lenguas y no exigía que las repúblicas incluyeran el reconocimiento de su identidad lingüística como parte del nuevo proyecto político. Los líderes criollos de las repúblicas se expresaban en español y las instituciones se fundaron con el español como vehículo de comunicación nacional. El hecho de que cada república desarrollara su propio proyecto de independencia justificaría por qué su léxico político e institucional no coincide ni con el de España, ni necesariamente con el de las demás naciones hermanas. Así, lo que en unos lugares son *ministerios*, en otros son *secretarías*; los *secretarios de Estado* de unos países pueden ser *viceministros* en otros; en España se llama *alcaldes* a los que en América del sur se denominan *intendentes*, aunque en México los intendentes son delegados del gobierno o gobernadores; los *concejales* de España son *cabildantes* en Venezuela y Colombia, y *regidores* en Perú, México o la República Dominicana; y los *procuradores* de unos países son *fiscales* en otros.

En la época de las independencias, la lengua fue un factor de cohesión dentro de cada territorio, y tanto criollos como mestizos, mulatos o negros se esforzaron por hacer ver que su forma de hablar no se diferenciaba de la mayoritaria, que era el español, porque todos ellos se consideraban gente «de razón». La expresión «de razón» se ha mantenido hasta casi nuestros días en México y ya se incluía en la definición dada en el *Diccionario general de americanismos* por Francisco J. Santamaría (1942): «dícese de la persona de habla española, para distinguirla del indio». En el caso específico de México, la antropóloga Frida Villavicencio afirma que, en el siglo XIX, el desplazamiento de las lenguas indígenas en favor del español experimentó una significativa precipitación. El español llegó a ocupar todos los espacios sociales emergentes y se convirtió en la lengua general de la legislación, la administración y la educación. Los indicadores que revelan la fuerza de esa realidad son fundamentalmente dos: la demografía y el uso de la lengua en los distintos ámbitos de interacción social. De hecho, en el censo de 1895, la población mexicana se agrupó en tres categorías: los que hablaban español, los que hablaban lenguas indígenas y los que hablaban lenguas extranjeras. El 73% se registró en la primera categoría; solo el 17% se reconoció como hablante de alguna lengua indígena.

Uno de los acontecimientos más significativos de todo este periodo decimonónico temprano, con repercusiones en España y en América, fue la formación de las Cortes de Cádiz y la promulgación de la Constitución española de 1812, conocida como «la Pepa» por haberse aprobado el 19 de marzo, día de San José. Esta fue la primera Constitución promulgada en España y supuso una reformulación no solamente del pensamiento político, sino también del lenguaje legislativo. De su contenido nos interesan especialmente dos aspectos, por su incidencia directa sobre la lengua y por la manera de presentar las relaciones entre España y América. En cuanto a este último aspecto, la Constitución de Cádiz planteó sin ambigüedades que las relaciones entre los pobladores de ambos hemisferios no había de entenderse desde un paradigma de preferencias, sino de igualdad bajo una misma entidad política denominada «nación». Los territorios americanos, pues, recibían la consideración de provincias en plano de igualdad con las provincias de España. De este modo, cuando se convocaron Cortes ordinarias, el Decreto incluyó instrucciones sobre la celebración de elecciones tanto en la «península e islas adyacentes», como «en las provincias de Ultramar». En las primeras se formaron juntas preparatorias para cada provincia; para las segundas, se ordenó la formación de juntas en México, Guadalajara, Mérida, Guatemala, Monterrey, Durango, La Habana, Santo Domingo, Santa Fe de Bogotá, Caracas, Lima, Santiago de Chile, Buenos Aires y Manila (Filipinas). El número de diputados habría de determinarse por provincias y por cada 70 000 habitantes. Finalmente, la proporción de peninsulares y americanos no fue de paridad, ya que, entre otras razones, hubo problemas en la elaboración de los censos, pero el hecho significativo es que en las Cortes de 1813 hubo representantes americanos, lo que mostraba la consideración dada a las tierras de América por parte de los peninsulares de ideología liberal. El problema para todos —peninsulares, insulares y americanos— estuvo en que la vida de la Constitución de Cádiz fue corta, pues en 1814 el rey Fernando VII

restauró el absolutismo. La Constitución fue repuesta en dos ocasiones
(1820-1823 y 1836-1837), pero ya era demasiado tarde para unas provincias
americanas que estaban dejando de serlo.

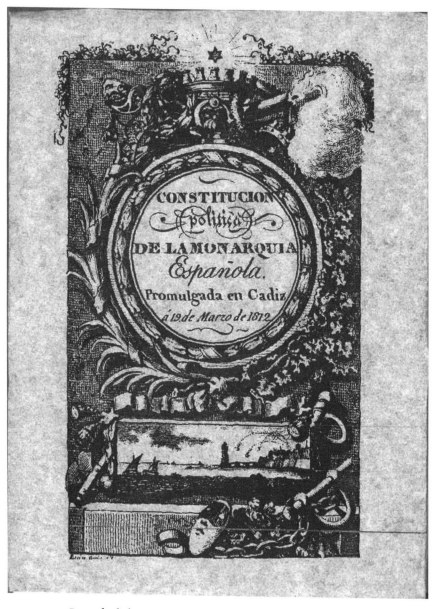

Portada de la Constitución de Cádiz (19 de marzo de 1812),
popularmente conocida como «la Pepa» por haberse promulgado el día de San José

En lo que se refiere a la lengua española, la gran aportación de las Cortes de Cádiz y su Constitución estuvo en la renovación del lenguaje sociopolítico, subsidiaria de una importante renovación ideológica y conceptual, conocida también en Francia y en los jóvenes Estados Unidos. Las Cortes se convirtieron en uno de los principales centros europeos para el debate de ideas: en ellas se planteó la subsistencia de una monarquía sometida al mandato constitucional; allá se abandonó el principio de la religión como razón del Estado; allá se estableció que la tarea principal del Estado es la busca del bienestar de los nacionales. Todo este aparato ideológico, de fundamento liberal, se situaba a la vanguardia del pensamiento político occidental. Y en Cádiz se instituyó también que la soberanía había de recaer en la nación. Este último principio sirvió de guía a numerosos levantamientos, pronunciamientos e insurrecciones, en España y en la América hispana, en Europa y en Norteamérica. En todos ellos, así como en sus juntas, asambleas y parlamentos, el concepto de «nación» estuvo ligado estrechamente al de «lengua», cuya existencia se consideraba imprescindible para la vertebración de las naciones.

Tal entramado de ideas y debates tuvo un reflejo directo sobre la formación de nuevos conceptos políticos e históricos, conceptos que se habían ido construyendo desde la segunda mitad del siglo XVIII y que en la Constitución de Cádiz venían a consagrarse en el uso de la lengua española: *ciudadano, gobierno, nación, soberanía, territorio*. No se trataba necesariamente de palabras nuevas en su forma; se trataba de nuevos contenidos interpretados desde nuevos contextos políticos. La palabra *liberal*, que en el *Diccionario de Autoridades* (1726) se define como «generoso, que graciosamente da y socorre, no solo a los menesterosos, sino a los que no lo son tanto, haciéndoles todo bien», pasa a significar, a comienzos del XIX, 'partidario de las libertades políticas' y así queda consignado en el diccionario de Salvá (1846) y en la edición de 1852 del diccionario académico. La palabra *patria* también adquirió nuevos valores: en *Autoridades* se define simplemente como el lugar, ciudad o país en que se ha nacido; pero en la edición de 1925 se amplía su significado anteponiendo la siguiente acepción: «nación propia nuestra, con la suma de cosas materiales e inmateriales, pasadas, presentes y futuras que cautivan la amorosa adhesión de los patriotas». A mediados del siglo XIX, ya se habían generalizado palabras como *francesismo, jacobinismo, jansenismo*, esta algo más antigua, *masonismo* o *pronunciamiento*. Y junto a ellas otras que gozan de gran actualidad: *guerrilla*, ya definido en *Autoridades*, se exporta a muchas otras lenguas del mundo como un modo español de guerrear, practicado contra las tropas de Napoleón; *bienestar* apareció en la Constitución de Cádiz (escrito separado) y se convirtió desde entonces en un concepto político, prolongado hasta hoy cuando se habla de *Estado del bienestar; terrorismo* se recoge por primera vez en 1825; *progreso* es palabra inventariada a finales del XVIII; y *progresar* se consolida pocas décadas después. He aquí unas muestras del léxico político y social del siglo XIX:

asalariado	*huelguista*
asonada	*intransigente*
autoritario	*manifestación*
barricada	*obrero*
cesante	*patriotero*
clase media	*proletario*
coalición	*radical*
comuna	*radicalismo*
comunismo	*separatista*
descentralizar	*socialismo*
huelga	*socialista*

Pero no todo eran palabras; porque el siglo XIX alumbró y consolidó un nuevo «lenguaje», un nuevo género: el lenguaje político moderno. A este respecto, los estudios de los filólogos Pedro Álvarez de Miranda y de María Paz Battaner son particularmente esclarecedores. En ellos se explica cómo, junto al nuevo paradigma léxico, se generalizaron otros recursos lingüísticos, como el uso de determinados prefijos (*anti-: antifascista, antimonárquico; antiespañol*), sufijos (*-ismo* e *-ista: extremismo y extremista, posibilismo y posibilista; -izar: monarquizar*) o formas compuestas (*anarcosindicalista, radicalsocialista*). Los colores adquirieron significado político (*blanco, amarillo, rojo-colorado, azul*) y los símiles ayudaron a desplegar el humor y la sátira política, también en los insultos: *cavernícola, troglodita*.

La difusión de este «nuevo» lenguaje político y social fue bastante rápida. Es cierto que la mayoría de la población no era cultivada ni tenía acceso a los medios políticos más elevados, pero los cambios lingüísticos se fueron generalizando gracias en gran parte al éxito y el alcance social del periodismo. Y es que los periódicos contribuyeron a crear, desarrollar y difundir todos los elementos del lenguaje político que estamos comentando, tanto en España como en las nuevas repúbli-

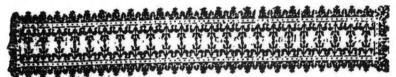

Num. I

DIARIO NOTICIOSO,

CURIOSO ERUDITO,

Y COMERCIAL PUBLICO, Y ECONOMICO

Febrero à 1. *de* 1758.

ARTICULO PRIMERO.

*A los Sabios, Doctos, y Erudiditos, bien inten-
cionados de España.*

MUY Señores mios, y à quienes debo ofrecer mi obsequio, y amor con la sencilléz mas fina, y menos afectada. El empeño que he tomado sobre mis ombros con el establecimiento del nuevo DIARIO CURIOSO-ERUDITO; Y COMERCIAL PUBLICO, Y ECONOMICO, es empressa mucho mas grave de lo que pueden sufrir mis fuerzas. Asi lo conozco: pero deseando que produzca los efectos, que ha concebido mi sana intencion, suplico, con la mas verdadera humildad, tengan à bien V. corregir mis desaciertos, y prestarme, por medio de sus piadosos avisos, todas las luces, que consideren oportunas, para conducirme, con menos riesgo mio, y mas interès del Público, al logro del intento proyectado.

El principal motivo, que me ha sugerido la generosa ossadia de emprehender obra tan vasta, es solo vèr, no sin bastante sentimiento de la razon, el sueño, ò casi letargo de algunos Españoles, que podrian ser utiles, y aun gloriosos para el estado, aplicando sus tareas, y desvelos para honor de la Patria; y desentendidos de esta obligacion, se descaminan à estudios, no solo infructuosos, pero aun nocivos, yà sea derramandose por el espinoso campo de la satyra, ya sea abandonandose à ociosidades, que (aunque en la superficie parecen fatigas provechosas) en el fondo son no mas desperdicios de años, meses, semanas, y dias; mucho penetrarà à ciertos Doctos aparentes esta flecha; pero hagan sufrimiento para el martyrio, pues no hacen lo que les inspira la synderesis como justo.

Raro

Primer número del Diario noticioso, curioso-erudito y comercial público
y económico *(1 de febrero de 1758). En 1788 pasó a denominarse* Diario de Madrid
y continuó publicándose hasta mayo de 1808

cas americanas, sobre todo entre las clases acomodadas. El nacimiento del periodismo en España se suele situar en 1661, con la fundación de la *Gaceta de Madrid*. En América, la *Gaceta de México* se creó en 1722 y la *Gaceta de Santafé*, en 1785. En el primer tercio del siglo xix, las cabeceras periodísticas españolas más relevantes fueron *El Universal, El Censor* o *El Imparcial*, de signo liberal, pero hubo otras muchas: el *Diario noticioso, curioso-erudito y comercial público y económico* (1758-1918) o diversas publicaciones románticas y costumbristas, como *El pobrecito hablador* (1828), de Mariano José de Larra, o *La Alhambra* (1839), donde colaboró José de Espronceda. En América proliferó un periodismo insurgente que llevó a la fundación o al cambio de ideología de numerosas cabeceras: la *Gaceta de Caracas* (1808), *La Aurora de Chile* (1810) o *El Telégrafo* (Bolivia, 1811). Más tarde se desarrolló un periodismo de información administrativa o de difusión ideológica e intelectual, como *El Correo del Orinoco* (1818), fundado por Bolívar, o *El Araucano*, fundado por Andrés Bello en 1830. En 1826, para una población de 38 millones de habitantes en el ámbito hispanohablante americano se publicaban cerca de un millar de periódicos.

Asimismo este periodismo moderno no fue solamente vehículo de divulgación de un nuevo lenguaje político, sino que contribuyó a llevar a toda la población el léxico vinculado a los conocimientos y las innovaciones tecnológicas que los nuevos tiempos iban aportando. El lenguaje de la economía, por ejemplo, comenzó a desarrollarse en el siglo xviii, pero el xix lo popularizó: *balanza, bolsa, bursátil, efectivo, déficit, desfalco, empresa, empresario, exportar, monopolizar, presupuesto, reembolso, superávit*. Los inventos de la época supusieron la creación de léxico para el ferrocarril (*raíl, tranvía, túnel*), para las comunicaciones (*cable, telegrama*) o las exploraciones (*submarino*), por no hablar de la ciencia. Todo se difundía a gran velocidad en el siglo xix; no en vano en 1801 se había inventado el telégrafo mercantil. Definitivamente, los tiempos estaban cambiando para la lengua española.

Personajes, personas y personillas

Gertrudis Gómez de Avellaneda

La Avellaneda fue una mujer que ni perteneció a la nobleza ni tuvo que ingresar en un convento para poder desarrollar y mostrar sus virtudes literarias, lo que la sitúa en la excepcionalidad dentro de la historia de la cultura hispánica. Además, representa la mejor tradición de intercambios entre España y la América hispana, con idas y vueltas, con influencias cruzadas. Nació en la ciudad cubana de Camagüey en 1814 y murió en Madrid en 1873. Su padre era español y su madre cubana, por lo que hay razones para considerarla insigne representante tanto de la literatura cubana como de la española.

Gómez de Avellaneda fue una escritora que dominó la poesía y el teatro, pero que también destacó en la prosa, con sus cuentos y novelas. Se presenta como una de las más destacadas autoras del movimiento romanticista, por la profundidad y verosimilitud de los sentimientos expresados, que fueron vividos en carne propia a lo largo de su azarosa vida sentimental. Cuando tenía 18 años, su familia se trasladó de Cuba a España y ello le abrió la inspiración a la poesía; con 25 vivió una tormentosa aventura llena de pasión y de entrega no correspondidas; con 32 se casó y enviudó, por lo que decidió vivir el luto en un convento, antes de casarse y enviudar de nuevo. Estos sentimientos de amor, pasión, dolor y melancolía se entremezclaron con las mieles del éxito que sus trabajos poéticos y teatrales le proporcionaban. El romanticismo de sus textos no impidió, sin embargo, el despliegue de técnicas estilísticas diversas, en las que demostró su familiaridad con la literatura clásica y renacentista, así como su dominio de muy variados temas, desde la esclavitud a la religión.

En la vida de Gómez de Avellaneda destacó el dinamismo de su actividad social, que le procuró la amistad de lo más granado de la literatura española de la época: Espronceda, Zorrilla, Böhl de Faber. Fue, además, traductora de los más brillantes literatos de la Europa del xix: Lord Byron, Lamartine, Víctor Hugo. El apoyo del público, español y cubano, le abrió los círculos sociales más selectos y su reconocimiento como la escritora más brillante del momento. La calidad y el éxito literario, sin embargo, no le sirvieron para cumplir uno de sus deseos: acceder a un sillón de la Real Academia Española. Ella era una adelantada del pensamiento feminista y veía a la Academia, más allá de la ambición personal, como una vía para hacer visible el lugar que la mujer podría ocupar en la sociedad decimonónica. El resultado del empeño no fue un proceso de elección, sino la aprobación previa de un acuerdo en que se concluía que las «señoras» no podían ser asociadas a plazas de número de la Academia. Así fue, hasta que la escritora Carmen Conde ocupó uno de sus sillones en 1979, más de un siglo después.

José Martí

El poeta y político más querido en toda la historia de Cuba ha sido, sin duda, José Martí, conocido también como el Apóstol de la Independencia o como el Maestro. Nació y murió en la isla, aunque muy joven fue deportado a España, donde cursó estudios de Filosofía y Letras y de Derecho Civil. Desde España viajó a París, Nueva York, México, Guatemala y otros países, con periodos de residencia en Cuba. Su estancia más prolongada en el extranjero fue en los Estados Unidos, desde donde difundió sus ideales, principalmente a través de la prensa, y donde creó comunidades y centros para el apoyo a la independencia cubana. Fue el fundador del Partido Revolucionario Cubano y de su órgano de expresión, el periódico *Patria*. Martí murió en 1895, en Cuba, de varios disparos en uno de los enfrentamientos independentistas.

José Martí fue —además de político— profesor, traductor y escritor. Publicó *La Edad de Oro*, un periódico para niños, así como ensayos, artículos, cuentos, una novela, piezas de teatro y poemas. Estos últimos aparecen reunidos en las obras *Ismaelillo* (1882) y *Versos sencillos* (1891), y han sido calificados como precursores del modernismo. *Versos sencillos* fue escrita en Nueva York, pero su tono personal, su ideal de libertades y su apego a la tierra la convirtieron en un poemario universal, ligado estrechamente a la música hispanoamericana. La canción *Guantanamera* es todo un símbolo del cancionero popular, para los hispanohablantes y para los que no lo son, y sus versos se recitan sin cesar:

> Yo soy un hombre sincero
> de donde crece la palma
> y antes de morirme quiero
> echar mis versos del alma.

El alcance de su obra poética, sin embargo, no resta valor a su obra ensayística y periodística. En ella no solo anhela la independencia y la valoración de las esencias de Cuba y América, sino que advierte de los peligros de explotación y absorción económica por parte de los Estados Unidos.

Lo cierto es que la brevedad de la vida de Martí (42 años) no se corresponde con la profundidad de la influencia de su discurso. La esencia de su pensamiento se concentra en multitud de sentencias salpicadas por su obra y que parecen esculpidas en el sentir y la cultura del pueblo cubano:

«la ignorancia mata a los pueblos»; «El color tiene límites; la palabra, labios; la música, cielo»; «educar es elevar al hombre al nivel de su tiempo»; «cree el aldeano vanidoso que todo el mundo es su aldea»; «las verdades elementales caben en el ala de un colibrí»; «saber leer es saber andar; saber escribir es saber ascender»; «vale más un minuto en pie que una vida de rodillas». El pensamiento de José Martí ha contribuido enormemente a fomentar el sentimiento de comunidad en todos los territorios hispanohablantes.

En dos palabras

escaño

La palabra *escaño* ha tenido una larga vida para designar simplemente un lugar donde sentarse. Procede del latín SCAMNUM, que significaba 'asiento de madera con respaldo'. En las variedades romances peninsulares se documenta desde el siglo X, con distintas grafías (p. e., *escanno*) y también con diferentes matices semánticos, ya que podía designar, además de un asiento, unas andas, una litera, un reposapiés, un banco de piedra, un caballón entre dos surcos o incluso un ataúd, como lugar para el último reposo. Y, siendo *escaño* palabra tan corriente, es natural que se hayan creado derivados y diminutivos, como *escañero* 'el que cuida los escaños en un concejo o ayuntamiento', *escañil* 'asiento pequeño', *escanillo* 'gaveta pequeña' (en Canarias) o *escanilla* 'cuna' (en Castilla). Eso sí, *escaño* no tiene nada que ver con la palabra *escañarse*, derivado de *caña*, como tráquea, y que en tierras de Aragón significa 'atragantarse'.

El diccionario académico define *escaño* como 'banco con respaldo en el que pueden sentarse tres o más personas' y efectivamente ese es su significado en España, Chile y algunas áreas de Centroamérica. Lo que ocurre es que en algunos lugares puede utilizarse para denominar al asiento bajo de madera, sin respaldo, utilizado para ordeñar o para sentarse junto al fuego, y en otros —como La Mancha— en lugar de *escaño* se usa la palabra *banca* y más generalmente *banco* para nombrar al que sirve para varias personas. Pero, las Academias proporcionan un significado más: 'puesto, asiento de los parlamentarios en las Cámaras'. ¿Cómo se ha llegado desde el humilde asiento casero al formalísimo asiento de los políticos parlamentarios? Probablemente porque *escaño* también se había utilizado para denominar los asientos de los teatros, valor que ya existía incluso para la forma latina. Situados los escaños en lugares públicos, resulta más comprensible su empleo en los espacios de debate político, que en muchos lugares tenían —y tienen— disposición de teatro.

El cambio de significado que nos falta, para comprender el uso actual de la palabra *escaño,* se explica por una relación de contigüidad: el nombre que designa el asiento pasa a denominar la posición o puesto de quien lo ocupa. De esta forma, cuando un partido cuenta con tantos *escaños,* viene a significar que dispone de tantos diputados. Las viejas palabras pueden cobrar nueva vida conforme se van produciendo innovaciones en la comunidad de hablantes. El cambio de 'asiento' a 'puesto' para *escaño* no es un proceso excepcional, ya que también las *cátedras* (etimológicamente, 'asientos') vienen a ser los catedráticos con que cuenta una universidad y, cuando se dice que un equipo deportivo tiene una *banca* o un *banquillo* limitado, no significa que quepa en ellos poca gente, sino que los jugadores que lo ocupan no dan para mucho más, por su número o su calidad.

guajiro

Las modalidades lingüísticas americanas se vieron reforzadas en su uso conforme las nuevas naciones se iban constituyendo de modo independiente. Al mismo tiempo aumentaban las distancias entre el lenguaje urbano y el rural, debido a que este no participaba tan intensamente de la renovación surgida de la política y difundida a través de la prensa y de la vida ciudadana. Por eso, los campesinos eran vistos desde las ciudades unas veces con condescendencia, otras veces con melancolía y otras con desprecio. En Cuba, a los campesinos se les dio el nombre de *guajiros.*

Guajiro es una palabra de uso cubano y puertorriqueño que tiene fundamentalmente tres significados, todos relacionados: persona que vive en el campo o procede de una zona rural; persona de modales rústicos; y persona tímida; todo ello, además, puede cargarse con el tono despectivo que el hablante desee: *¡No seas guajiro!* Cuando el hombre de campo es rústico y cerril se habla en Cuba de *guajiro macho* o *guajiro ñongo.* Claro que estos usos son diferentes del gentilicio *guajiro,* aplicado al natural de la Guajira, región de Venezuela y departamento de Colombia.

Con todo, lo más interesante de la palabra *guajiro* son las etimologías que se le han pretendido adjudicar. José Juan Arrom habla de una procedencia arahuaca, con el significado de 'señor, hombre poderoso', que es la que defienden las Academias de la Lengua. Sergio Valdés afirma que indicaba rango social dentro de una etnia natural de Cuba. Ahora bien, la etimología popular anima a defender que la forma *guajiro* procede del modo en que los soldados estadounidenses llamaban a los campesinos cubanos que habían luchado contra los españoles en las disputas anteriores a 1898: *war hero* 'héroe de guerra', pronunciado *guajiro*. El problema de esta explicación está en que, antes de 1840, Cirilo Valverde ya había dejado escrito: «para casarse, como se casó, [...] se había fugado con un joven guajiro del pueblo». Asimismo, el poeta Juan Cristóbal Nápoles Fajardo había escrito antes de 1852 estos versos que, si no muy buenos, sirven al menos para documentar las palabras que nos interesa.

> Por la orilla floreciente [...] donde brilla el sol ardiente
> de nuestra abrasada zona y un cielo hermoso corona
> la selva, el monte y el prado iba un guajiro montado
> sobre una yegua trotona.

Es innegable el encanto de la etimología inglesa para *guajiro*, pero los testimonios se empeñan en demostrar que la palabra existía antes de la llegada de los estadounidenses, por lo que no puede proceder del inglés. El gramático y bibliófilo Vicente Salvá la registraba en su diccionario de 1846 y Esteban Pichardo la documentaba en la segunda edición de su pionero y célebre *Diccionario provincial casi razonado de voces cubanas* (1862). Hay que dar crédito, pues, a las etimologías que apuntan hacia las lenguas indígenas.

14

Lengua y costumbres populares

La configuración sociogeográfica de la España del siglo XIX y el proceso de constitución de las naciones americanas favorecieron el mantenimiento de los usos lingüísticos particulares de cada territorio, especialmente de los más apartados geográficamente y entre los hablantes de menor acceso a la lengua escrita y a la cultura urbana. De este modo, la diversidad interna de la lengua española estuvo íntimamente correlacionada con los niveles de alfabetización —o mejor, de analfabetismo— de cada país, pero al mismo tiempo tenía que ver con su composición étnica y sociológica, y con su grado de urbanización.

En la España de 1841, la proporción media de personas que sabían leer y escribir era del 10 %: el 17 % de los hombres y el 2 %, mujeres; del total de alfabetizados, el 15 % sabía leer, pero no escribir. En 1860, fecha del primer censo nacional de España, el porcentaje de los que solo sabían leer se redujo al 10 % y la media de alfabetizados por completo se duplicó hasta el 20 %. Las cifras eran muy bajas, en cualquier caso, como para que se produjera una difusión relevante del uso culto de la lengua, el más sensible a la incorporación inmediata de las innovaciones que se iban produciendo. El reglamento de las escuelas españolas de Enseñanza Primaria creado en 1838 ya introducía el aprendizaje de la lectura y la escritura desde el comienzo de la escolarización; por su parte, la Ley de Instrucción Pública de 1857 le dio estabilidad al sistema educativo, pero los resultados positivos de todo ello tardaron en llegar. En 1877, el índice de analfabetismo era aún del 66 % en el conjunto de la nación: el 55 % masculino y el 77 % femenino. En realidad, hasta los años treinta del siglo XX no se apreció un crecimiento realmente significativo de la alfabetización en España.

La situación en los países americanos no era muy distinta, si bien se añadía un factor clave diferencial: la población indígena. En 1820, la proporción de hablantes de lenguas indígenas en México era del 60 %, aunque en 1889 se había reducido al 38 %. Esto quiere decir que a lo largo del siglo XIX el universo de la alfabetización en español solo incluía de hecho a la mitad de la población mexicana. En Argentina, país con menor población originaria que México, la tasa de analfabetismo en 1869 era del 77%, aunque 25 años después se había reducido al 53%. En Colombia, el analfabetismo alcanzaba el 66% de la población aún en 1900. Así pues, el desarrollo de los sistemas americanos de enseñanza, inspirados generalmente en el modelo educativo francés, fue muy desigual entre las nuevas naciones. Y es que los sistemas escolares desarrollados en Hispanoamérica desde mediados del siglo XIX estuvieron supeditados a las circunstancias sociales y económicas de cada territorio. Con sus respectivas dificultades, las sociedades americanas fueron configurando sus clases medias y la acción de la escuela se fue ampliando lentamente. En ella se concedía un peso decisivo a los valores ciudadanos: el servicio público, el respeto a las instituciones y los símbolos del Estado; y también el cuidado del lenguaje.

En el marco de este pobre panorama social y educativo, el uso de la lengua española experimentó un refuerzo de sus modalidades regionales y locales, como se ha dicho, pero también se produjeron otros fenómenos más que interesantes. Por un lado, hay que recordar que el periodismo cumplió una importante función de difusión lingüística y cultural propiciada por su agilidad, amenidad y precio, principalmente en los centros urbanos. La prensa resultaba más cercana a las clases medias que los libros impresos o que la enseñanza media y superior, reservada para las minorías ilustradas y los grupos económicos más solventes. Por otro lado, el periodismo también fue un medio decisivo para la publicación de piezas literarias que reflejaban costumbres y modos de vida populares; esto es, para la difusión de una literatura costumbrista en la que quedaban retratados cuadros y perfiles humanos cotidianos o tradicionales. Esta literatura de costumbres, publicada en la prensa y en forma de libros, sirvió como interfaz entre la intelectualidad y las capas medias de la sociedad. Es evidente que la literatura es un recurso al servicio de la población que tiene acceso a la lengua escrita, sin embargo también tiene la capacidad de alcanzar a la gente menos instruida. Y esa capacidad se torna más eficaz cuando los temas tratados y el lenguaje que los expresa son cercanos al pueblo. Eso es lo que ocurrió durante el siglo XIX, en España y en América, con la literatura costumbrista y algunas de sus derivaciones

El costumbrismo fue un movimiento artístico y literario, ligado en sus orígenes al romanticismo, que contribuyó a una concienciación de la clase media sobre su realidad social, incluida la lingüística, así como a una revalorización de las costumbres y los valores tradicionales de cada región o país. Las causas que posibilitaron el éxito del costumbrismo en

cada lugar no tenían por qué coincidir exactamente. En América, las independencias despertaron el interés por las costumbres y formas de vida
típicas de cada territorio. A la vez, la burguesía urbana de España y de
América, inmersa en un mundo de novedades sociales y tecnológicas,
volvía su mirada hacia las realidades cotidianas, alejadas de la trascendencia, hacia los valores tradicionales o hacia los orígenes rurales de las
comunidades. La forma de acercarse a las costumbres populares desde
esta corriente estética no obedecía a un análisis o una crítica social, sino
que buscaba el retrato, el reflejo de la realidad, la reproducción impresionista de los cuadros humanos más típicos de cada entorno. Esa forma de
representar la realidad popular y sus costumbres incluía la vestimenta, el
trabajo, las relaciones sociales, los juegos y, por supuesto, el lenguaje.

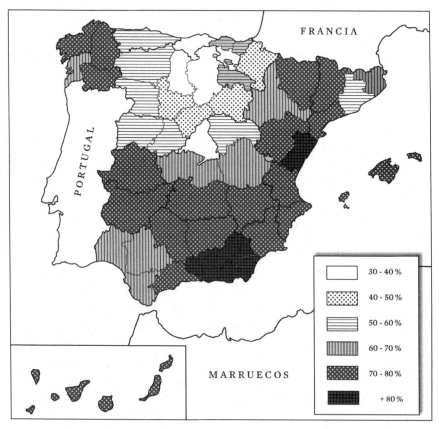

Analfabetismo provincial en España hacia 1877.
(Fuente: G. Espigado Tocino, «El analfabetismo en España. Un estudio
a través del censo de población de 1877». Trocadero, 2, 1990, págs. 173-192)

La literatura costumbrista recogía el lenguaje familiar de cada grupo retratado, reproduciendo modalidades impregnadas de giros populares, coloquiales, característicos de cada área, especialmente los más peculiares o tradicionales, incluidos los usos vulgares: *to* 'todo', *na* 'nada', *pa* 'para', *usté* 'usted', *sordao* 'soldado', *comel* 'comer, *güeno* 'bueno', *m'ha dicho* 'me ha dicho', *mie* 'mire', *pos* 'pues', *probe* 'pobre', *esamen* 'examen', *andara* 'anduviera', *haiga* 'haya', *puédanos* 'podamos, *dijistes* 'dijiste', *me se ocurre* 'se me ocurre'. Una copla popular decía del habla madrileña:

> En Madrid, con ser corte,
> dice la gente
> *hespital* y *pirroquia* ('hospital y parroquia')
> *hespicio* y *juente* ('hospicio y fuente').

También se incluían voces rudas y soeces, dialectalismos, localismos y arcaísmos; voces que resultaba difícil oír en las ciudades o leer en los periódicos, excepto cuando deliberadamente se practicaba un periodismo costumbrista. La fuente más genuina de la que tomar esos elementos lingüísticos era evidentemente el propio pueblo, sus variedades tradicionales, por más que se mediatizaran en el proceso literario. Los escritores reproducían el habla popular y la gente del pueblo se reconocía en ello, alimentándose los unos de los otros. De esta forma, por medio de la literatura de costumbres, se construyó un puente entre las clases menos instruidas y las cultas que alimentó sus respectivas modalidades.

El costumbrismo fue un fenómeno cultural que se manifestó prácticamente en todos los países hispanohablantes. En España, los nombres de Mariano José de Larra y Ramón de Mesonero Romanos sobresalieron nacionalmente y sus obras fueron el más fiel reflejo del Madrid del siglo XIX. Pero su influencia llegó hasta las jóvenes repúblicas americanas, en las que sirvieron de guía en cuanto a intención, técnica y estilo, si bien el costumbrismo americano pronto adquirió carta de naturaleza en cada país, con sus propias manifestaciones. En Argentina, cultivaron el costumbrismo, en algunos de sus escritos, Juan Bautista Alberdi y Domingo Faustino Sarmiento. En Bolivia, lo cultivó Alcides Arguedas, uno de los padres de la narrativa del país. En Colombia, donde se habían escrito textos costumbristas con anterioridad al XIX, destacaron las figuras de José Manuel Groot y Jorge Isaacs. En México, sobresalió José Joaquín Fernández de Lizardi, autor de la obra *El Periquillo Sarniento* (1816), conectada con la picaresca clásica española y considerada la primera novela hispanoamericana. En ella aparecen estampas iluminadas con los elementos del lenguaje propios de cada situación, como este fragmento en el que a Periquillo se le instruye para la vida del juego clandestino:

> Para entrar en esta carrera y poder hacer progresos en ella, es indispensable que sepas *amarrar, zapotear, dar boca de lobo, dar rastrillazo, hacer la hueca, dar la empalmada, colearte, espejearte* y otras cositas tan finas y curiosas como éstas, que aunque por ahora no las entiendas, poco importa.
>
> JOSÉ JOAQUÍN FERNÁNDEZ DE LIZARDI,
> *El Periquillo Sarniento*, 1816; tomo II, cap. 2

En cuanto a Perú, hay que mencionar a Manuel Ascencio Segura, a quien se da el título de padre del teatro nacional, y a Ricardo Palma, quien, entre otras cosas, se preocupó por el léxico peruano y por sus tradiciones nacionales. Todos ellos contribuyeron a la configuración del español de sus respectivos países.

El enorme atractivo del costumbrismo y el éxito popular de sus obras más representativas hicieron posible su evolución o derivación hacia manifestaciones literarias diferentes, aunque vinculadas a él por algunos rasgos comunes reconocibles. La más relevante de todas ellas fue la corriente literaria denominada *realismo*, ligada al mundo de la pintura artística, como también lo estuvo el costumbrismo. Aunque el realismo literario nació en Francia, a mediados de siglo, como una reacción al arte romántico, su aparición en España estuvo ligada al costumbrismo. En Francia, el escritor realista más destacado fue Honoré de Balzac; en España, Benito Pérez Galdós, aunque la calidad literaria de ambos los pone un tanto por encima de cualquier corriente temporal. Las características de la literatura realista, como no podía ser de otra manera, se apreciaban en la forma de su lenguaje: descripciones largas y minuciosas de ambientes, personajes y sensaciones; atención a aspectos de la vida cotidiana, de los gestos y las cosas, con sus denominaciones específicas; estilos adecuados al perfil social y geográfico de los personajes, que interactúan de un modo verosímil, como en este fragmento del santanderino José María de Pereda:

> —Sabía yo por Neluco que andaba usté por ayá; y por eso, y por el aire, y por algo que ha dicho... y por estas corazonás que a lo mejor tiene uno... ¡Hija, lo que me alegro!... ¡Vaya, vaya!... Y ¿cómo está el pobre don Celso?... Mal, creo yo, lo que nos ha dicho Neluco... Porque Neluco es tan

cariñoso y tan... vamos, tan apegao a los suyos, que hora que tenga so-
brante en su obligación, cátale en Robacío... Pero ¿qué hacemos aquí
plantificados en el portal?

JOSÉ MARÍA DE PEREDA, *Peñas arriba*, 1894; XII

Por otra parte, costumbrismo y realismo fueron movimientos tan
pegados al terreno que es natural que tuvieran manifestaciones particulares en los lugares donde se cultivaban. En España surgió el pintoresquismo y el naturalismo. El primero, muy presente en el dibujo y la pintura,
reflejaba escenas en las que se ensalzaba la pureza de la vida rural, alejada
de la modernidad; el segundo, de cuño francés, buscaba la descripción documentada, la fidelidad a los hechos y las cosas, el compromiso con los
protagonistas y sus palabras, fueran estas elevadas o vulgares. El naturalismo fue cultivado por grandes escritores, como el propio Pérez Galdós,
Leopoldo Alas o Vicente Blasco Ibáñez, mientras que el pintoresquismo
fue moneda habitual entre los viajeros extranjeros. Es la época de desarrollo
del mundo taurino moderno, que también dejó su impronta en la lengua
popular. Ahí están expresiones como *crecerse con el castigo*, *echar un capote* 'echar una mano', *ver los toros desde la barrera* 'no implicarse en una
acción', *cortarse la coleta* 'abandonar' o *salir a hombros* 'triunfar'.

En América, la corriente naturalista estuvo representada por autores
como la peruana Clorinda Matto de Turner o el mexicano Federico Gam-
boa. Pero también tuvo manifestaciones más particulares, como es el caso de
la literatura gauchesca en la Argentina, cuyo máximo exponente es *El gaucho Martín Fierro*, un poema narrativo escrito por José Hernández y publicado en 1879. La obra intentaba recrear el modo de vivir y de hablar del
gaucho de la pampa argentina; y lo consiguió, hasta el punto de convertirse
en símbolo de argentinidad. En ella se desplegaba todo el folclore y el imaginario popular de la vida campesina y ganadera, alejada de las ciudades,
pero no exenta de crítica social. El lenguaje del gaucho reflejaba pronuncia-
ciones vulgares —*juego* 'fuego', *vía* 'veía', *apuntaos* 'apuntados'— e incluía
voces populares e indígenas: *atorrante* 'haragán; indolente', *bodrio* 'sopa in-
comestible', *engayolar* 'llevar preso', *bagual* 'caballo salvaje', *chiripá* 'calzón
limpio'. Y abundaba también en sentencias, refranes y modismos ligados a
la vida rural, recurso muy habitual en la historia de la lengua popular:

Cada lechón en su teta, es el modo de mamar.
Siempre es bueno tener palenque ande ir pa rascarse.
La vaca que más rumea es la que da mejor leche.

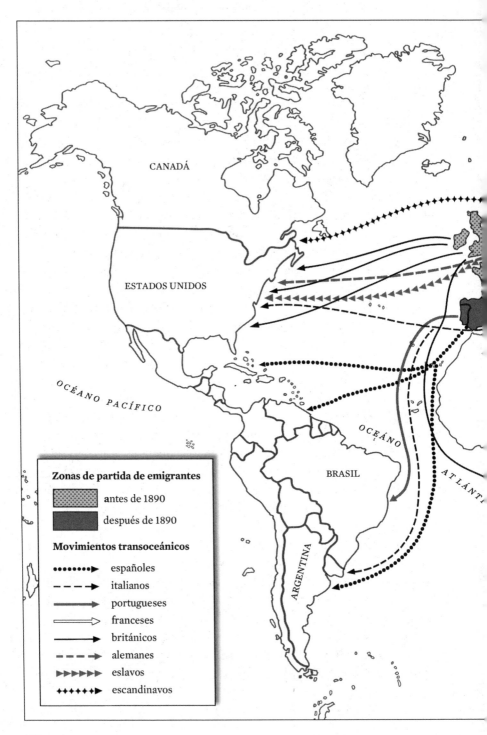

Migraciones europeas

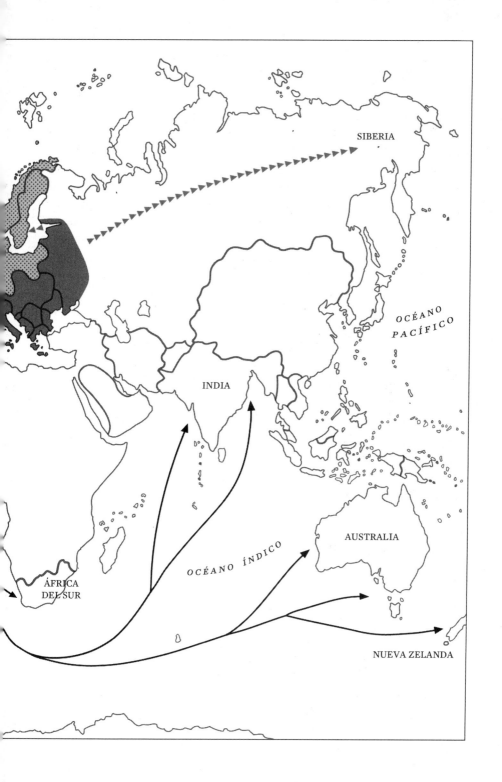

Muchas de las formas gauchescas siguen siendo de uso popular en el Cono Sur. Como lo son palabras y locuciones procedentes de otras modalidades argentinas aparecidas como consecuencia de la inmigración del siglo XIX y principios del XX. En 1853, Argentina sancionó en su Constitución el fomento de la inmigración europea, estableciendo que no se podría «limitar ni gravar con impuesto alguno la entrada en el territorio argentino de los extranjeros que traigan por objeto labrar la tierra, mejorar las industrias e introducir y enseñar las ciencias y las artes». Y así fue. En 1876 se aprobó la Ley de Inmigración y Colonización, que supuso el detonante definitivo para atraer masivamente a inmigrantes internacionales, que se asentaron preferentemente en la costa y en las grandes ciudades. La inmigración significó, por un lado, el incremento general de la población, que pasó de menos de dos millones en 1869 a casi ocho millones en 1914. A finales del siglo XIX, prácticamente tres cuartas partes de los pobladores de la Argentina eran extranjeros.

Los orígenes de los nuevos pobladores argentinos fueron muy diversos, pero destacaron sobremanera dos contingentes: el de españoles, mayoritariamente de Galicia —por eso llaman *gallegos* a la gente de España—, y el de italianos, en gran número piamonteses y genoveses en un primer momento. Entre 1857 y 1940, un 45 % de los inmigrantes fueron de origen italiano y un 32 % de origen español. Este espectacular contexto migratorio, de gentes en contacto, no podía quedar exento de consecuencias lingüísticas singulares. El gran fenómeno que «no» sucedió fue el desplazamiento y sustitución por parte del italiano del español o castellano como lengua vehicular y socialmente dominante dentro de la sociedad argentina. La alta proporción de italianos bien podría haber causado un proceso de sustitución lingüística, liderado desde la gran ciudad de Buenos Aires y, en general, desde la costa, que es donde más italianos se asentaron, dado que los españoles, en gran parte, se establecieron en el interior de la Argentina. Las razones de que un desplazamiento así no llegara a producirse fueron múltiples, como en todos los procesos complejos. Por un lado, el español estaba bien asentado como lengua de las instituciones de la nación, de las familias y personas que regían sus designios económicos y políticos; en otras palabras, la lengua de poder y de prestigio era el español y no la de los inmigrantes pobres que habían llegado a labrarse un futuro. Por otro lado, la diversidad de orígenes nacionales de los recién llegados reforzaba el uso social del español como lengua franca entre todos ellos, como auténtico instrumento vehiculador de la comunicación entre grupos de inmigrantes organizados en redes según su origen geográfico y lingüístico.

Finalmente, las variedades habladas por los italianos, muchos de ellos incultos, no eran coincidentes, por la propia diversidad lingüística de Italia. Todo ello contribuyó al mantenimiento del español.

La otra gran consecuencia lingüística de las migraciones en Argentina fue la aparición de mezclas y alternancias, características de situaciones en que los grupos inmigrantes no dominan la lengua de la comunidad de acogida. Así surgió el *cocoliche*, una mezcla bilingüe de español e italiano, que tuvo cierta presencia social durante las décadas de mayor inmigración y que recibió incluso la atención de la literatura popular y del teatro. De hecho, la palabra *cocoliche* se toma del nombre de un personaje burlesco. En este cocoliche se utilizaban voces como *birra* 'cerveza', *capo* 'jefe', *chau* 'despedida', *chin-chin* 'expresión para brindar', *facha* 'pinta', *gambetear* 'esquivar, regatear', *groso* 'grande', *laburar* 'trabajar', *yeta* 'mala suerte'. Algunos de estos italianismos no eran desconocidos para el español peninsular, pero se revitalizaron en el sur de América.

Ahora bien, la variedad más representativa de la época de la inmigración fue el *lunfardo*, convertida en la jerga del hampa y de la vida marginal bonaerense. En la configuración de esta jerga se combinaron elementos diversos, como los préstamos —del italiano, el francés o el portugués— o las palabras al revés, incluidos términos procedentes de las jergas peninsulares. En 1878 el diario *La Prensa* de Buenos Aires llamaba al lunfardo el «dialecto de los ladrones», aunque el tiempo fue trasladando muchas de sus voces y giros a las clases bajas y medias, a la cultura y a la música a través del tango. Son voces del *lunfa* o lunfardo *bacán* 'persona dinerada y elegante', *engrupir* 'engañar', *vichar* 'espiar', *pucho* 'resto' o *tira* 'policía'. El español del Río de la Plata aún exhibe las huellas lingüísticas de la inmigración como atributos atesorados y moldeados por el tiempo.

Personajes, personas y personillas

El Birris

La del alba sería cuando el Birris cargó su carro, enganchó las mulas, una detrás de la otra, ató dos perros galgos a los varales y echó a andar por la carretera de Valencia. Entre las mercaderías llevaba ajos, azafrán, bacalao, garbanzos, quesos, sardinas saladas, chocolate y vino, además de otros objetos de trabajo, como romanas de pesar, medidas de grano, albardas, azadillas, espuertas y serones. Los perros le servían de compañía, pero sobre todo evitaban con sus ladridos que los muchachos le saquearan el carro en las cuestas, cuando el ritmo de las mulas se hacía cansino. Como él, había al menos otros cincuenta arrieros en su pueblo, Quintanar de la Orden, en Toledo, en el corazón de La Mancha. Cuando terminaba la vendimia, los arrieros echaban a rodar por los caminos para ganarse la vida vendiendo sus cosas. Estaba más que mediado el siglo xix y Javier de Burgos ya había puesto en práctica su división provincial de España, por la que Quintanar veía reforzada su posición como centro distribuidor de productos y servicios.

Como era habitual en la época entre gentes de una misma profesión, los arrieros quintanareños crearon una jerga, incomprensible para el ajeno, a la que le dieron el nombre de *caló*. En esta jerga de arrieros se atribuían significados nuevos a palabras ya existentes, se creaban metáforas ocurrentes y se utilizaban multitud de nombres propios con referentes locales o regionales. Entre arrieros se oían frases como estas:

la de ariepa de hoy me invita a jalar chipola con andújar y pedroñeras
'en la carta de hoy me invitan a comer cordero con aceite y ajos'

el tolimo de la mesada peor que un senador
'el hombre tiene la cabeza peor que un burro'

aculla birris y no conoce a la tía jacinta
'está borracho y no tiene vergüenza'

Efectivamente, Birris significaba 'borracho'. Y es que el pobre hombre, después de mucho trabajar, acabó prefiriendo la taberna al carro y sus paisanos quisieron inmortalizar su recuerdo a través de las palabras del caló. Pero el Birris también contribuyó a crear la jerga quintanareña: entre todos llamaron *pijama* al ataúd, *senadores* a los borricos, *banderillas* al boticario y *trepadora* a la cabra. Al Birris le divertía mucho utilizar la jerigonza con sus amigos.

NOTA. Durante los siglos xviii y xix, las regiones españolas en las que más jergas proliferaron fueron Galicia, Asturias y León. Allí crearon sus particulares códigos comunicativos los tejeros, los canteros, los albañiles, los afiladores, los paragüeros, los cesteros, los romeros o los marineros. En Segovia, en el centro de España, se hizo célebre la jerga de los trilladores, fabricantes de trillas o trillos, a la que llamaron *gacería*. Todas esas maneras de hablar forman parte de la historia de la lengua. El problema es que estuvieron tan ligadas a un solo grupo humano y a un particular modo de vida que, cuando se diluyó el grupo o desapareció el oficio, la jerga acabó olvidándose por completo. Ese fue el destino de numerosas jergas profesionales, arrasadas por las innovaciones del siglo xx, como el caló de los arrieros toledanos de Quintanar de la Orden.

Doña Carmelita, la yerbera

En un humilde puesto del mexicano mercado de Oaxaca, sobre una pequeña mesa y bajo un toldo protector del sol inclemente, doña Carmelita coloca con esmero las hierbas —o yerbas— que los clientes suelen pedirle cada día: la mejorana, que abre el apetito; la artemisa, que regula la menstruación; el orégano, que alivia la vesícula; el anís, que expulsa los gases del estómago; la canchalagua, que es depurativa. La yerbera tiene remedio para todo y la gente se arremolina a su alrededor para confiarle sus males o, simplemente, para escuchar los sabios consejos de la vieja. La yerbera doña Carmelita tenía también una pequeña tienda junto al convento de Santo Domingo, por la que pasaban sin cesar viejos y jóvenes, mujeres y hombres con sus pequeñas y grandes preocupaciones. Todos escuchaban atentamente a la yerbera; todos respetaban sus palabras.

Un día de 1870 se acercó a su tenducha un periodista extranjero, corpulento y de ojillos inteligentes. Andaba buscando el nombre de un hongo especial, un producto cuyo secreto solo conocían los indios y que volvía loco a quien lo tomaba. Doña Carmelita contestó escuetamente: «Teyhuinti». El periodista la miró con ojos insatisfechos y la vieja añadió: «Ese hongo es amargo, pero agradable y hace reír cuando no se tiene gana. ¿Para qué lo quiere?». El periodista respondió: «Para nada. Solo quería confirmar una información. Dicen que la emperatriz de México, Carlota, la que vino de Europa con el archiduque de Austria, murió en estado de locura por culpa de ese hongo y que se lo vendió una yerbera de la ciudad cuando la emperatriz buscaba una pócima para quedarse encinta». Doña Carmelita musitó entre dientes: «Cualquier patriota se lo habría inoculado a un emperador extranjero».

Doña Carmelita, la yerbera, parecía saberlo todo. En verdad, sus redes de intercambio, con proveedores indígenas y mestizos, con clientes de todos los estratos sociales, la colocaban en un lugar privilegiado dentro de la comunidad; un lugar desde el que con todos hablaba, de todos aprendía y a todos enseñaba. No era, pues, de extrañar que su tienda y su puesto fueran focos de irradiación y cambios lingüísticos. Y es que doña Carmelita, la yerbera, era una mujer de fiar, nacida del pueblo, con un profundo sentimiento mexicano y una forma de hablar auténticamente oaxaqueña.

En dos palabras

gaucho

El *Diccionario de americanismos* de las Academias define *gaucho* así: «Hombre de campo, experimentado en las faenas ganaderas tradicionales, especialmente las de la pampa», y añade en una segunda acepción «Jinete trashumante, diestro en los trabajos ganaderos». La relevancia del gaucho en la literatura rioplatense y en la tradición rural de Argentina, Uruguay y Paraguay ha propiciado algunas extensiones semánticas, relacionadas todas ellas con supuestos atributos de este prototípico personaje: en Argentina y Uruguay se aplica el adjetivo *gaucho* o *gaucha* a la persona noble, solidaria y generosa; en Paraguay se llama *gaucho* al amante o al hombre mujeriego y conquistador; en Chile y Bolivia llaman *gaucho* a lo relativo a la Argentina. Asimismo la fuerza referencial y afectiva de esta voz explicaría los muchos derivados que de ella han nacido: *gauchada* 'favor, servicio; narración popular; grupo de gauchos'; *gauchaje* 'grupo de gauchos'; *gauchar* 'merodear, vagabundear;' *gauchesco* 'que tiene que ver con los gauchos'.

La palabra *gaucho* aparece documentada desde 1782, según Corominas y Pascual. En 1790, Félix de Azara hablaba de unas gentes del Río de la Plata y Brasil llamadas *changadores* o *gauchos*, como revela el *Corpus del Nuevo Diccionario Histórico* académico. El caso es que el empleo de *gaucho* se convierte en común a partir de 1845, dándose inicio prácticamente desde entonces a toda una retahíla de propuestas sobre el posible origen de tan emblemática palabra. A modo de ejemplo de lo estimulante que puede llegar a ser el campo de la etimología para algunos eruditos e intelectuales, a menudo con escasa formación filológica, diremos que se ha querido ver su origen en el francés *gauche* 'zurdo; torpe', en el latín *gaudeo* 'alegre', en el árabe *chaouch* 'arreador de animales', en el portugués *gauderio* 'ladrón de caminos, bandido errante', en el caló *gachó* 'extranjero; hombre; amante' o en el araucano *cauchu* 'hombre fino, astuto'. Mayor variedad de posibilidades etimológicas es difícil encontrar para una sola palabra.

Desde el terreno de las hipótesis, la etimología que cuenta con una mayor base justificativa es la que relaciona *gaucho* con una voz quechua *wacha* o *wakch* que significaba 'pobre, indigente; huérfano'. De ahí procedería el actual uso de *guacho* 'niño, bebé' en tierras andinas y de ahí podría haber surgido un *guaucho* que después daría *gaucho*. Esta idea se apoya en el hecho de que en Colombia existe la forma *guaucho* con el significado de 'huérfano; becerro sin madre', así como *gaucho* 'expósito, huérfano', utilizado en el Valle del Cauca y en los departamentos del sur de Colombia. En el sur de Brasil, en el estado de Río Grande del Sur, se usa *gaúcho* con acentuación en la *u*, pero los diccionarios brasileños suelen darlo como voz originaria del Río de la Plata para designar a los originarios de allá, a los del propio estado brasileño, a los que se dedican a la cría del ganado vacuno y caballar, y al animal u objeto sin dueño. En cualquier caso, el misterio sobre el origen de la palabra no hace sino alimentar el mito del gaucho como símbolo rioplatense.

ballenato

Para un hablante medio de español, la voz *ballenato* es sencilla de explicar; se refiere simplemente a la cría de la ballena y está formada mediante el sufijo *-ato*, utilizado para designar las crías de animales, como en *cervato* 'cría del ciervo' o *chivato* 'cría de la cabra'. Por su lado, la forma *ballena* deriva, como tantas otras, del latín; en este caso de BALLAENA. No obstante, la historia de las palabras, siempre sorprendente y particular, demuestra que es posible asociar a una palabra de apariencia sencilla significados que nada tienen que ver con su origen formal. Uno de estos casos es el empleo de *ballenato* para denominar a los nacidos en Madrid, uso frecuente hasta el siglo XIX y que ya no es conocido entre españoles.

La denominación de *ballenato* aplicada al madrileño tiene su origen en una anécdota mencionada en la literatura de los siglos XVI y XVII. La leyenda cuenta que un día se corrió la voz a lo largo y ancho de Madrid de que por el río Manzanares bajaba una ballena. El asunto sorprende más si se conoce que el Manzanares ni afluye al mar ni tiene un caudal de importancia; de hecho Francisco de Quevedo lo llamó «arroyo aprendiz de río». La alarma sobre tan sorprendente portento provocó la preocupación de la gente, que en poco tiempo se precipitó a las orillas del río armada de palos y picas para acabar con la vida del desubicado cetáceo. La sorpresa para todos fue que quien daba la voz de alarma no era sino un desesperado bodeguero que veía perderse río abajo una barrica repleta de vino, por lo que no sin razón advertía: «Va llena, va llena». De ahí salió el apelativo: los madrileños son los de la ballena y los hijos de la ballena son los *ballenatos*. En la versión del Siglo de Oro, no se trata de una barrica de vino, sino de una albarda de burro, pero tanto da.

Sin embargo, en la actualidad es más frecuente referirse al *ballenato* para otra cosa. El académico *Diccionario de americanismos* lo define como «Canción o baile popular cuya música se hace casi siempre con acordeón; es nativo de la zona norte colombiana». Efectivamente, cada vez es más frecuente bailar y tocar ballenato junto a otras exitosas manifestaciones de la música hispanoamericana: salsa, cumbia, bachata, merengue. Ahora bien, ¿de dónde procede esta denominación? Para averiguarlo, hay que consultar el mismo diccionario, pero por la letra *v* que incluye la voz *vallenato*, marcada como colombiana y definida así: «Baile popular típico de Valledupar». El nombre de esta ciudad del norte colombiano se formó desde «Valle de Upar», aunque también se suele aludir a ella simplemente como «el Valle». Su gentilicio, *vallenato*, probablemente fue una denominación despectiva propuesta desde fuera del lugar, por lo que se creó *valduparense* como alternativa más considerada. El gentilicio primero, no obstante, pasó a denominar la música más popular y característica de la ciudad, que está consiguiendo recuperar el prestigio de la palabra, tanto si se escribe con *v*, que parece lo natural, como si se escribe con *b*.

15

Las normas del español

Entre finales del siglo XVIII y principios del XIX, la Real Academia Española había conseguido consolidar su dinámica interna y gozar de aceptación externa. En el plano ortográfico, las propuestas académicas iban matizándose paso a paso, siempre dentro de los criterios generales establecidos desde los comienzos y con una tendencia a la simplificación: en 1754 se suprimió el uso de *ph* (ya no *pharaón*, sino *faraón*) y se fijaron reglas de acentuación; en 1763 se prescindió de la *ss* duplicada (ya no *processo*, sino *proceso*); en 1803 se incluyeron como letras dobles la *ch* y la *ll*; en 1815 se ordenó el uso de la *q* (*queso, quiso*), se distribuyó el de la *x* (ya no *dixo* 'dijo', pero sí *examen*) y la *y* se fijó como consonante, excepto en posición final de palabra (*ley, rey, y*). Las reglas de la ortografía iban modificándose y a la vez incorporándose en la escritura y en la enseñanza de la comunidad hispanohablante. En España, la gramática académica pasó a ser obligatoria para las escuelas desde 1780 y la Ley de Bases del ministro Claudio Moyano (1857) confirió carácter preferente a todas las obras académicas.

En cuanto a América, el hecho de que la lengua española fuera uno de los fundamentos de las instituciones de las nuevas repúblicas no significó que fuera aceptada sin reflexión ni debate. En principio, las Constituciones americanas, como la de México (1857), no incluyeron declaraciones de lengua oficial y se aceptaba como válido el modelo peninsular y su norma académica. Esto no nublaba, sin embargo, la consciencia de la divergencia entre modalidades, como se deduce de la inclusión de glosarios en las obras americanas destinadas a distribuirse también en España. Además, en los procesos de emancipación, tan importante fue definir los rasgos propios, como marcar distancias respecto del punto de origen. ¿Cómo habría que interpretar, pues, la relación del nuevo español americano con el de la vieja metrópoli? Evidentemente, la lengua era la misma, al tiempo que su historia y prestigio constituían un activo para todos; pero igualmente palmarias eran las diferencias entre las variedades americanas y las españolas. ¿Qué hacer? ¿Adoptar los usos propios de los peninsulares? ¿Alejarse del español de España en lo posible? ¿Mantener o romper los vínculos culturales con la península? El asunto se volvía peliagudo a la hora de fijar una norma para la enseñanza y el uso culto de la lengua. ¿De dónde debería emanar esa norma? ¿Quién debería fijarla y cómo?

Entre los intelectuales de la América independiente, se dieron dos tipos de actitudes claramente diferenciadas en relación con España: la separatista y la unionista. Tales actitudes afectaban de modo directo a la lengua española, aunque sobrepasaban sus límites. La corriente *separatista* tuvo sus inicios en Argentina, con la llamada «generación del 37», y proclamaba una total independencia lingüística y cultural de España. Esa independencia implicaba no solo el establecimiento de diferencias de uso hablado entre el español peninsular y el americano, sino también su traslado a la norma y a la escritura. Esto motivó la propuesta de reformas ortográficas, como la de Domingo Faustino Sarmiento, que se respaldaba en afirmaciones de este tipo:

> Para enseñar a pronunciar la z de los castellanos se necesita dar mayor fuerza a nuestra s, para que se asemeje a la de aquellos, y esto es a más de imposible, ridículo; por lo que después de todo el trabajo con que se consigue que un joven lea afectada y ridículamente a la española, desde el momento que habla, vuelve a la pronunciación del país, a la que ha mamado con la leche.
>
> DOMINGO FAUSTINO SARMIENTO,
> *Memoria sobre ortografía americana*, 1843

Sarmiento proponía prescindir de la grafía *z*, así como de *v*. Sin embargo, sus argumentos, que no dejan de ser certeros, los revestía de otro tipo de razones: «Anunciémosla [a América] que nos hemos decidido a conformarnos con la razón y el buen sentido en materia de ortografía, y veinte millones de americanos nos saludarán como a quienes les ayuda a desprenderse de la única guerra que tiene todavía la España sobre nosotros». Efectivamente, la lengua era tratada como materia bélica y como símbolo de una independencia que había de completarse. Para Juan Bautista Alberdi tal independencia solo podría conseguirse de un modo: abandonando el español o castellano como lengua materna, refiriéndose al peninsular, y adoptando un modelo diferente. La iniciativa había surgido en 1828, cuando el también argentino Juan Cruz Varela introdujo la cuestión del «idioma nacional», continuada por Luciano Abeille en su obra *Idioma nacional de los argentinos* (1900), con reminiscencias hasta la actualidad. El asunto de la denominación de la lengua es vital en lo que a la adopción de posiciones se refiere. En el siglo XIX ya lo era, como se observa, por ejemplo, en los nombres oficiales que la materia gramatical recibía en Argentina: en 1855 se llamó «gramática española»; en 1865, «gramática castellana»; en 1884, «idioma nacional»; en 1891, «idioma castellano»; en 1901, «idioma patrio». En la actualidad, América del sur prefiere el nombre *castellano* porque *español* se identifica como propio y característico de España, aunque un nombre y otro tienen justificación en cada uno de los territorios donde se utilizan, en América y en Europa. Por otra parte, las décadas intermedias del XIX conocieron el intento de creación de una «Academia de la lengua americana» en Bolivia (1826) y de una «Academia de la Lengua en México» (1835), a lo que habría que añadir la creación en Madrid de una «Academia Literaria y Científica de Profesores de Instrucción Primaria», que en 1843 llegó a publicar un proyecto pedagógico de reforma ortográfica. Efectivamente, las propuestas separatistas estaban en plena ebullición en aquella época.

Frente a la corriente separatista se situaba la *unionista*. Obviamente, esta actitud abogaba por la identificación de la lengua española, fuera en la variedad que fuera, como una sola realidad, susceptible por tanto de sustentarse en una sola norma, incluida la ortográfica. En el prólogo de su *Gramática de la lengua castellana destinada al uso de los americanos*, el venezolano Andrés Bello hizo una afirmación representativa de este planteamiento unificador:

> Juzgo importante la conservación de la lengua de nuestros padres, en su posible pureza, como un modo providencial de comunicación y un vínculo de fraternidad entre las varias naciones de origen español, derramadas sobre los dos continentes.
>
> ANDRÉS BELLO, *Gramática de la lengua castellana destinada al uso de los americanos*, 1832

La cita es más que relevante porque Bello fue uno de los intelectuales que propuso una reforma ortográfica, vigente en Chile como ortografía oficial entre 1844 y 1927, aceptada y utilizada en Argentina, Colombia, Ecuador, Nicaragua o Venezuela en los mismos años. La diferencia entre la propuesta de Bello y la de los separatistas estuvo en que Bello buscó una racionalidad ortográfica que facilitara la enseñanza en las escuelas, no una independencia ideológica de España a toda costa. De hecho, Bello acabó retirando su ortografía en beneficio de la comunicación y la fraternidad entre las naciones hispánicas.

El criterio unionista encontró un profundo arraigo en la mayor parte de los territorios hispanohablantes, basado en el sentido de comunidad, la conservación de una herencia y el deseo de evitar las debilidades de una lengua fragmentada. Este deseo y la ideología que lo sustentaba se plasmaban en dos hechos: en primer lugar, una concepción jerarquizada de la lengua, que distinguía lo puro y correcto de lo corrupto, lo castizo de lo vulgar, y que concedía a España, en materia lingüística, primacía entre las naciones hispanohablantes; en segundo lugar, la disposición de una enseñanza prescriptiva de la lengua, con el fin de salvaguardar en lo posible su pureza, con el auxilio de gramáticas, diccionarios y ortografías. De ahí que durante décadas muchos centros educativos en todo el mundo hispánico hayan priorizado el aprendizaje de las reglas sobre el de la interacción lingüística y la práctica de la escritura sobre la oralidad. Entre las gramáticas y diccionarios publicados durante el siglo XIX, brillaron con luz propia la mencionada de Andrés Bello y la del valenciano Vicente Salvá (1827), aunque los criterios que guiaran su redacción fueran distintos.

Con semejante panorama ideológico y político, plasmado en numerosas realidades nacionales, con procesos constitutivos que supusieron cambios muy radicales, en medio de unas sociedades multiétnicas, podría interpretarse como maravilla que finalmente la evolución de los acontecimientos concluyera en una sola y reforzada comunidad idiomática. En el mundo hispánico existe una tendencia centrípeta, una corriente de reconocimiento en el otro, una búsqueda de lo común sobre lo diferente, que lo ha fortalecido como comunidad durante siglos, más allá de las peculiaridades a las que nadie, ni España, México, Argentina, Colombia, Perú o cualquier otro país, está dispuesto a renunciar. En este sentido, los hablantes no ilustrados suelen ser bastante más pragmáticos y clarividentes que los expertos y eruditos, si bien nunca han faltado intelectuales convencidos de las ventajas de la unidad, como el argentino Esteban Echevarría, el colombiano Rufino José Cuervo o el uruguayo José Enrique Rodó, que abogaban por un compromiso de todos los países hispánicos.

En relación con la norma del español, el efecto centralizador de la Real Academia Española fue evidente desde su misma creación. Pero esto no fue óbice para que existiera una consciencia, interés y preocupación por las variedades de la lengua, con el condicionamiento ideológico de cada época. En el primer diccionario académico, el de *Autoridades*, hubo

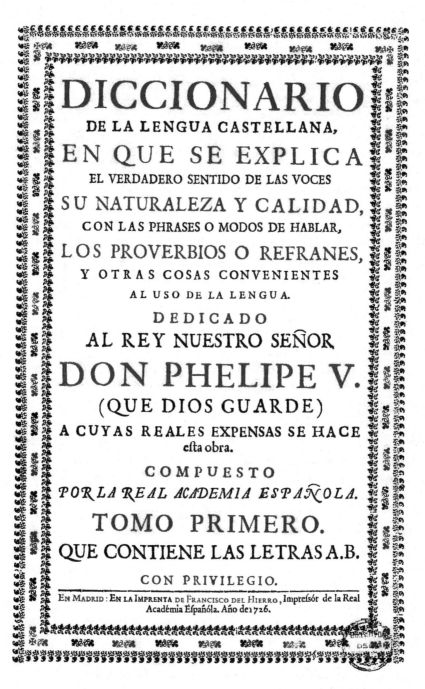

Portada del primer tomo del Diccionario de Autoridades
(*Real Academia Española, 1726*)

un reconocimiento expreso de las voces provinciales y del espacio que habían de ocupar en la lengua. Este hecho se demostró en el interés por elaborar un «catálogo general» de voces, frente a la intención de las academias francesa e italiana, que daban prioridad al registro de la lengua culta. Además, entre los textos sobre los que se basaban las entradas del diccionario, los había también no literarios, lo que favorecía la aparición de voces regionales. En definitiva, quería elaborarse un registro de voces: «el más copioso que pudiera hacerse», se decía en su prólogo. Y allí se incluyeron americanismos como *canoa*, *iguana* o *tabaco*, y su manejaron citas del Inca Garcilaso de la Vega y de diversos cronistas de Indias. Pero no era suficiente.

En el diccionario académico de 1780 se incluyeron voces provinciales procedentes de 12 regiones peninsulares. Cierto es que la incorporación de provincialismos fue muy irregular y descompensada, pero es que no dependía de criterios de ciencia, sino de coincidencias espurias, como la de contar con colaboradores que garantizaran la abundante provisión de las voces provinciales correspondientes. En esta línea, los contactos con intelectuales americanos comenzaron a establecerse muy pronto y algunos de ellos fueron nombrados académicos correspondientes, con Andrés Bello a la cabeza. Poco después se planteó la conveniencia de contar con una red de Academias, que finalmente se concibieron como correspondientes de la Española y con cierta relación de dependencia, ajenas a todo objeto político y autónomas respecto de los respectivos gobiernos. Así, en 1871 se creó la Academia Colombiana de la Lengua y después llegarían la Ecuatoriana (1874), la Mexicana (1875) y las de los demás países hispánicos, incluidas la Filipina (1924) y la Norteamericana (1973), con la Ecuatoguineana en proceso de formación.

Aún en el siglo XIX, la fecha más señalada, en lo que a la atención a la diversidad hispánica se refiere, fue la de 1884, fecha de publicación de la 12.ª edición del *Diccionario de la lengua castellana*. Puede decirse que, a partir de este momento, el español de América adquirió carta de naturaleza en el catálogo académico, en parte como consecuencia de la fundación de las academias americanas de la lengua española y en parte como respuesta a un movimiento intelectual que intentaba redefinir las relaciones culturales entre España y América. La edición de 1884 se hizo eco en su prólogo de la hermandad de la Española con las academias americanas, que comenzaban a hacer sus aportaciones léxicas para enriquecimiento de las obras académicas. Se menciona especialmente la hermandad con las academias colombiana, mexicana y venezolana, y la relación de etiquetas geográficas en el diccionario se incrementó con marcas tan significativas como «América», «Antillas», «Cuba», «Filipinas», «Colombia» o «Méjico», aunque aún fuera patente su desequilibrio con el etiquetado de las áreas peninsulares.

Pero, sin duda, la edición del diccionario que supuso un hito auténtico para el tratamiento de las variedades del español, sobre todo de América, fue la 15.ª, que vio la luz en 1925. Este nuevo *Diccionario de la lengua española*, llamado así por vez primera, dio un salto decidido hacia un adecuado tratamiento del americanismo, al que consagraba la máxima atención posible en la época. La nómina de etiquetas geográficas se acrecentó con incorporaciones como «Río de la Plata», «Puerto Rico», «Guatemala», «Nicaragua», «Salvador», «Paraguay» o «Uruguay». La incorporación del español de América al acervo académico ya no tenía marcha atrás.

La adecuación del proyecto académico a los nuevos tiempos y mentalidades condujo en 1951 a la fundación de la Asociación de Academias de la Lengua Española, que supuso un nuevo impulso para la difusión de una imagen internacional del español. Y en este contexto se tomó la decisión formal de abordar un diccionario de americanismos que solo vio la luz 60 años después. Antes, en la edición del diccionario usual de 1992, conmemorativa del V Centenario de la llegada de Colón a América, se había hecho otro gran esfuerzo por mejorar la representación americana, tanto cualitativa como cuantitativamente, y en las de 2001 y 2014 se afinó mucho más la información lexicográfica, gracias al empleo sistemático y exhaustivo de herramientas informáticas que contribuyeron a mejorar enormemente todo el material etiquetado del diccionario académico, incluida la información sobre la variación dialectal.

Si se está llamando la atención sobre la actividad de las Academias dentro de una historia de la lengua española, no es porque el protagonismo de la evolución lingüística corresponda a las instituciones. Sencillamente no es así; pero los hablantes han de conjugar las tendencias que su lengua experimenta internamente, con los condicionamientos externos de cada época, sea en forma de contactos lingüísticos, sea por la adaptación a las nuevas realidades materiales o intelectuales, sea en forma de reglas, normas o criterios, dictados desde las instituciones —o de quien cumpla una función similar— y difundidos a través de la enseñanza o de los medios de comunicación social. Las Academias no son imprescindibles para el uso idiomático, como lo demuestra su inexistencia, por ejemplo, para la lengua japonesa o la inglesa, aunque el presidente Thomas Jefferson llegó a proponer la creación de una en los Estados Unidos.

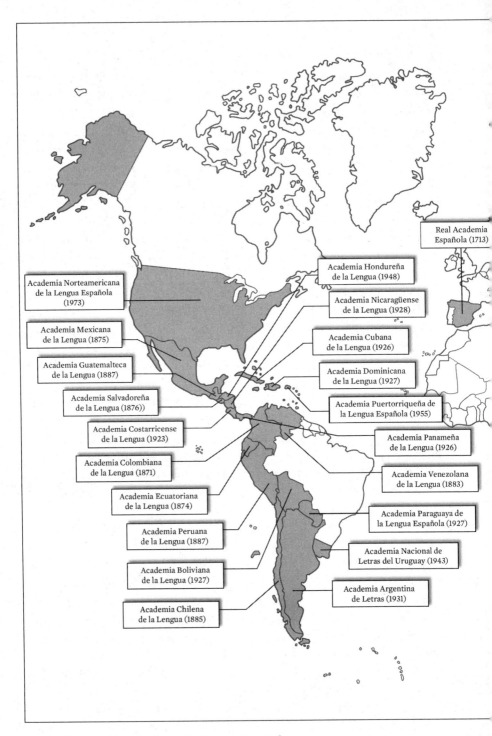

Real Academia
Española (1713)

Academia Norteamericana
de la Lengua Española
(1973)

Academia Mexicana
de la Lengua (1875)

Academia Guatemalteca
de la Lengua (1887)

Academia Salvadoreña
de la Lengua (1876))

Academia Costarricense
de la Lengua (1923)

Academia Colombiana
de la Lengua (1871)

Academia Ecuatoriana
de la Lengua (1874)

Academia Peruana
de la Lengua (1887)

Academia Boliviana
de la Lengua (1927)

Academia Chilena
de la Lengua (1885)

Academia Hondureña
de la Lengua (1948)

Academia Nicaragüense
de la Lengua (1928)

Academia Cubana
de la Lengua (1926)

Academia Dominicana
de la Lengua (1927)

Academia Puertorriqueña de
la Lengua Española (1955)

Academia Panameña
de la Lengua (1926)

Academia Venezolana
de la Lengua (1883)

Academia Paraguaya de
la Lengua Española (1927)

Academia Nacional de
Letras del Uruguay (1943)

Academia Argentina
de Letras (1931)

Fundación de las Academias de la Lengua Española

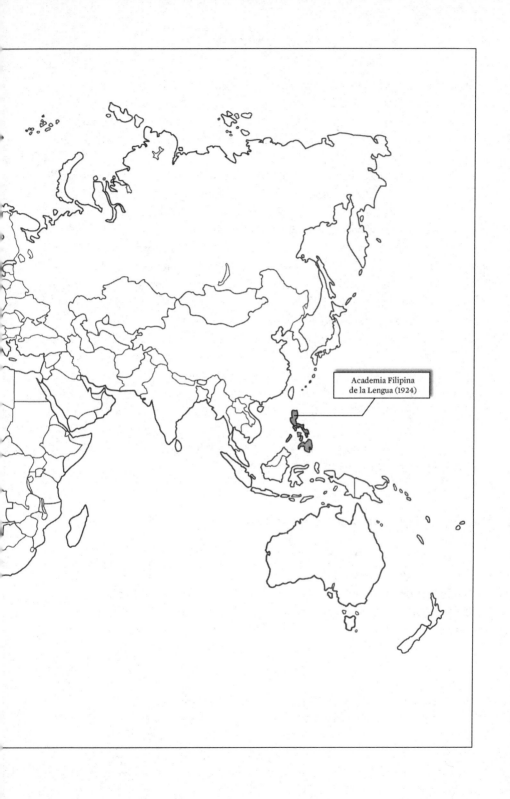

Academia Filipina
de la Lengua (1924)

Sin embargo, la función que cumplen las Academias responden a una demanda social cierta y afecta a dos espacios esenciales: la escritura y la enseñanza. En los dominios que no cuentan con Academias para cumplir una función normativa, otras entidades, públicas o privadas, son las que asumen la tarea.

En el caso del espacio hispanohablante, las Academias han contribuido de modo decisivo a la percepción del español como unidad idiomática, dentro y fuera de sus comunidades. Las normas compartidas favorecen la identificación de los hablantes en un mismo espacio comunicativo y refuerzan la cohesión de la comunidad en cuanto a la cultura y a la percepción del mundo. Esto no significa necesariamente uniformidad; también implica flexibilidad y multiplicidad. Como es natural, para que la diversidad hispánica haya podido derivar en acciones coordinadas a la hora de elaborar las normas, ha sido necesario desarrollar una actitud de *conciliación*, lejos del *separatismo*. Esta actitud conciliadora existió ya en el siglo XIX, pero se ha materializado desde finales del siglo XX en forma de política panhispánica. En virtud de esta evolución del pensamiento académico y gracias a los avances en la investigación lingüística, las normas del español en la actualidad son discutidas, elaboradas y sancionadas por todas las Academias, no solo por la Española, y se presentan en gran medida en forma de recomendaciones respetuosas con los usos cultos de cada una de las grandes regiones hispanohablantes.

Personajes, personas y personillas

Andrés Bello

Nacido en Caracas en 1791 y fallecido en Santiago de Chile en 1865, Andrés Bello es tal vez el más grande gramático de nuestra lengua y uno de los más sobresalientes del mundo. Su *Gramática de la lengua castellana* tenía como subtítulo «destinada al uso de los americanos» (1847) y en su prólogo decía:

> No tengo presunción de escribir para los castellanos. Mis lecciones se dirigen a mis hermanos, los habitantes de Hispanoamérica.

En contra de lo que pudiera parecer, no había afán de separatismo. Su intención era hacer ver que las variedades americanas no merecen ser tratadas como desviaciones de una supuesta lengua «normal», la castellana, sino como formas diferentes de manifestarse la normalidad.

> No se crea que recomendando la conservación del castellano sea mi ánimo tachar de vicioso y espurio todo lo que es peculiar de los americanos. Hay locuciones castizas que en la Península pasan hoy por anticuadas y que subsisten tradicionalmente en Hispanoamérica ¿por qué proscribirlas? [...] Chile y Venezuela tienen tanto derecho como Aragón y Andalucía para que se toleren sus accidentales divergencias, cuando las patrocina la costumbre uniforme y auténtica de la gente educada.

A pesar del fundamento social de su obra gramatical, las bases teóricas sobre las que se asienta asombran por su lucidez y modernidad. Bello distingue la gramática de la significación, aplica la lógica a sus explicaciones, escapa del modelo latino y sustenta la gramática en la función de sus elementos.

Ahora bien, limitar la figura de Andrés Bello a la gramática es no hacer justicia a uno de los grandes pensadores hispanohablantes de todos los tiempos. Ángel Rosenblat decía que Bello encarnaba la liberación cultural de Hispanoamérica. Y, ciertamente, su pensamiento era hispanoamericano, su preocupación principal era la educación de la juventud hispanoamericana y su vocación, el desarrollo de las naciones e instituciones hispanoamericanas. La vida de Bello estuvo, además, plena de acontecimientos singulares: fue maestro de Simón Bolívar, luchó por la independencia de Venezuela, dirigió la *Gaceta de Caracas*, vivió muchos años en Londres, donde tuvo relación con pensadores de primera línea, y fue rector de la prestigiosa Universidad de Chile. Su producción escrita, asimismo, incluía una decena de poemarios, obras jurídicas de envergadura (*Código Civil* de Chile y de Colombia) y una decena de estudios lingüísticos o filológicos, junto a traducciones (Víctor Hugo, Alejandro Dumas, Condillac), escritos filosóficos y hasta una obra de teatro. ¿Se puede pedir más?

Bello fue humanista, educador, filólogo, profesor, periodista y poeta americano, pero ello no fue inconveniente para que concibiera la historia y la geografía hispánicas como un espacio común y a la vez diverso. Su visión del mundo hispánico fue simplemente definitiva para construir un concepto de comunidad lingüística y cultural, en unas décadas en las que se fantaseaba con la creación de idiomas patrios particulares.

María Moliner

María Moliner nació con el siglo XX, en una pequeña localidad de la región española de Aragón. Sus padres le proporcionaron una infancia acomodada y la posibilidad de realizar estudios universitarios en Zaragoza, que completó en 1921 en la especialidad de Filosofía y Letras. Enseguida consiguió un puesto en el Cuerpo de Archiveros y Bibliotecarios, que la llevó a trabajar en el archivo de Simancas, en Murcia, en Valencia y finalmente en Madrid. Moliner fue una mujer comprometida con el mundo del libro y con la educación. Durante la II República española dirigió varias iniciativas para la creación de bibliotecas populares y rurales, así como para la formación de redes bibliotecarias. Llegó incluso a redactar un proyecto de «Plan de bibliotecas del Estado» (1939). Sin embargo, su identificación con el proyecto cultural de la República le ocasionó su degradación dentro del Cuerpo de Archiveros después de la Guerra Civil española.

Durante su periodo en Madrid, a partir de los primeros años cincuenta, entre las exigencias de la vida familiar y su trabajo diario como bibliotecaria, María Moliner comenzó la elaboración de una obra que ha sido crucial para el conocimiento y la enseñanza de la lengua española, en los países hispanohablantes y, muy especialmente, fuera de ellos. Se trata del *Diccionario de uso del español* (1966). Este diccionario, elaborado desde la modestia y el trabajo personal, contribuía a derribar varios muros. Así, por vez primera una mujer se ponía al frente de una labor lexicográfica de gran calado; los demás diccionarios habían sido responsabilidad de hombres o de equipos. La historia de María Moliner es un ejemplo de tesón profesional y dedicación al estudio de la lengua. García Márquez dijo de ella en 1981, a los pocos días de su muerte: «escribió sola, en su casa, con su propia mano, el diccionario más completo, más útil, más acucioso y más divertido de la lengua castellana». En él puso todo lo que tenía, hasta el punto de que uno de sus hijos, cuando se le preguntaba cuántos hermanos tenía, respondía: «dos hermanos, una hermana y un diccionario».

Por otro lado, el diccionario de Moliner rompió drásticamente con la inercia de imitar —cuando no copiar sin rubor— los criterios y entradas del diccionario de la Academia, inercia a la que no habían podido escapar ni los lexicógrafos más críticos con la institución. María Moliner, sin ignorar la aportación académica, creó un diccionario de nueva planta, dando prioridad al uso contextualizado. Eso lo convertía en especialmente valioso para la enseñanza de la lengua, en la línea de los diccionarios publicados para el aprendizaje del inglés. Es el uso el que revela el interior de la lengua; es el uso el que muestra la incidencia del contexto; es el uso el que señala las derivas en la evolución del español. La lengua se hace con el uso y el uso debe ser, pues, el camino para aprenderla o adquirirla. Moliner lo sabía muy bien, como los centenares de hispanistas internacionales en cuya biblioteca nunca falta el *Diccionario de uso del español*. Si hoy se conoce más y mejor el español como lengua extranjera, se debe en parte a que una bibliotecaria aragonesa se empeñó en concluir una obra grande y útil, cuyos elogios no alcanzó a recibir por culpa de una temprana arterioesclerosis cerebral.

En dos palabras

papeleta

La técnica de redacción de diccionarios ha cambiado a lo largo del tiempo. Hasta el siglo XVIII, la metodología consistía en redactar las entradas de la *a* a la *zeta*, literalmente, como si de una narración se tratara. Así elaboró Sebastián de Covarrubias su *Tesoro de la lengua castellana o española* (1611) y parece que comenzó a cansarse por la letra *E,* ya que a partir de ahí la obra la ventiló de forma más abreviada. Los diccionarios académicos, sin embargo, han recurrido históricamente a otro procedimiento: la redacción de papeletas, que han permitido una más fácil localización y ordenación de los datos contenidos en cada entrada. Se trata, efectivamente, de *papeletas*, aunque algunos han confundido esa palabra con *papelitos*, como si de un material deleznable se tratara. Las papeletas dieron paso a los archivos informáticos que han revolucionado y perfeccionado la labor del diccionarista.

La voz *papeleta* se creó como diminutivo de *papel*, con un sufijo *-eta* muy frecuente en el oriente peninsular, tanto en castellano como en catalán (*-ete, -et, -eta*). *Papel* procede del catalán *paper*, que deriva de una forma latina PAPYRUS en su expresión culta. *Papel* se documenta en castellano desde la Edad Media y su larga historia ha dado lugar a la creación de numerosos derivados: *papelear, papelero, papelera, papelista, papelucho, papelote, papelón, empapelar, traspapelar* y, por supuesto, *papeleta*, que en el siglo XVI ya era palabra regular. Su significado general es el de pieza de papel de pequeño tamaño, con texto impreso o para escribir. Como es lógico, las aplicaciones que se le pueden dar a un objeto así son múltiples y eso ha ido enriqueciendo el significado de la palabra, no por cambio semántico propiamente dicho, sino por su aplicación a diferentes realidades. Una papeleta sirve como resguardo de un objeto empeñado, como mecanismo de sorteo, como procedimiento de elección, como envoltorio de una medicina, generalmente en polvo, o como sistema de notificación. Y una papeleta es también la ficha en la que se anota una información destinada a incorporarse a un diccionario.

A partir de su empleo como procedimiento de sorteo, mediante extracción de una urna, pudo surgir el significado de 'asunto difícil de resolver'. Cuando en un reparto de suerte a alguien le toca la peor, se dice que su *papeleta* es complicada, refiriéndose a lo indicado en ella. *Tener una papeleta* es tener que afrontar algo negativo y eso mismo sugiere la expresión *¡Vaya papeleta!* En ocasiones, se utiliza con este mismo valor la palabra *papelón*, término vinculado al mundo del teatro que significa 'actuación comprometida o ridícula'. Sin embargo, se trata de usos bien diferenciados. Los que hacen diccionarios también tienen muchas papeletas que resolver, pero ahora cuentan con la ayuda de grandes y potentes bases de datos.

espectador

El origen de la palabra *espectador* hay que situarlo en el latín: procede de SPECTATOR y esta, de SPECTARE 'mirar, contemplar'. Probablemente, la forma latina ya tenía los significados de 'testigo ocular de un acontecimiento' y de 'persona que asiste a un espectáculo público', pero el hecho es que su uso no fue heredado por las lenguas romances. En Francia *spectateur* se utilizó en el XVI y en esa misma época se documenta *spectator* para el inglés. En cuanto al español, lo interesante es que las primeras documentaciones de *espectador* no son sino del siglo XVII, concretamente de Miguel de Cervantes, que la utiliza tanto en la segunda parte del *Quijote* como en *Los trabajos de Persiles y Sigismunda*. Todo indica, pues, que *espectador* podría ser un cultismo, introducido en español con el Renacimiento, como tantos otros. Además, desde el siglo XVI está documentada la voz *espectáculo*, emparentada con la anterior. Sin embargo, curiosamente, ni antes ni después de Cervantes aparece testimonio alguno de la palabra *espectador*... hasta el siglo XVIII.

Espectador se incluye en el *Diccionario castellano* de Esteban Terreros (1787) y en el académico de 1791, aunque hay testimonios anteriores de ese mismo siglo. A partir de aquí su documentación es abundante. La cuestión que surge de inmediato es la siguiente: ¿cómo se explica que una palabra no aparezca mencionada más que en un autor del xvii (Cervantes), por muy importante que sea, y emerja de un modo contundente dos siglos después, sin razón aparente? El asunto ha sido tratado con detalle por el filólogo Pedro Álvarez de Miranda, que la explica como un caso de «neologismo virtual» del siglo xviii. Es como si se hubiera producido un intento fallido de incorporarlo al español como cultismo cuando lo hicieron otras lenguas; el intento, además, no estuvo exento de vacilaciones, puesto que Cervantes escribió *aspetator* y *espectator*. El *Diccionario de Autoridades* incluye *espectator*, pero señalando: «Es voz puramente latina».

En principio, la razón de que no se utilizara la palabra *espectador* precisamente en la época más exitosa del teatro español, iluminada por las obras de Lope de Vega o Tirso de Molina, está en que había otras alternativas; principalmente *auditorio y oyentes*, aunque también *público*. Entonces, si la necesidad expresiva estaba cubierta con estas otras posibilidades, cabe preguntarse por qué la balanza del uso se inclinó hacia *espectador* en el siglo xviii. La respuesta no está clara: se habla de una posible influencia del francés; pero también pudo producirse un cambio de perspectiva, por el que comenzó a ponerse el énfasis sobre lo visual (*espectador* como el que mira) y no en lo auditivo (*auditorio y oyente* como el que oye). En el siglo xvii se hablaba de *oír una comedia* y se daba importancia a lo que se percibía por el oído; a partir del xix, parece ser más relevante lo que se ve. Por eso no deja de sorprender que, en el siglo xxi, cuando *espectador* ya está completamente generalizado para cualquier espectáculo o entretenimiento, incluido el cine y la televisión, comience a hacerse extensivo el uso de la palabra *audiencia*, pero referida no solo a los que oyen, sino también a los que miran. Claro que esta vez la acepción ha surgido por la influencia del inglés *audience*. Y es que el ciclo de las palabras y sus significados se mueve en una espiral infinita y maravillosa.

16
En tierras hispánicas

El territorio hispanohablante es tan extenso que no extraña que, a caballo entre los siglos XIX y XX, Juan Valera y Rufino José Cuervo polemizaran sobre la posible fragmentación de la unidad de la lengua española. El escritor español Juan Valera fue en la época muy afamado y leído, tanto en España como en las repúblicas americanas; el colombiano Cuervo, residente en Londres por entonces, era uno de los intelectuales hispánicos más brillantes y admirados en el cambio de siglo. La controversia se estableció en los siguientes términos. Cuervo había escrito una carta en la que decía: «Estamos, pues, en vísperas de quedar separados [la lengua de las repúblicas hispanoamericanas y de España], como lo quedaron las hijas del Imperio romano». A través de artículos en la prensa española, mexicana y argentina, Juan Valera contraargumentó lo siguiente: «El que haya cierto número de palabras propias de cada país para significar especies y locales usos, costumbres, producciones naturales, trajes, etcétera, no basta para explicar que vengan a nacer distintas lenguas».

Aquellos tiempos quedan ya lejos y han evolucionado claramente de la mano de la globalización, hacia el entendimiento y la intercomunicación entre los hablantes de español de todas las latitudes. El español es una lengua en tanto que constituye un código, un sistema de elementos lingüísticos con una estructura y una dinámica reconocibles en todos sus hablantes. Además, si existe el español como *lengua*, es porque hay elementos externos que lo sustentan, como su cultivo escrito, principalmente el literario, su carácter público y oficial, una normativa compartida, el prestigio y el reconocimiento social dentro y fuera de las comunidades hispánicas. Resulta también asombroso el altísimo nivel de intercomprensión entre todas las variedades del español, sobre todo en la lengua culta; y la fascinación es mayor si se observa que prácticamente cualquier hablante medio de tan extensa geografía es capaz de comprender textos escritos varios siglos antes en la misma lengua.

Ahora bien, la diversidad dialectal del mundo hispánico es asimismo una maravillosa realidad que merece la pena conocerse. De hecho, si no fuera por la profundidad y amplitud de los rasgos compartidos, podrían esperarse problemas de comprensión entre comunidades. El filólogo venezolano Ángel Rosenblat dibujó algunas de sus diferencias con una prosa simpática y ligera:

El turista en México

[...] Un español que ha pasado muchos años en los Estados Unidos [...] en seguida se lleva sus sorpresas [en México]. En el desayuno le ofrecen *bolillos*. ¿Será una especialidad mexicana? Son humildes panecillos que no hay que confundir con las *teleras*. [...] Al salir a la calle tiene que decidir si toma un *camión* (el camión es el ómnibus, la *guagua* de Puerto Rico y Cuba), o si llama a un *ruletero* (es el taxista, que en verdad suele dar más vueltas que una ruleta). A no ser que amistosamente le ofrezcan un *aventoncito* (un empujoncito), que es una manera cordial de acercarlo al punto de destino (una *colita* en Venezuela, un *pon* en Puerto Rico).

ÁNGEL ROSENBLAT, *El castellano de España*
y el castellano de América, 1970

El español americano cuenta con rasgos compartidos y generalizados prácticamente por todo el continente, como el *seseo*, el uso de *ustedes* para expresar cercanía en segunda persona del plural, el uso de *se los* (*se los dije*) o de *luego de* 'después de', así como con numerosas formas léxicas comunes: *amarrar* 'atar', *botar* 'tirar', *bravo* 'enfadado, enojado', *cachetes* 'mejillas', *chance* 'oportunidad', *cuadra* 'manzana', *egresar* 'graduarse', *flete* 'pago de un transporte', *friolento* 'friolero', *halar* 'tirar', *manejar* 'conducir', *pararse* 'ponerse de pie/vertical', *plomero* 'fontanero', *soya* 'soja'. Sin embargo, existe una evidente diversificación interna, explicable desde la geografía, la historia y la demografía. Así, las grandes variedades del español americano —las pequeñas son incontables— pueden identificarse en torno a cinco grandes grupos: las hablas mexicano-centroamericanas, las caribeñas, las andinas, las australes y las chilenas. Veamos cuáles son las características más destacadas de cada una de ellas.

El español mexicano y centroamericano, sobre todo el primero, es la variedad más extendida de la lengua española a comienzos del siglo XXI, con alrededor de 160 millones de hablantes. También lo era en el año 1900, pero entonces la distancia demográfica respecto a otras modalidades era muy modesta porque todas ellas tenían menos de 20 millones de hablantes. Entre los rasgos más característicos de estas hablas mexicanas y centroamericanas, los hay referidos a la pronunciación, a la gramática y al léxico, además de los aspectos que afectan al discurso o a la cortesía.

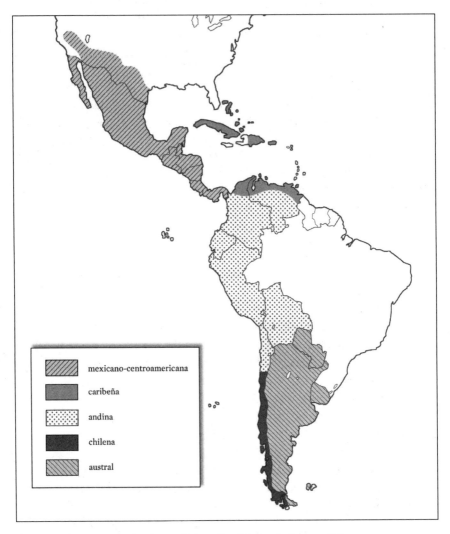

Grandes áreas dialectales del español en América

En la pronunciación, esta gran área americana muestra una tendencia a pronunciar de forma plena las consonantes, incluso en posición final de sílaba y de palabra; las vocales que no llevan acento, sin embargo, se hacen débiles y pueden perderse, con resultados como *cafsito* 'cafecito' o *ants* 'antes'. También se tiende a crear diptongos cuando *e* y *o* aparecen ante otra vocal (*tiatro* 'teatro', *pueta* 'poeta') y a pronunciar *tl-* dentro de la misma sílaba (*a-tle-ta*). En el plano gramatical, se usa *le* con valor intensificador (*ándele, sígale*), se pregunta utilizando *qué tanto* 'cuánto' y *qué tan* 'cómo' (*¿qué tanto quieres de pan?, ¿qué tan bueno eres?*) y son frecuentes las expresiones *no más* 'solamente', *ni modo* 'de ninguna forma' o *¡mande!* En Centroamérica hay un importante uso del pronombre *vos*, aunque Costa Rica muestra otra peculiaridad: el empleo de *usted* para todo tipo de relaciones interpersonales, incluidas las familiares; es lo que se denomina *ustedeo* (*¡usted se va a comer toda la sopa ahora mismo!*). En cuanto al léxico, como es natural aparecen formas propias de México: *agiotista* 'usurero'; *alberca* 'piscina'; *apapachar* 'abrazar con mimo', *chueco* 'torcido', *espiritifláutico* 'muy delgado', *güero* 'rubio', *padre* 'bueno', *padrísimo* 'buenísimo', *pinche* 'maldito; tratamiento de cercanía'; *mero* 'el mismo; importante, central; puro', *zócalo* 'plaza principal'. Y junto a ellas, se encuentran numerosas voces de origen indígena, especialmente del náhuatl: *chapulín* 'langosta; saltamontes', *chiche* 'fácil; teta; persona blanca rubia', *chipote* 'chichón', *cuate* 'mellizo', *elote* 'maíz tierno', *escuincle* 'niño; débil, flojo', *jitomate/tomate* 'tomate', *popote* 'pajita para sorber bebidas'.

Las hablas caribeñas, de las Antillas y de la costa, encierran una gran diversidad interna, pero hay algunas características que suelen reconocerse como comunes, comenzando por la clara tendencia a aspirar, debilitar y perder consonantes en posición final de sílaba, especialmente la *ese*: *ahta* 'asta', *mesah* 'mesas', *verdá* 'verdad', *comé* 'comer'. Esto no es exclusivo del Caribe, pero allá se encuentra con una gran intensidad. Además, las vocales suelen hacerse más largas que en otras áreas y la *jota* se suaviza mucho. Entre las cuestiones gramaticales de interés, merece comentarse la tendencia a colocar el sujeto antes que el verbo en las interrogativas y los infinitivos: *¿qué tú quieres?, ¿dónde tú vives?; sonreí al tú decirme eso; él lo hizo todo para yo poder descansar*; y también el uso muy frecuente del pronombre sujeto de una oración: *¿tú te quedas o tú te vas?* En el léxico caribeño, se encuentran indigenismos propios de la zona, como *ají* 'guindilla', *guanajo* 'pavo', *catire* 'rubio'; y voces de origen africano: *bemba* 'labios gruesos', *chiringa* 'cometa ligera', *gongolí* 'gusano'. Asimismo, esta área incluye dos de los escasos criollos que existen del español: el *palenquero*, hablado en el Palenque de San Basilio (Colombia) y el *papiamento* de las isla de Aruba, Bonaire y Curaçao (Antillas Holandesas). En ambos es importante la presencia de elementos africanos.

El territorio del español andino ocupa casi toda Colombia —excepto la región caribeña— y parte del oeste de Venezuela, así como Ecuador, Perú y Bolivia. Dentro de estos límites, pueden encontrarse algunos rasgos comunes de pronunciación, como el mantenimiento de la *ese* a final de sílaba y de palabra o la tendencia a pronunciar la *erre* y *tr-* inicial como algo parecido a *carso* 'carro' y *tses* 'tres'. En la gramática del español andino es interesante el uso de *muy* delante de superlativos: *esta comida está muy riquísima*. Y, por lo que se refiere al léxico, encontramos palabras generales en América del sur, como *andinismo* 'escalada, alpinismo', *apunarse* 'padecer mal de montaña', *cabildante* 'regidor, concejal', *hostigoso* 'molesto, fastidioso', *saber* 'soler'; palabras particulares del área andina, como *aconcharse* 'enturbiarse', *brevete* 'permiso de conducir', *calato* 'desnudo', *chompa* 'jersey', *chongo* 'escándalo, alboroto', *combazo* 'puñetazo', *poto* 'trasero, nalgas'; y voces tomadas de las lenguas indígenas, sobre todo del quechua: *cancha* 'terreno, espacio amplio y despejado', *carpa* 'tienda de campaña; tienda para puesto de venta', *china* 'india; mestiza', *choclo* o *chócolo* 'mazorca tierna', *chacra* 'granja; alquería', *guacho* 'huérfano', *guagua* 'niño de pecho', *ñapa* o *yapa* 'añadidura', *ojota* 'sandalia; chancla', *palta* 'aguacate', *poroto* 'alubia', *soroche* 'mal de montaña', *zapallo* 'calabaza'.

La zona austral del español de América es un amplio territorio con apreciables diferencias internas, en el que llama la atención el habla rioplatense de Buenos Aires y Montevideo. Con todo, también es posible hallar rasgos bastante generalizados. Uno, muy llamativo para el resto de los hablantes de español, es la tendencia a pronunciar el sonido *ye* —escrito *y* o *ll*— con una fricción especial: *sisha* 'silla', *sho* 'yo', *asher* 'ayer'. Históricamente, este rasgo se ha explicado, bien como influencia del francés, por la presencia de inmigrantes franceses, bien como consecuencia de una articulación más tensa. Sea como sea, a muchos hispanohablantes les cuesta entender, de primeras, expresiones como *la sisha rashada* 'la silla rayada', aunque no es difícil acostumbrarse a ello. En la pronunciación austral también se da una tendencia a debilitar o perder la *ese* final (*mihmo* 'mismo'; *rajar* 'rasjar') y a acentuar el pronombre en palabras como *tomándolá* 'tomándola'. En la gramática, es significativa la amplitud y aceptación del uso de *vos* como tratamiento de cercanía, debidamente concordado con el verbo (*vos cantás, vos tenés, vos partís*) y de los imperativos del tipo *marchate* 'márchate', *comé* 'come', *vení* 'ven'.

Los usos léxicos de Argentina, Uruguay y Paraguay son muy interesantes porque, junto a voces características de la región, se encuentran indigenismos, italianismos y lunfardismos; todo consecuencia de su historia lingüística y social. Son formas generalizadas en la zona *al pedo* 'inútil; en balde', *atorrante* 'vago', *bancarse* 'soportar', *boludo* 'tonto', *bombacha* 'braga', *colectivo* 'autobús; bus', *bronca* 'enojo, enfado', *frazada* 'manta, cobija', *lolas* 'pechos, tetas', *macana* 'mentira, desatino', *macanudo* 'simpático; bueno', *morocho* 'de pelo negro y tez blanca', *pavada* 'tontería', *petiso* 'bajito, chaparro', *pileta* 'piscina', *piola* 'ingenioso; simpático', *pollera* 'falda', *prolijo* 'cuidado, limpio, esmerado', *quilombo* 'lío, confusión', *vereda* 'acera' o *vidriera* 'escaparate'. Se explican como italianismos *boleta* 'multa', *feta* 'loncha de fiambre o queso', *grapa* 'aguardiente', *laburo* 'trabajo', *nono/nonino* 'abuelo', *piloto* 'gabardina; impermeable' o *valija* 'maleta'; y como guaranismos *caraí* 'señor', *matete* 'confusión, desorden' o *mitaí* 'niño'. Finalmente, del lunfardo quedan voces como *bacán* 'tipo, persona', *cana* 'policía', *farabute* 'tonto; fanfarrón, descarado', *fiaca* 'pereza', *mina* 'mujer' o *morfar* 'comer'.

Chile, por la barrera de los Andes, constituye una zona específica del español americano, en la que la *ese* se debilita y se pierde (*vahco* 'vasco', *loh toro* 'los toros') y donde las consonantes velares (escritas *c, q, j, g*) se hacen algo palatales, con un resultado similar a *quieso* 'queso', *gieneral* 'general' o *guierra* 'guerra'. En la gramática también hay algún rasgo peculiar, aunque no exclusivo, como el uso de *se me le* en *se me le quiso arrepentir*. En el léxico encontramos rasgos más singulares. Hallamos, por supuesto, chilenismos: *al tiro* 'de inmediato, enseguida'; *cototudo* 'difícil, complicado', *condoro* 'torpeza grave', *enguatar* 'hinchar; engordar', *fome* 'tonto, sin gracia', *huevada* 'cosa; asunto; situación', *huevón* 'estúpido; hombre, fulano', *paco* 'agente de policía', *roto* 'maleducado', *ya* 'sí; efectivamente; claro'. Aparte de los andinismos y quechuismos, como *pololo* 'novio' o *pololear* 'tener novio; salir con alguien', merecen mencionarse también algunas palabras tomadas de la lengua de los indios mapuches: *chalcha* 'papada de los animales', *cancos* 'caderas anchas en la mujer' o *guata* 'barriga'.

Si dirigimos la mirada hacia España, también encontramos particularidades. La región castellana exhibe una marcada personalidad, que le confieren la distinción de *ese* y *zeta* (*casa/caza*) o el leísmo (*tráele a cenar*) y el laísmo (*la dije que viniera*). En el plano de los sonidos suele llamar mucho la atención la articulación de las *eses*, pronunciadas con la lengua proyectada hacia la parte alta de la boca, cerca del paladar. En el plano gramatical, existen otros rasgos muy característicos, como el predominio de las formas en —*se* del subjuntivo (*amase, quisiese*) o el uso de *vosotros/-as* y *os* para la segunda forma del plural (*vosotros os vais*). En cuanto al léxico, el español castellano incluye formas que son frecuentes en toda España y que le dan personalidad frente al español americano. Se trata de palabras como *albornoz* 'bata de baño', *billete* 'boleto', *calada* 'chupada de cigarro', *calcetín* 'media', *chaval* 'chico, muchacho', *chándal* 'sudadera', *chubasquero* 'impermeable', *follón* 'lío', *gilipollas* 'tonto, bobo', *noria* 'rueda, estrella', *ordenador* 'computadora', *parado* 'desempleado', *pastón* 'gran cantidad de dinero' o *zumo* 'jugo'. Todas ellas deben ser tratadas como españolismos.

Dentro de España, la historia de la lengua obliga a diferenciar las hablas castellanas de las andaluzas y las canarias. Las hablas andaluzas, con personalidad propia desde finales de la Edad Media, se caracterizan en la pronunciación por la tendencia a debilitar, aspirar o perder las eses finales, por aspirar la *jota* y por el seseo (*sursir* 'zurcir, *sarsa* 'zarza'), que se manifiesta junto al ceceo (*zaco* 'saco', *cezar* 'cesar'). En Andalucía no existe el laísmo y entre los andalucismos léxicos se encuentran voces referidas a realidades culturales de origen andaluz (*soleá* 'tipo de composición poética y musical', *costalero* 'persona que ayuda a llevar en hombros una imagen en una procesión' y *salmorejo, pipirrana* o *gazpachuelo*, tres platos típicos de Andalucía), aunque son muy interesantes los andalucismos referidos a la vida cotidiana, como *búcaro* 'botijo', *cangallo* 'persona alta y flaca', *gachas* 'halago, caricia, mimo', *gachón* '(niño) que es llorón y quejica', *pipo* 'botijo' o *polverío* 'polvareda'.

La posición estratégica de las islas Canarias y la diversidad de los pueblos que por ellas pasaron desde el siglo XV justifican que haya unas características coincidentes con las de Andalucía occidental (seseo, debilitamiento de *ese*, aspiración de *jota*, uso de *ustedes* 'vosotros'), pero el léxico ayuda a marcar diferencias. En Canarias coinciden portuguesismos, como *andoriña* 'golondrina' o *bucio* 'caracola', y americanismos, como *cachetes* 'mejillas', *cucuyo* 'luciérnaga', *guagua* 'autobús, colectivo' o *papa* 'patata'. Y junto a ellos, voces indígenas guanches. El guanche fue una lengua que desapareció relativamente pronto tras la llegada a las Canarias de los peninsulares, aunque dejó elementos léxicos de la fauna o la toponimia, así como algunas voces comunes: *gánigo* 'cazuela pequeña' o *beletén* 'calostros'.

Al hacer un balance de lo que ha ocurrido con las variedades de América y de España a lo largo de la historia, hallamos algunos hechos dignos de reflexión. Por una parte, aunque los pueblos americanos conservan importantes contingentes originarios, sobre todo en México, en Perú, en Bolivia y Paraguay, el español es la lengua general de las comunidades de América, conocido, en promedio, por el 90 % de la población.

Asimismo, el siglo xx fue el primero de la historia en que prácticamente todos los españoles supieron hablar español.

Por otra parte, si comparamos la demografía contemporánea de cada una de las variedades aquí presentadas, advertimos el enorme peso poblacional de México y su entorno. La segunda variedad por número de hablantes es la andina, seguida de la caribeña y de la austral (Paraguay, Uruguay y Argentina). Solo tras esta aparece la modalidad castellana de España, lo que significa que el volumen de hablantes del área castellana es menor que el de cuatro de las cinco grandes modalidades americanas. Dado que las variedades mayoritarias suelen estar mejor consideradas, no es de extrañar que sea opinión muy extendida que el mejor español es el de México, Bogotá o Lima, un español que tiende a conservar las consonantes, finales y entre vocales, como el castellano del norte peninsular. Por su parte, la importancia del español de Madrid y, en general, de España tiene que ver con la historia, incluida la demográfica, ya que en 1800 España tenía casi el doble de habitantes que México, si bien un siglo más tarde la demografía se invirtió de forma irreversible.

En definitiva, todos los rasgos que acaban de anotarse, para cada una de las áreas hispánicas, son consecuencia histórica de la adaptación del español a sus entornos. Ninguna característica es casual; nada ha surgido de la nada. Ahora bien, la lengua española ha escrito su historia en cada territorio, manteniendo lo peculiar sin perjuicio de lo compartido.

Personajes, personas y personillas

Mario Moreno

En 1911, en la ciudad de México, nació un muchachito, un chamaco, en el seno de una modesta familia, al que pusieron por nombre Mario Fortino Alfonso. La vida le deparó desde jovencito la necesidad de salir adelante como se pudiera. En pocos años acumuló experiencias de aprendiz de zapatero, cartero, taxista, boxeador, torero, químico y soldado, hasta que decidió probar suerte en el mundo del baile y del espectáculo. El trabajo en las carpas lo llevó a crear un personaje inspirado en la forma de hablar y vestir de la gente mexicana más humilde. Además, la casualidad hizo que encontrara una manera de expresarse, atropellada, que provocaba la risa del público. Hallado el disfraz y el perfil del personaje, solo faltaba un nombre artístico. Y decidió llamarse *Cantinflas*.

En los años treinta, Cantinflas comenzó su carrera cinematográfica poniendo sobre la escena un personaje caracterizado por el empleo de rasgos lingüísticos populares mexicanos, el despliegue de juegos de palabras inverosímiles, la ironía, las sentencias populares y los absurdos. Recurría continuamente a técnicas conversacionales del tipo «¿No que no, chato?» o «Ahí está el detalle», y a diálogos de este tipo:

> —Él quería que yo siguiera su misma carrera. Era botánico.
> —Ah, él era botánico.
> —Sí. Hacía muy buenas botanas (aperitivos).
>
> *Puerta, joven* (*El portero*, 1949)

Cantinflas representaba la figura del *peladito* mexicano, del muchacho humilde, noble y vivo que buscaba sacar provecho de las pocas situaciones favorables que la vida le propiciaba. El personaje lo llevó a actuar en más de 50 películas, que le proporcionaron un sonado éxito en todos los países hispanohablantes, así como un Globo de Oro, una estrella en el paseo de la fama de Hollywood y multitud de reconocimientos. Algunas de sus más memorables películas fueron *El bolero de Raquel* (1956), *El analfabeto* (1960), *El padrecito* (1964) y *Su Excelencia* (1966). Sin embargo, la repercusión de su personaje en países como Francia o los Estados Unidos, a pesar de todo, no fue tan grande. La razón de ello estuvo en que el humor de Cantinflas se basaba fundamentalmente en el lenguaje, allá donde las traducciones no alcanzan ni hacen justicia a la expresión original.

El humor de Cantinflas, cargado de rasgos lingüísticos mexicanos —en la entonación, el léxico, la sintaxis— fue tan bien aceptado por los países hispanohablantes, incluida España, que surgió todo un paradigma léxico alrededor de su figura. Ya no fue solo la expresión *ser un cantinflas*; fueron voces como *cantinflear, cantinflada, cantinflesco, cantinflero*. El personaje de Cantinflas, Mario Moreno, es un ejemplo de cómo el empleo de una modalidad lingüística hispánica —en este caso la mexicana— podía recibirse y aceptarse en todos los países hispánicos, enriqueciendo el acervo común y contribuyendo al reconocimiento de la diversidad. Este milagro comunicativo se consiguió gracias al desarrollo de un medio social de singular importancia: el cine. El cine hizo posible que los hispanohablantes de cualquier lugar comenzaran a oír directamente las voces de México, Argentina, Perú, Chile, Cuba, España, y conocieran el milagro de comprender a alguien muy diferente a través de una misma lengua.

Mercedes Sosa

En la ciudad de San Miguel de Tucumán, en el interior de Argentina, nació en 1935 Mercedes Sosa, hija de un obrero del azúcar y de una lavandera. Mercedes tenía en sus venas sangre calchaquí, de un pueblo prácticamente diluido después de la colonización, y su corazón siempre estuvo próximo a los indígenas y al paisaje americano. Su habla argentina tucumana se sentía hermana del español andino y del chileno; no en vano procedía del corazón de Suramérica. Cuando Mercedes tenía 15 años, la maestra de canto faltó un día en la escuela y, a la hora de cantar el himno nacional, la directora le ordenó a Mercedes que diera un paso al frente y que cantara bien fuerte, para que todos pudieran seguirla. Ese día de 1950 fue su debut como cantante.

Mercedes Sosa ha sido, sin duda, la máxima representante del folclore argentino e hispanoamericano del siglo XX. Fue conocida como «la voz de América» y ciertamente que lo fue. Su voz grave, poderosa y penetrante transmitía la fuerza del pueblo suramericano, en cualquiera de sus rincones. Su música, acompañada a menudo de instrumentos tradicionales, transmitió un modo de entender la vida, dura y seca unas veces, dulce y reconfortante otras, pero siempre posible objeto de poesía. Fue fundadora del «Movimiento del nuevo cancionero», que buscaba la integración de la música popular, rechazando el regionalismo cerrado y prestando atención a todo el patrimonio folclórico. Esta propuesta, hecha para la Argentina, acabó extendiéndose a toda la América hispana. Sosa vivió la amargura del exilio político y la dulzura del éxito profesional, siempre con la cercanía de la gente. Entre sus discos más conocidos estuvieron *Canciones con fundamento* (1965) y *Yo no canto por cantar* (1966), junto a otro medio centenar. Entre sus canciones destacan algunas que ya son parte del acervo cultural hispánico, de cualquier latitud: «Gracias a la vida», «Canción con todos», «Alfonsina y el mar», «Todo cambia». Mercedes Sosa murió en 2009.

La razón de destacar a una figura como la de Mercedes Sosa en una historia de la lengua española puede no ser evidente, pero no por ello es menos significativa. La música popular tiene un poder y un alcance que sobrepasa con mucho la repercusión de cualquier obra escrita. Bien cierto es que la literatura impresa resulta imprescindible para la consolidación de una lengua o una cultura, pero la música también lo es y mucho más cuando los medios de comunicación la hacen llegar potencialmente hasta el último rincón del planeta. Mercedes Sosa contribuyó a crear un arraigado sentimiento de comunidad hispánica, de cultura compartida, de dignidad popular, expresado todo ello en español. Mercedes Sosa y los cantantes populares del siglo XX, de América y de España, han puesto voz al sentir hispánico fuera de sus fronteras y lo han cohesionado dentro de ellas, sin necesidad de perder sus particulares acentos.

En dos palabras

zócalo

En latín, la palabra SOCCUS era el nombre de un tipo de calzado, concretamente de una especie de pantufla que utilizaban las mujeres y los comediantes. Indiferentemente de los usos y las formas, lo cierto es que la voz latina se refería a un tipo de zapato y ese mismo valor se trasladó a las lenguas romances. En español evolucionó hasta *zueco*, documentada desde el siglo XV, si bien sus referentes fueron diversos a lo largo de la historia. En italiano, sin embargo, la evolución se produjo a partir del diminutivo latino *socculus*, que dio *zòccolo*, con el significado de calzado, pero también con un valor figurado añadido: 'basa, base'. De esa palabra italiana procede el español *zócalo* y por eso sus primeras documentaciones no aparecen hasta los siglos XVI y XVII, cuando llegó a ser utilizado por el mismísimo Lope de Vega. Siendo su significado general el de base o sustento, no fue difícil que comenzara a usarse para llamar a la parte baja de las construcciones, la que sustenta o sobre la que se levanta una obra o un edificio. El *Diccionario de Autoridades* ya registra *zócalo* como voz propia de la arquitectura y el diccionario de Esteban Terreros la define con claridad: «voz de la Arquitectura, la piedra o cuerpo cuadrado que se pone debajo de los pedestales, bases, estatuas, y para colocar o levantar la obra». *Zócalo* es, pues, un italianismo del que se tomó el sentido de base o pedestal y que acabó siendo un término del lenguaje arquitectónico.

Ahora bien, una vez que la palabra estuvo en circulación, sus significados comenzaron a multiplicarse, en la medida en que la voz se adoptaba en diferentes contextos. Este es el momento en que una palabra especializada deja de ser exclusiva de un gremio profesional para convertirse en voz común. En el caso de *zócalo*, pasó de ser un préstamo de la lengua culta a ser una palabra del campo de la arquitectura, hasta desarrollar nuevos usos generales, entre los que sobresalen tres. Por un lado, se usa para denominar a la banda o faja que cubre la parte baja de las paredes, normalmente para embellecerlas o para llevar cables u otros elementos por detrás. En España, este uso de *zócalo* alterna con *rodapié* y en México se usa *zoclo* con este significado, palabra que procede asimismo de *zócalo*. Por otro lado, en Chile —y probablemente en otros países— se emplea *zócalo* para hacer referencia a la planta baja o subterránea, aunque no cerrada, de un edificio. Este uso ya no es tan común y la gente chilena más joven lo desconoce, pero lo cierto es que en los botones de los ascensores uno puede encontrarse con la letra *Z*, de *zócalo*, para indicar la planta baja.

Finalmente, existe un valor por el que *zócalo* es especialmente conocido en América: es el nombre que recibe la plaza de la Constitución en el centro antiguo de la ciudad de México. El nombre nació cuando, en 1843, se decidió levantar un monumento en la plaza principal en conmemoración de la independencia de México. Como primer paso para erigirlo, se construyó un zócalo que le habría de servir de base, pero el monumento no llegó a construirse. El zócalo quedó durante años en el centro de la plaza y se convirtió en un lugar de referencia para los mexicanos, que a menudo se encontraban en el zócalo o paseaban por el zócalo. De ahí pasó a ser la denominación para la gran plaza en su conjunto. Más adelante, por el influjo capitalino, también se denominó *zócalo* a la plaza principal de otras ciudades de México y hoy se considera como una voz mexicana con el significado genérico de 'plaza principal de una ciudad'. De este modo, hablar en México de la «plaza del zócalo» se ha convertido en una redundancia.

jíbaro

Muchos hispanohablantes, cuando oyen la palabra *jíbaro*, recurren a sus conocimientos librescos o cinematográficos para explicar que se trata de una tribu americana caracterizada por su habilidad para reducir cabezas humanas. Y en parte es así: los *shuar* o jíbaros son una etnia del altiplano de Ecuador, en el nacimiento de las aguas del Amazonas, conocida por su bravura y agresividad contra el enemigo, al que le cortaban la cabeza para meter en ella el alma del muerto. La forma *jíbaro* sería, pues, una hispanización de *shuar*. Ahora bien, los hispanohablantes del Caribe y de amplias áreas de Suramérica emplean *jíbaro* con significados muy diferentes; los más extendidos son los de 'campesino de raza blanca' y 'cosa campestre, rústica, silvestre'.

El origen de la palabra *jíbaro*, con estos significados, es difícil de desentrañar. Podría pensarse en el *jíbaro* ecuatoriano, pero no están muy claras las conexiones para que el nombre llegara al Caribe y adoptara el valor de 'campesino'. Por eso se pensó en un posible origen indígena caribeño, tal vez taíno, a partir de la palabra *jiba* 'monte'. Esta voz se ha vinculado a *ciba* o *siba* 'peña, piedra', pero el caso es que no se tiene seguridad de nada de ello. Las primeras documentaciones de *jíbaro* en español son del siglo XVIII, cuando se dice que los jíbaros son los criollos y mestizos del Caribe o cuando se aplica también a perros o gatos salvajes o montaraces: *perro jíbaro*.

Sea cual sea el origen, la palabra *jíbaro* es de uso habitual en el Caribe. Como queda dicho, el significado general es el de 'campesino de raza blanca' (Puerto Rico), aplicado a personas y a cosas (*fiesta jíbara*). Pero también puede significar 'puertorriqueño' o referirse a diferentes características atribuidas supuestamente a la gente campesina: persona antipática y huraña (Cuba y República Dominicana); persona rebelde (Cuba); persona enamoradiza (República Dominicana). Asimismo en México se aplica al mestizo que tiene ciertos rasgos blancos; y en Colombia y Venezuela se dice de la persona que practica un comercio menor con drogas. Más allá de todos estos valores, el uso más relevante en el mundo hispánico es el que se le da en Puerto Rico (campesino de raza blanca), donde se ha llegado a utilizar para la receta del «jíbaro envuelto», fritura hecha con plátano recubierta con una masa de harina, agua y sal. Al uso puertorriqueño de *jíbaro* para denominar al campesino, corresponde el cubano de *guajiro*, el mexicano de *campirano, montuno, charro* y *jarocho*; el venezolano de *llanero;* el ecuatoriano de *chagra*; el rioplatense de *gaucho*; el chileno de *huaso*, y el dominicano de *vale*. Así lo explica Francisco Santamaría en su *Diccionario general de americanismos*.

17
Más allá del español

La historia de la lengua española se ha construido desde todo lugar donde ha tenido hablantes. Por eso merece conocerse mínimamente cómo ha sido la presencia del español en lugares que no suelen incluirse en el imaginario hispánico, pero que son tan propiamente hispanohablantes como aquellos en los que la lengua es oficial o nacional. Se trata de territorios de África, de Norteamérica o de Asia en los que el español, con una forma u otra, funciona como lengua vehicular, aunque en estrecho contacto con diferentes lenguas que le confieren personalidad. Las razones históricas que justifican la presencia de esta lengua por tales parajes tienen que ver con las conquistas, exploraciones y colonizaciones de España desde el siglo XVI, pero también con migraciones y contactos más recientes entre diversos territorios. Veamos qué ha ocurrido en cada uno de ellos siguiendo un orden cronológico.

Norte de África

El inicio de la presencia española en el norte de África hay que buscarlo en la segunda mitad del siglo XV y la primera del siglo XVI. Desde una perspectiva histórica, el uso del español en este territorio ha sido discontinuo e irregular. En él se ha producido una renovación periódica de la población de habla española, por lo que resulta complicado hablar de un español «del» norte de África o del Magreb. La primera justificación de la presencia española en esta parte del continente africano es la cercanía geográfica, junto a la naturaleza estratégica del territorio: a las puertas del Mediterráneo y en una zona de paso entre dos continentes. Una vez que España se hizo con el control de algunos de los más importantes enclaves magrebíes, dejó de hacer una política de expansión por territorios africanos hasta prácticamente el siglo XIX.

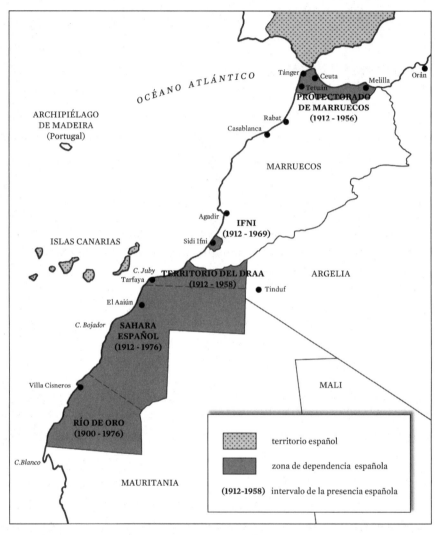

Presencia histórica española en África noroccidental.
(Fuente: García de Cortázar, Atlas de historia de España, Barcelona, Planeta, 2005)

Marruecos fue zona de protectorado español desde 1912, aunque este no comenzó a ser efectivo hasta 1927, debido a los numerosos conflictos bélicos con la población marroquí en la llamada «Guerra del Rif». La independencia de Marruecos en 1956 puso fin al protectorado español y supuso el abandono de los enclaves africanos, con excepción de Ceuta y Melilla; y, en su momento, del Sahara Occidental. El español entró entonces en una fase de abandono. En cuanto a Argelia, que fue zona de protectorado francés, recibió desde finales del xix a numerosos emigrantes temporeros procedentes de los campos de Levante y de Andalucía, emigrantes de los estratos sociales más modestos que dejaron su huella en el español argelino contemporáneo. En 1962, se declaró la independencia de Argelia y ello provocó la salida de la población de origen español y de origen sefardí, así como la decadencia de los movimientos migratorios temporales. Desde entonces el español en Argelia se ha convertido en una lengua residual.

Entre las características más particulares del español magrebí, pueden destacarse la confusión de las vocales *e-i* y *o-u* (*visino* 'vecino', *vevía* 'vivía', *ureja* 'oreja') y de las consonantes *pe* y *be* (*isbaniol* 'español'), por influencia del árabe, así como la pérdida de la *ye* que va entre vocales (*sía* 'siya) o de la *eñe* (*maniana* 'mañana'). Son muy interesantes las formas léxicas que prescinden de *al-* inicial, por percibirse con claridad que se trata del artículo árabe: *mujada* 'almohada', *canfor* 'alcanfor', *mendra* 'almendra', *jarobo* 'algarrobo', así como el uso de andalucismos léxicos: *plaza* 'mercado', *portañuela* 'bragueta' o *candela* 'lumbre'.

En cuanto al Sahara Occidental, hoy marroquí, el español también está convirtiéndose en lengua residual, aunque aún pueda haber alrededor de 200 000 hablantes. Sin embargo, en los campamentos saharauis instalados en territorio argelino, como el de Tinduf, su peso político es mayor. Allí el español tiene un importante estatus, pues se enseña en las escuelas del desierto y es conocido por más de 100 000 personas. En este contexto, el español se convierte en seña de identidad, frente al predominio político del francés en todo el noroeste de África.

Estados Unidos de América

El origen de las hablas hispánicas estadounidenses se remonta al siglo xvi, si bien su actual disposición geográfica y social, así como su configuración lingüística, se ha desarrollado desde la segunda mitad del siglo xix. Al español heredado de los colonos de los siglos xvi al xviii se le da el nombre de *español patrimonial* o *tradicional* y aún puede localizarse en las tierras de Luisiana, del sur de Texas, de Nuevo México, del sur de Colorado y de Arizona. Ese español patrimonial de los estadounidenses se ha forjado a lo largo de los siglos sobre la base de un español de España (castellano, andaluz, canario), a la que muy pronto se sumaron las hablas americanas, llevadas por hijos de colonos en las primeras expediciones y progresivamente por nuevos colonos llegados desde México. En la costa del Pacífico, la apertura hacia 1829 del «Camino Viejo Español», que unía Santa Fe con Los Ángeles, tuvo una singular repercusión socioeconómica que contribuyó a la consolidación del español como lengua vehicular del oeste norteamericano.

El español del sur de los Estados Unidos tiene, pues, una larga historia muy vinculada a la evolución del español mexicano. De hecho esta variedad podría incluirse como una subárea de la zona hispánica mexicana. Entre sus rasgos lingüísticos más interesantes, junto a muchos de los comentados para México, podrían incluirse el uso de una -e final tras consonante (*bebere* 'beber', *papele* 'papel'), la tendencia a debilitar o perder la *ye* entre vocales (*hueia* 'huella', *raia* 'raya', *cabeo* 'cabello' o *anío* 'anillo'), la aspiración de *h-* inicial (*jumo* 'humo', *jervir* 'hervir'), el uso de arcaísmos y voces populares (*hablates* 'hablaste', *vivites* 'viviste', *véngamos* 'vengamos', *quedré* 'querré', *traíba* 'traía'), así como usos léxicos compartidos con México (*chueco* 'torcido', *halar* 'tirar; arrastrar'; *mancuernillas* 'gemelos', *guaraches* 'sandalias', *milpa* 'maizal', *zopilote* 'buitre'), indigenismos uto-aztecas (*mitote* 'chisme, cotilleo', *teguas* 'sandalias de piel de búfalo', *zacate* 'césped' o *zoquete* 'barro') y, lógicamente, anglicismos (*baquiar* 'retroceder', *choque* 'tiza, gis', *sinc* 'fregadero', *torque* 'pavo' o *troca* 'camión').

Junto al español de Nuevo México y el suroeste, también merece atención el de los estados de Luisiana y Texas. El caso de Luisiana es especialmente llamativo porque mantiene una variedad de origen canario, cuya identidad aún puede rastrearse en la fonética y muy significativamente en el léxico. Esta modalidad canaria tiene dos manifestaciones: la *isleña* y la *bruli*. El habla *isleña* se conserva en descendientes de los colonos canarios llegados en el siglo XVIII; el habla *bruli* está vinculada a este mismo origen, pero acusa una mayor influencia de las lenguas francesa e inglesa, de las que ha estado rodeada durante dos siglos. Del habla isleña aún existen unos centenares de usuarios; del habla *bruli* apenas quedan vestigios.

La presencia de la modalidad cubana en Florida se retrotrae más de un siglo. Durante el siglo XIX adquirieron una importancia singular algunos enclaves de Florida, como Tampa y el Key West (Cayo Hueso). Tampa se desarrolló con la llegada del ferrocarril y hasta allá viajaron pobladores cubanos y españoles. La industria tabaquera organizada en Cayo Hueso a mediados del siglo XIX atrajo también a gran número de cubanos, muchos de ellos de niveles socioculturales bajos. Otros llegaron a los Estados Unidos escapando de las crisis vividas en las compañías azucareras de Cuba

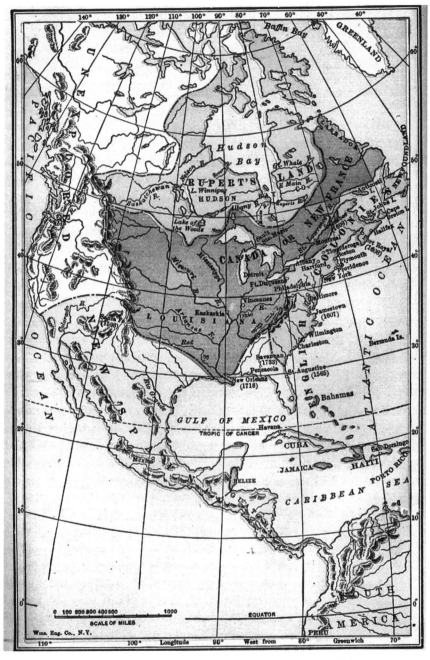

«*Español, inglés y francés en los Estados Unidos en 1800*».
Mapa incluido en History of de United States. (*Fuente:* The Projet
Gutenberg Ebook of History of the United States, *www.gutenberg.net)*

y se dispersaron por diversos estados. La guerra entre España y los Estados Unidos, concluida en 1898, no parece haber sido un acontecimiento que cambiara cualitativamente la presencia de los cubanos en Norteamérica. Sí lo fue, sin duda alguna, la toma del poder en Cuba por parte de Fidel Castro y los éxodos sucesivos que la población cubana protagonizó desde entonces con destino a los Estados Unidos y, particularmente, a Florida.

En cuanto a los puertorriqueños, la misma guerra de 1898 cambió de forma drástica su estatus político y los movimientos de población. Sin embargo, no puede hablarse de una presencia significativa de puertorriqueños en los Estados Unidos hasta bien entrado el siglo XX. La emigración de puertorriqueños más relevante tuvo como destino la ciudad de Nueva York, sobre todo entre 1917 y 1948. Esta migración se produjo por razones económicas y tuvo un desarrollo muy llamativo, aunque el gran despegue demográfico se produjo entre 1940 y 1970, cuando se pasó de algo más de 60 000 puertorriqueños en los Estados Unidos a casi el millón y medio. En la segunda mitad del siglo XX, el área de Nueva York y Nueva Jersey incorporó a su repertorio idiomático el español de la isla de Puerto Rico, tanto en sus usos cultos como en sus usos populares.

Vemos, pues, que la constitución del español estadounidense ha estado regida por el ritmo de los procesos migratorios, algunos de ellos muy antiguos: españoles en Nuevo México en el siglo XVII; españoles y mexicanos en Texas, Luisiana o California, durante los siglos XVIII y XIX. Otros, sin embargo, solo tienen algo más de cien años de antigüedad: cubanos en Florida, puertorriqueños en Nueva York. La llegada de cada contingente de población ha supuesto el asentamiento de una modalidad dialectal particular, con distintos perfiles sociolingüísticos, dependiendo de la extracción social de los inmigrantes. Con todo, la migración de hispanos a todos los Estados Unidos a partir de los años setenta ha ido desdibujando las variedades más tradicionales y provocando un proceso de rehispanización y de convergencia de modalidades diferentes cuyas consecuencias últimas aún no se conocen.

En definitiva, la historia ha hecho que lengua española haya sido y sea la segunda en importancia social en territorio estadounidense. En 2010, era hablada en casa por una población superior a los 35 millones y era seña de identidad de más de un 15 % del total de la población estadounidense. Según la Oficina del Censo de Estados Unidos, en esos años los hispanos de origen mexicano alcanzaban una proporción aproximada del 70 %, los centro y suramericanos del 15 %, los puertorriqueños del 9 % y los cubanos del 4 %.

Filipinas y el Pacífico

En Filipinas, el español fue de hecho lengua oficial desde 1565 hasta 1987: en 1565 la expedición de Miguel López de Legazpi y Andrés de Urdaneta fundó en Cebú la primera colonia, cuya lengua era el español; en 1987, la presidenta filipina Corazón Aquino le quitó al español el rango de la oficialidad. Actualmente, las lenguas oficiales de Filipinas son el inglés y el filipino, aunque hay que tener en cuenta que este último se creó a partir del tagalo y que incluye numerosos hispanismos. De hecho, la presencia de préstamos hispánicos en las lenguas indígenas filipinas se ha cuantificado en torno a un 20 % de su léxico: *balasar* 'barajar', *bodiga* 'bodega', *relós* 'reloj', *umpisá* 'empezar'.

Filipinas dejó de ser parte de España en 1898, cuando pasó a manos estadounidenses. En ese momento, los Estados Unidos practicaron una política de represión de lo nativo y de lo hispano, y utilizaron las infraestructuras escolares creadas por los españoles para conseguir una rápida difusión del inglés. El español, sin embargo, que había sido marca de estatus cultural y económico elevado, mantuvo su uso y prestigio hasta bien entrado el siglo xx. No es trivial el hecho de que en español se escribieran las primeras grandes obras literarias del país, su primera Constitución como república independiente y su himno nacional; o que Filipinas esté lleno de apellidos y topónimos españoles: *Santa Cruz, La Trinidad, Cabo Engaño, Bahía Honda, Puerto Princesa*. Sin embargo, el uso del español en Filipinas actualmente es muy débil. No así de una lengua criolla denominada *chabacano* y que cuenta con una comunidad que puede superar el medio millón de hablantes.

Chabacano es una palabra del siglo xvi aplicada a lo que tiene poco gusto, a lo de poco valor, a lo que se tiene en poca estima. El chabacano es una variedad criolla, fruto de la mezcla de un vocabulario y una fraseología españoles con una base gramatical nativa, tagala o bisaya. El chabacano es una variedad suficientemente diferenciada desde mediados del siglo xviii y hoy se habla principalmente en las islas de Luzón y Mindanao, muy especialmente en la península de Zamboanga. Entre las características lingüísticas de este criollo hay que señalar el paso a *pe* de la *efe*, sonido inexistente en las lenguas filipinas (*Pilipinas, tipón* 'tifón'), el seseo o la aspiración de *jota*, junto a la formación del plural mediante la partícula *mga* (*el mga casa* 'las casas'), la introducción de formas indígenas en los pronombres personales (*kitá* 'nosotros') o la simplificación del verbo, con pérdida de la *r* en el infinitivo (*comé* 'comer', *quitá* 'quitar'). El léxico chabacano incluye cerca de un 90 % de elementos de origen español, al que hay que unir voces indígenas, americanismos, arcaísmos y anglicismos.

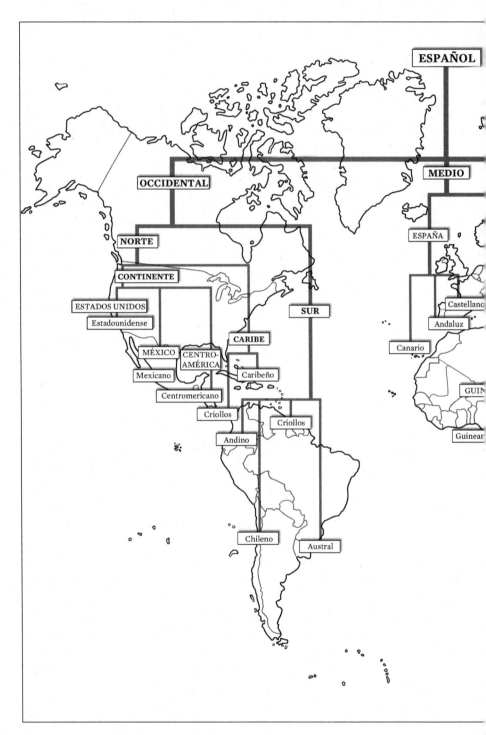

Mapamundi del español

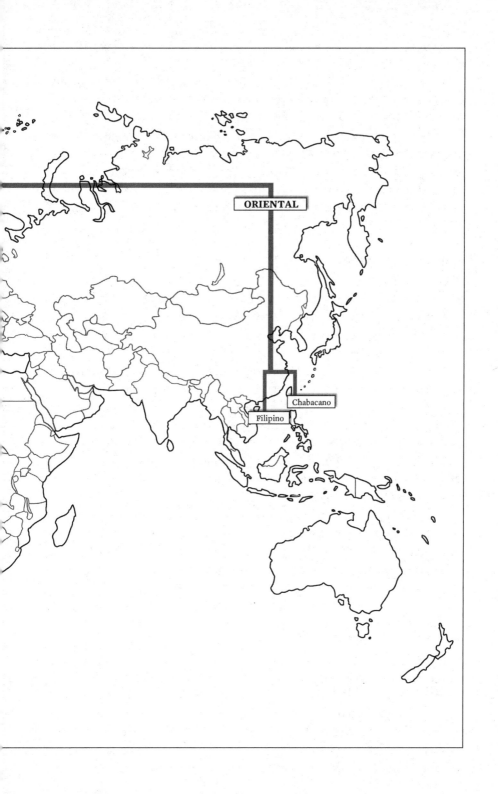

Aún en el Pacífico, existe una variedad hablada en la isla de Guam cuya historia está muy ligada a la lengua española: el *chamorro*. Se trata de una fusión histórica de elementos austronésicos y españoles, a los que se han añadido, a lo largo del siglo XX, préstamos del inglés (lengua oficial de las Islas Marianas) y del japonés. A pesar de todo, el chamorro tiene un léxico que es de origen español en un 50 % y que incluye otros elementos hispanos, como las preposiciones (*asta, desde, entre, contra, para, pot, sigún, sin*) o la serie de numerales ordinales (*uno, dos, tres, sinko*).

Guinea Ecuatorial

El primer contacto europeo con Guinea se produjo en 1471 con la llegada de navegantes portugueses a la isla de Annobón, muy alejada del resto de los territorios guineanos. Las prolongadas disputas de España y Portugal por las tierras de Guinea concluyeron a favor de España en 1777, si bien no existió una auténtica colonización española hasta el siglo XIX, cuando se impulsó decididamente el comercio y se facilitó la llegada de colonos levantinos, de negros emancipados y de deportados políticos de Cuba. Las disputas con Francia y Alemania por los territorios continentales de Guinea no concluyeron hasta que en 1900 se fijaron los límites definitivos del territorio. La independencia de Guinea Ecuatorial se produjo en 1968, por lo que la capacidad de influencia de España y de su cultura sobre ese territorio en las últimas décadas ha sido muy limitada.

La mayoría de las peculiaridades del español ecuatoguineano se deben a su coexistencia con lenguas de la zona. Podemos hablar de una base de español castellano sobre la que se han ido entretejiendo transferencias en todos los planos lingüísticos. En el plano fónico, es llamativa la pronunciación de *efe* por *zeta*: *canfión* 'canción', *fintas* 'cintas', aunque resulta muy particular su entonación, por influencia de la lengua fang. En la gramática, se favorece el uso de formas átonas en frases como *usted me burla* 'usted se burla de mí', se prescinde del reflexivo (*la gente concentra aquí*), a veces no hay concordancia (*la plato; cosa oculto*) o se usan pronombres personales de tercera persona con verbos en segunda persona: *usted quieres*.

En cuanto al léxico, este refleja bien la historia lingüística del lugar, desde la adaptación del español al nuevo entorno, con la creación de guineanismos hispánicos, hasta la incorporación de afronegrismos o americanismos. Los afronegrismos pueden tener la forma de préstamos (*encué* 'cesto grande') o de calcos semánticos (*oír* 'entender': *solo oigo el portugués un poco* 'solo entiendo'). Los americanismos parecen deberse a los intercambios que se produjeron con Cuba desde el siglo XIX: *chapear* 'limpiar la tierra de malezas' o *guachimán* 'vigilante; guardián', usados también en América Central o en la República Dominicana.

El español sin tierra

Más allá de la geografía, existe una variedad del español cuya historia se prolonga desde la Edad Media hasta nuestros días, pero que a duras penas puede adscribirse a una geografía. El judeoespañol, ladino o djudezmo actual es el conjunto de variedades de la lengua española transmitidas de generación en generación por los descendientes de los judíos expulsados de la península ibérica, de Sefarad, en 1492. La primera diáspora los llevó al norte de África, hacia el este del Mediterráneo y hacia Europa. Después, las circunstancias históricas los fueron conduciendo a diferentes destinos: Estados Unidos, Argentina, Israel. Su lengua ha mantenido a lo largo del tiempo una pronunciación que distingue consonantes palatales sordas y sonoras, el uso de formas verbales como *do* 'doy', *so* 'soy" y *esto* 'estoy' o el empleo de *vos* como sujeto y como complemento (*venivos* 'veníos'), así como de palabras procedentes del hebreo o de otras lenguas con las que han convivido a lo largo del tiempo (turco, árabe, lenguas balcánicas). El ladino actual se habla y se escribe, pero se está debilitando tanto que podría desaparecer en algunas de sus comunidades.

Personajes, personas y personillas

El Hayi El Harbi

En 1916, en la ciudad de Beni Saf, al oeste de Argelia, nació El Hayi El Harbi. Sus padres, pescadores tradicionales, hablaban árabe oranés y se defendían en francés, aunque en el puerto de su ciudad recalaba gente de muchos lugares del Mediterráneo. El Harbi aprendió el oranés de sus padres y también sabía hablar francés. La ciudad moderna de Beni Saf se había refundado en 1875 como colonia francesa para la explotación de las minas de hierro y, aunque los pescadores llevaban un vida alejada de la mina, al final no tenían más remedio que aprender la lengua de la colonia. Pero, junto al oranés y al francés, El Harbi aún conocía otra lengua adquirida durante su infancia. Esa lengua era el español.

El Harbi se dedicó a la pesca desde niño, como su padre, y tanto en el puerto como en la ciudad tuvo oportunidad de aprender la lengua española de boca de los muchos españoles que allí vivían. Unos habían llegado para trabajar en las minas, ya en el siglo XIX; otros fueron llegando a lo largo del siglo XX desde Alicante, Murcia, Valencia, para ganarse la vida con la pesca o en el campo. En las calles de Beni Saf era normal que los niños españoles jugaran con los argelinos, saltando de una lengua a otra como quien salta de piedra en piedra, prestándose palabras, aprendiendo a contarse sus aventuras en más de un idioma. Así fue como El Harbi aprendió español, en las calles de la ciudad. Su padre y su madre también lo hablaban porque una parte de la vida social de la gente más humilde de Beni Saf se hacía en español.

La independencia supuso una nueva época para Argelia a partir de 1962, en la que el francés, como lengua cívica, y el árabe, como idioma nacional y religioso, pasaron a ser vehículos principales de comunicación social, con el inconveniente de que los hablantes de árabe oranés —como los de bereber— no sabían leer ni escribir el árabe clásico. Muchas de las familias españolas, que habían llenado las calles de Beni Saf, de Maskara o de Orán durante décadas, si no se habían marchado ya, terminaron de hacerlo en aquellas fechas de la independencia. También desaparecieron los judíos sefardíes, que hasta entonces habían conservado allí su lengua familiar y literaria, sus romances y oraciones en judeoespañol. El Harbi mantuvo su español como un tesoro —así lo consideraba él—, aunque ya no tenía muchas posibilidades de practicarlo. Cuando El Harbi acababa de cumplir 72 años, un investigador de España preguntó por él; decía que era dialectólogo y que quería hablar con él en español. El Harbi se sorprendió; luego se alegró porque todavía lo hablaba bien, aunque algo lentamente, y pudo contarle al dialectólogo cómo habían sido su vida y su gente. Algo le decía que esa sería la última oportunidad de revivir su pasado en español.

Don Chipote

Como tantos mexicanos norteños, hartos de trabajar por casi nada, don Chipote decidió abandonar a su familia, su choza y sus animales, y dirigir sus pasos hacia la tierra del tío Samuel, porque decían que allí se barría el oro de las calles. Acompañado de su perro Sufrelambre, partió hacia una nueva vida en la que no encontró más que engaños, golpes y decepciones. En 1920, el suroeste de los Estados Unidos no era un lugar precisamente amable: los mexicanos recién llegados eran tratados como animales de carga, presa fácil de los picapleitos y objeto de todo tipo de escarnios y abusos por parte de los amantes del dinero fácil. En ese paisaje estadounidense, tampoco faltaban los mexicanos ya acomodados, que no dudaban en marcar distancias respecto a los recién llegados haciéndose pasar por gringos. Y así reflexionaba don Chipote al respecto:

> ¿Podrá haber más maldad que la de estos malditos, que por pasar por gringos, se niegan a hablar su propio idioma renegando hasta del país donde nacieron? Creo que no. De estos renegados que no son ni agua ni pescados, que no hablan ni español ni inglés, que son, en una palabra, unos ignorantes, es de donde salen los más duros epítetos para nosotros, pues eso de «cholos», «verde» y «zurumato», son cosas suyas para zaherir a los recién llegados de México.

Esta historia fue narrada por el periodista Daniel Venegas y publicada en Los Ángeles, en 1928, con el título de *Las aventuras de don Chipote, o cuando los pericos mamen*. Se trata nada menos que de la primera novela chicana, en la que quedaban retratados unos personajes, una sociedad, una forma de hablar y un modo de vida. El libro fue un manifiesto contra la explotación a que los incautos mexicanos de la época se veían sometidos en los Estados Unidos. Esta característica también se encuentra en la literatura chicana de la segunda mitad del siglo xx, en inglés y en español. Ahora bien, a diferencia de lo que ocurre sobre todo a partir de 1970, donde el mexicano experimenta un proceso de identificación en la biculturalidad, Venegas presenta un mexicano que aspira a retornar a su tierra con un sentido de culpa muy marcado.

 La literatura mexicano-americana comenzó a adquirir personalidad propia en el último tercio del siglo xix, una generación después de la firma del Tratado de Guadalupe-Hidalgo, que convirtió en ciudadanos de los Estados Unidos a más de 80 000 mexicanos. El contexto en que esa literatura comenzó a tomar cuerpo fue de conflicto social, de frontera y de mezcla. En ese ambiente, la prensa escrita en español fue ocupando progresivamente un lugar de relieve: entre 1880 y 1935 se fundaron más de 190 periódicos en más de treinta comunidades de Colorado, Nuevo México, Arizona y Texas. La irrupción de esta prensa escrita en español, dentro de unas comunidades en las que la oralidad era fundamental, se entendía como una oposición política y social a la cultura dominante, que hablaba y escribía en inglés.

En dos palabras

dólar

La palabra *dólar* tiene su origen en un topónimo. Procede de *Joachimsthal* 'valle de Joaquín', un lugar de Bohemia (República Checa) donde había unas minas con cuya plata se acuñaban monedas a las que se llamó *Joachimsthaler* o, por abreviación, *thaler* o *taler* en alemán y *tálero* o *dálero* en español. Esas monedas se acuñaron siendo señores de Bohemia los reyes de España. De hecho, Carlos I y Felipe II ordenaron acuñar, para España y América, una moneda de plata de similares características al *thaler*, a la que se le dieron varios nombres: *real de a ocho, peso de ocho, peso fuerte, peso duro* o *dólar español*. Esta moneda, respaldada por el Imperio de España, tuvo circulación en Europa, América y Asia, por lo que realmente puede considerarse como la primera divisa internacional, sobre todo en la segunda mitad del siglo XVIII, cuando adquirió su máxima difusión.

Ahora bien, si España estuvo implicada en el nacimiento de los *thaler* o táleros y llegó a crear una moneda que recibió un nombre derivado (*dólar español*), también estuvo relacionada con la creación de la moneda estadounidense denominada hoy *dólar* (*dollar* en inglés). En efecto, durante la Guerra de la Independencia estadounidense, los rebeldes imprimieron un papel moneda en el que aparecía la palabra *dollar* y que se hacía equivaler al dólar español. En el papel se decía: «Páguese al portador [tantos] dólares españoles o su valor correspondiente en oro o en plata». Hay papeles de este tipo desde 1775, emitidos por decisión del Congreso estadounidense un año antes de la independencia. Así pues, la primera unidad monetaria de los recién nacidos Estados Unidos fue el dólar español. Esto fue posible porque durante el siglo XVIII había sido corriente su circulación en las colonias británicas. Después, en 1792, la Casa de la Moneda estadounidense comenzó a acuñar el dólar americano, aunque durante un tiempo se prefirió manejar la moneda española porque pesaba más y su plata era de mejor calidad, hasta que en 1857 fue abolida en los Estados Unidos. El uso de la palabra *dólar* en el español actual procede ya de este nuevo *dollar* americano.

De origen español, asimismo, es el célebre símbolo del dólar americano, que también lo es de otras monedas y que representa la riqueza por antonomasia. Es el símbolo «$» que puede encontrarse en los teclados de cualquier computadora. Este símbolo procede de la moneda de plata llamada *real de a ocho*. En los ejemplares de esa moneda acuñados durante el siglo XVIII, aparecían las columnas de Hércules flanqueando dos globos terráqueos superpuestos parcialmente bajo una corona real. La columnas eran ceñidas por sendas bandas en las que figuraba la leyenda «Plus Ultra». La banda de la leyenda se representaba mediante el signo «S» y las columnas eran las dos barras que se le superponían. Y ahí tenemos la composición gráfica del símbolo «$». Existen otras hipótesis sobre su origen: abreviatura de «peso»; anagrama de las minas de Potosí en Bolivia (PTSI), con sus caracteres superpuestos. Sea como sea, su origen hispánico no parece cuestionable.

pocho

El diccionario académico define *pocho* como «descolorido, quebrado de color»; cuando se aplica a la fruta, quiere decir que se encuentra en mal estado; cuando se aplica a personas, significa que su salud es flaca. La Academia no recoge el valor referido al color hasta 1832, por lo que debe ser una voz relativamente moderna, cuyo origen se atribuye a su expresividad, lo que no es decir mucho. En España se utiliza *pocho* del modo en que lo define la Real Academia, como en estos ejemplos: «esta fruta hay que comerla porque está pocha; mi bebé está pocho; las flores del jardín ya están pochas por el calor». En Chile también se utiliza *pocho* y *pocha*, pero la primera significa 'rechoncho, torpe' y la segunda, 'mentira, embuste', por lo que su origen podría deberse a alguna influencia indígena.

Ahora bien, a lo largo del siglo XX, se ha ido desarrollando un nuevo valor para *pocho* en el español de México y en el estadounidense. El *Diccionario general de americanismos* de Santamaría recoge la variante *poche*, pero matiza que en México lo común es decir *pocho*. Probablemente a partir del significado 'descolorido', *pocho* se ha aplicado al descendiente de mexicanos que es de nacionalidad estadounidense o al mexicano emigrado a los Estados Unidos. Así aparece en el *Diccionario del español de México* dirigido por Luis Fernando Lara. Ahora bien, a estos significados se les añaden unos importantes matices lingüísticos. En cuanto al mexicano emigrado a los Estados Unidos, se dice de él que es *pocho* porque al hablar introduce anglicismos y muestra poco conocimiento y aprecio de la lengua. Además, hay una acepción puramente lingüística que se refiere a la mezcla del español con el inglés al hablar o escribir: «Escribir en pocho; un anuncio en pocho». Efectivamente, *pocho* se llama al español del sur de los Estados Unidos que recibe anglicismos. A los usos característicos de ese español se les da el nombre de *pochismos: pipa* 'tubería'; *weldiar* 'soldar'. Ocurre, sin embargo, que muchas de estas formas mezcladas no son propias o exclusivas de la gente de procedencia mexicana, sino que pueden encontrarse en hispanohablantes estadounidenses de orígenes muy diferentes. Y ocurre asimismo que lo que en el sur de los Estados Unidos se llama *pocho* también puede recibir otras denominaciones, como *chicano* o *tex-mex*.

Resulta interesante comentar, no obstante, un hecho tan llamativo como constante en el panorama de las lenguas en contacto. Y es que, cuando en algún lugar se produce una mezcla de lenguas, una alternancia frecuente, o cuando se desarrolla una variedad mixta o criolla —esto es, con hablantes que la adquieren como primera lengua—, es muy probable que el nombre aplicado a esa variedad ofrezca connotaciones negativas. Así de mala es la percepción que suelen tener las comunidades lingüísticas de aquello que supuestamente no se ajusta a una norma o un modelo preestablecido o socialmente aceptable. De esta forma, al español criollo de Filipinas se le dice *chabacano*; a la mezcla del castellano con el catalán y las hablas aragonesas, *chapurreao*; a la mezcla del español con lenguas africanas y holandés en Aruba, Bonaire y Curaçao, se le da el nombre de *papiamento*; a la del español con el quichua en Ecuador, *media lengua*. Y, en esta misma lógica, a la mezcla del español y el inglés en el sur de los Estados Unidos se le dice *pocho*.

18
El español en la era de Internet

Las circunstancias socioeconómicas que más afectan a las lenguas se han visto modificadas radicalmente a lo largo de los siglos xx y xxi. Entre esas circunstancias merecen mencionarse las relativas a tres procesos: la urbanización, la educación y la globalización. La *urbanización* supone un abandono masivo del campo y el traslado de población a las ciudades, que están entrando en una dinámica comunicativa hasta ahora desconocida. En el año 2000, la población mundial superó los 6 000 millones de habitantes, de los que cerca del 10 % eran hispanohablantes. Si alrededor del año 2010 se igualó por primera vez en la historia la población rural con la urbana, a mediados del siglo xxi cerca del 70 % de la población estará urbanizada. En términos comunicativos, esto significa que, además de desaparecer las lenguas de menor vitalidad, se perderán muchas hablas locales y regionales, al tiempo que las ciudades se harán más complejas lingüísticamente. En el mundo hispánico, las hablas de las grandes urbes incorporarán aún más elementos externos, de otras lenguas y de otros dialectos.

La lengua, también la española, es especialmente sensible a la *educación* y la cultura de sus hablantes. A comienzos del siglo xxi alrededor de un 10 % de los hispanohablantes no sabía leer ni escribir. Esto suponía un espectacular descenso del analfabetismo respecto de 1900, pero la desigualdad entre países era flagrante, porque, si la cifra alcanzaba el 20 % en Centroamérica en 2000, en Cuba, Argentina y Uruguay caía hasta un 4 %, y hasta un 2% en España. Estas proporciones, tan bajas históricamente, respondían a una mayor facilidad para acceder a la Educación Primaria, a una ampliación de los sistemas educativos nacionales y al desarrollo de una legislación que obligaba a la escolarización. En los primeros años del siglo xxi, más del 90 % de los hispanoamericanos menores de 20 años cuentan con estudios primarios, gracias, entre otros factores, a la progresiva estabilidad política de todo su territorio, al desarrollo económico, al crecimiento de las clases medias y a la reducción de los conflictos bélicos. Como consecuencia natural de la mejor formación de los jóvenes, se ha ido produciendo un abandono de muchos usos populares y dialectales tradicionales, en beneficio de formas más cultas y generales.

La *globalización*, por su parte, es un proceso de base económica con claras repercusiones culturales y comunicativas. En general, se denomina «globalización» a la dinámica que lleva a los mercados a adquirir una dimensión mundial por la acción de diversos factores, entre los que sobresalen las tecnologías de la comunicación y, en general, el desarrollo de todo tipo de tecnología, especialmente la informática. Siendo así, la comunicación está modificando sus técnicas y su alcance, provocando un efecto cultural y lingüístico. De hecho se habla también de globalización cultural, que afecta a los modelos de las lenguas dentro de las sociedades y a las formas y canales de comunicación. El español no es ajeno a esta corriente de globalización cultural; es más, el español es una de las lenguas protagonistas de la globalización, al ser la tercera más utilizada en las redes y la segunda lengua de comunicación internacional. Esto afecta al modelo de lengua en tanto que deben manejarse formas comprensibles para una comunidad supranacional, a las que se accede principalmente a través de la televisión, de la radio y de Internet. En este sentido, se está conociendo una tendencia hacia una mayor cohesión del español, ya anunciada por Ángel Rosenblat en los años sesenta:

> Contra todos los vaticinios agoreros, y a pesar de una serie de factores efectivos de disgregación, se puede asegurar que la unidad de la lengua española culta en nuestros países es hoy mayor que nunca. Una unidad que respeta la legítima e inevitable diversidad de cada región, y hasta de cada persona. Que no puede estar dictada desde un lugar, sino que es y debe ser obra de amplia colaboración de todos los escritores, pensadores y científicos de nuestra lengua.
>
> Ángel Rosenblat, «El futuro del español», 1963

No obstante, la facilidad del acceso a los múltiples canales y redes de comunicación permite que cualquier variedad, lingüística o dialectal, pueda ser utilizada por cualquier hablante en cualquier momento y de cualquier forma, dando vida a usos que de otro modo podrían disiparse en el propio acto de la oralidad. Así ocurre con hablas locales o jergas urbanas, que normalmente no se usan de forma escrita, pero que están teniendo una presencia testimonial en Internet.

Urbanización, educación y globalización son tres procesos independientes que se materializan entrelazadamente dentro de un escenario ideal para ello: las grandes ciudades. La imagen que suele tenerse de las ciudades es la de comunidades divididas en clases sociales, cuyos hablantes de estatus elevados, con su lengua culta y técnica, quedan separados de los más humildes, con sus rasgos populares y dialectales. Así pudieron organizarse los núcleos urbanos del periodo industrial, pero las ciudades modernas no ofrecen una distribución en clases, sino en forma de redes de individuos que comparten unas mismas características. Existen, por tanto, redes de hablantes de alto nivel social y educativo, que hacen uso de una lengua culta en los contextos adecuados, y redes de hablantes con menor formación y nivel socioeconómico. Las redes pueden crearse atendiendo a distintos rasgos, como es el caso de los jóvenes de posición socioeconómica acomodada, denominados *pijos* en España, *fresas* en México, *chetos* en el área austral, *sifrinos* en Venezuela o *gomelos* en Colombia, y como ocurre con los grupos profesionales (médicos, funcionarios administrativos, profesores) o con los inmigrantes procedentes de un mismo origen (ecuatorianos en Madrid, guatemaltecos en México, puertorriqueños en Nueva York, peruanos en Milán). Existen también redes en las que se integra gente de diferente nivel socioeducativo y que favorecen los intercambios de rasgos lingüísticos. Normalmente, los individuos que se sitúan en el entramado de varias redes suelen liderar los cambios lingüísticos dentro de la sociedad y muy a menudo son mujeres.

Las ciudades, sin embargo, no son solamente un «mercado» en el que los ciudadanos de diferente procedencia social intercambian «mercancía» lingüística. Las ciudades también reciben la influencia de lo que se dice en los medios de comunicación social, muy especialmente en la televisión. Al mismo tiempo, los profesionales de la comunicación, que suelen proceder de las ciudades, reflejan en los medios su modo de hablar, pero modificándolo. Así es como se crea un circuito de influencias recíprocas entre los medios y la población urbana culta. Además, los medios de comunicación, soporte de la información y la publicidad, tienen la capacidad de poner en circulación palabras, significados y expresiones casi de una día para otro: las primeras hojas de afeitar *gillette* se publicitaron en 1901; *Coca-Cola* llegó a España y México en 1926; en 1945 se acuñó en Argentina el término *birome* 'bolígrafo'; en 1996 nació la voz *viagra;* en 2001, la acepción bancaria de *corralito;* en 2004, *Facebook;* en 2010 se divulgaron socialmente las palabras *grafeno* y *vuvuzela;* y ese mismo año nació la voz *áipad* (iPad, de Apple Inc.), que, por cierto, está apareciendo entre las diez primeras palabras adquiridas por los bebés urbanos. Asimismo una serie de televisión tiene la posibilidad de poner de moda expresiones locales, al tiempo que una telenovela, una serie infantil o el doblaje de unas caricaturas tienen el inmenso poder de trasladar a miles de kilómetros de distancia el léxico de su lugar de origen. En el ámbito internacional, son bien conocidas las telenovelas y las caricaturas producidas o dobladas en México y en los países del Caribe. Gracias a ellas, palabras como *pana* 'amigo', *chévere* o *chambear* 'trabajar' han llegado a ser familiares en todo el espacio hispánico; y gracias a ellas se han acercado al español muchas personas del este de Europa o de los Estados Unidos.

Esto nos lleva directamente al terreno de la innovación léxica, porque los siglos XX y XXI han sido pródigos en la creación y difusión de terminología vinculada a los enormes avances tecnológicos conocidos. Se han difundido en el siglo XX, con orígenes diversos, voces como *lavadora, secadora, lavaplatos* o *lavavajillas, aspiradora* y *microondas; caja registradora, cajero automático, tarjeta de crédito, tarjeta de débito* o *código de barras; láser, módem, chip, radar, transbordador espacial* y *satélite artificial; móvil* o *celular, mouse* o *ratón, ordenador* o *computadora, plasma* o *alta definición; bolígrafo, logo, postit, clip.* Ha habido siglas que se han transformado en palabras: *ovni, sida, opa*; a veces deletreadas: *ADN, ko, GPS.* También ha habido marcas comerciales que se han convertido en palabras de uso común: *mecano, formica, maicena, nailon;* y palabras que se han creado por fusión de dos diferentes: *ofimática, sonar, cantautor, docudrama, publirreportaje.* Son centenares las voces que el progreso tecnológico ha aportado al español.

Entre los campos que más léxico han incorporado al acervo común, cabe mencionar el de la economía y el de la informática. A pesar de ser áreas muy especializadas, su lenguaje ha ido penetrando en el uso general, ayudado por los medios de comunicación hablados y escritos. Es cierto que no en todos los países hispanohablantes se han incorporado exactamente las mismas palabras en el mismo momento; pero no lo es menos que existe una tendencia a la homogeneización progresiva, tal vez como consecuencia de la globalización y de la versatilidad de las comunicaciones. Dentro del campo de la economía y del comercio, se suele recurrir al empleo de metáforas y al léxico ordinario para conseguir una mayor fuerza expresiva o descriptiva. Así se hace cuando se habla de *economía sumergida,* de *chiringuito financiero* 'servicio de escasa entidad y al margen de la norma general' o cuando se recurre a imágenes nacionales ligadas a productos o procesos financieros: *bonos bulldog* (emitidos en libras esterlinas), *bonos yankee* (en dólares), *bonos samurái* (en yenes); *efecto samba, efecto tango, efecto tequila.*

Ahora bien, tanto si se trata de economía como si se trata de comercio o empresa, el léxico responde a unos mecanismos de innovación preferidos. Uno de los más prolíficos es el préstamo, generalmente a partir del inglés: se habla de *commodity* 'bien comercial', *target* 'destinatario', *portfolio* 'cartera', *marketing* 'publicidad', *royalty* 'canon', *know-how* 'saber hacer', *package* 'paquete'. A veces estos préstamos alternan con sus equivalentes en español y otra veces se emplean completamente españolizados: *eslogan, chárter*. Asimismo, en ocasiones se trata de calcos, con forma española, pero que reproducen una estructura del inglés: *free trade/comercio libre, fair trade/comercio justo, cash flow/flujo de caja*; aunque a veces se utilizan construcciones que combinan el inglés y el español: *compañía de factoring, empresa de catering*. Naturalmente, en este mundo especializado no pueden faltar las siglas, ni de origen inglés (*CIF: Cost, Insurance and Freight*) ni de origen hispánico (*IVA* 'impuesto sobre el valor añadido', *PIB* 'producto interior/interno bruto').

El campo de la informática comparte muchos rasgos con el de la economía. Incluye préstamos, muy especialmente del inglés: *browser* 'navegador', *bookmark* 'marcador', *host* 'computadora anfitriona', *link* 'enlace'; si bien muchos pueden alternar con formas del español: *password* y *contraseña, mouse* y *ratón, mail* y *correo, username* y *usuario, website* o *sitio, router* o *enrutador, wireless* o *inalámbrico*. Asimismo se encuentran préstamos totalmente adaptados al español en su forma: *resetear, chatear, clicar* o *cliquear, atachar* (de *attach*), *loguear* (de *log-in*), *deletear* (de *delete*). También este es un campo abonado para el uso de las siglas: *PIN* (*Personal Identificaction Number*), *WAP* (*Wireless Application Protocol*), *ASCII* (*American Standard Code for Information Interchange*), pronunciadas como palabras; *PDF* (tipo de formato de documento), *HTML* (*HyperText Markup Language*), *URL* (*Uniform Resource Locator*) o la célebre *WWW* (*World Wide Web*), pronunciadas estas últimas con deletreo. La importante presencia del inglés en el campo de la informática ha permitido hablar de una jerga específica llamada *ciberspanglish*.

Resulta interesante comprobar cómo, aunque existen anglicismos en español desde el siglo XIX, se considera que es el siglo XX la gran época de recepción de préstamos, calcos y todo tipo de transferencias desde el inglés. Basta con repasar el léxico de la economía, la informática, la tecnología o la ciencia para comprobar que es así. Tal percepción, sin embargo, puede ser engañosa porque el habla cotidiana no tiene por qué revelar un influjo del inglés tan acusado, ni siquiera en el español de Puerto Rico, país que, por su vinculación con los Estados Unidos, pasa por ser uno de los más «anglizados». Los estudios realizados sobre el léxico puertorriqueño muestran que su proporción de anglicismos no es muy diferente de la que se encuentra en Madrid. En este mismo sentido, suele presentarse como ejemplo de influencia máxima del inglés el español hablado por los hispanos en los Estados Unidos, llámese *pocho, chicano* o *espanglish*. Cierto es que en estas mezclas de lengua se registran numerosas transferencias desde el inglés: préstamos puros (*tiene el pelo straight* 'liso'), creaciones híbridas (*calendador* 'calendario'), calcos gramaticales (¿*qué es tu nombre?* '¿cómo te llamas?'; *tomar ventaja de* 'aprovecharse de'; ¿*cómo te gustó?* '¿te gustó?') o alternancia de lenguas (*tell me* —dime— *qué es lo mejor para todos*). Pero incluso aquí la presencia del inglés es limitada, dependiendo del contexto. En un estudio sobre el léxico disponible de los hispanos de Chicago realizado en 2004, el número de anglicismos resultó muy inferior al 1%.

La lengua inglesa, no obstante, se ha convertido en referencia internacional y predominante allí donde se reúnen hablantes que no comparten un mismo idioma materno. El inglés se ha convertido en la lengua franca mundial por excelencia en el siglo XXI, hasta el punto de que parecerían premonitorios los versos de Rubén Darío en los que veía incierto el futuro del español:

> [...]
> A vosotros mi lengua no debe ser extraña.
> A Garcilaso visteis, acaso, alguna vez.
> Soy un hijo de América, soy un nieto de España.
> Quevedo pudo hablaros en verso en Aranjuez.
> [...]
>
> La América española como la España entera
> fija está en el Oriente de su fatal destino;
> yo interrogo a la Esfinge que el porvenir espera
> con la interrogación de tu cuello divino.
>
> ¿Seremos entregados a los bárbaros fieros?
> ¿Tantos millones de hombres hablaremos inglés?
> ¿Ya no hay nobles hidalgos ni bravos caballeros?
> ¿Callaremos ahora para llorar después?
>
> RUBÉN DARÍO, *Los cisnes*, 1907

Después de un siglo, las preguntas de Darío tienen respuesta. No «callaremos». El universo hispanohablante ha encontrado un espacio relevante en el panorama internacional. Y lo ha hecho sin necesidad de forjar una «raza cósmica», a la que se refería el mexicano José Vasconcelos en 1925. La lengua española ha crecido con América como epicentro, pero no porque sus hablantes se hayan encerrado sobre sí mismos, sino porque se han abierto al mundo y han sabido navegar en las aguas de la multiculturalidad. La trascendencia de los premios Nobel de literatura en español, desde José Echegaray (1904), hasta Mario Vargas Llosa (2010), pasando, entre otros, por Vicente Aleixandre (1977), Pablo Neruda (1971), Gabriel García Márquez (1982) u Octavio Paz (1990), no está en la gran admiración que les profesa la comunidad hispánica, sino en la influencia internacional de su pensamiento y en su calidad de representantes de una cultura universal. Esta cultura que se expresa en español habrá de continuar su historia, su maravillosa historia, sobre las pantallas, los satélites y las redes informáticas, con la misma fuerza y personalidad con que lo hizo sobre la piedra, el pergamino, el papel o las ondas hercianas.

1904	José Echegaray	ESPAÑA
1922	Jacinto Benavente	ESPAÑA
1945	Gabriela Mistral	CHILE
1956	Juan Ramón Jiménez	ESPAÑA
1967	Miguel Angel Asturias	GUATEMALA
1971	Pablo Neruda	CHILE
1977	Vicente Aleixandre	ESPAÑA
1982	Gabriel García Márquez	COLOMBIA
1989	Camilo José Cela	ESPAÑA
1990	Octavio Paz	MÉXICO
2010	Mario Vargas Llosa	PERÚ

Los premios Nobel de las letras hispanas

Personajes, personas y personillas

Matías Prats Cañete

Matías quiso ser poeta. Nació en 1913, en Villa del Río, provincia de Córdoba; un pequeño pueblo de la Andalucía seseante, donde se dice *sebolla* 'cebolla', *sebá* 'cebada' y *tosino* 'tocino'. Sus padres eran andaluces también y quisieron que Matías estudiara algo de provecho, como peritaje industrial, pero su vocación se inclinaba claramente hacia las letras. Aún tuvo la oportunidad de desplazarse a Madrid para participar en algunas tertulias literarias, aunque la Guerra Civil lo puso en el sendero del periodismo radiofónico. Por él caminó retransmitiendo corridas de toros o partidos de fútbol desde Andalucía. Y ya nunca lo abandonó. De vuelta a Madrid, trabajó en Radio Nacional de España y se convirtió en una de las voces más famosas de la posguerra española. Alcanzó cargos de responsabilidad y suyo fue el protagonismo al dirigir y narrar los noticieros y documentales más conocidos y seguidos en España durante varias décadas: el célebre NO-DO. Su fama y profesionalidad lo llevaron a trabajar también para la Televisión Española, desde donde dirigió y presentó numerosos programas. Sin duda, Matías Prats Cañete es uno de los locutores de referencia en la historia del periodismo español.

Desde el punto de vista de la lengua, la figura de Matías Prats resulta particularmente interesante. No se trata solo de que tuviera un buen dominio del español en su registro oral, que era evidente que lo tenía, así como una extraordinaria capacidad narrativa. Además de eso, Prats fue capaz de crear todo un estilo periodístico, una forma de hacer radio con tanta fuerza comunicativa que su influencia lingüística pudo llegar a muchos otros profesionales de la radio y la televisión, así como a todos los españoles que lo seguían. Pero aún hay más. Y es que el discurso oral de Matías Prats representó un auténtico modelo de corrección en el habla, de respeto y seguimiento de la norma prestigiosa, que en aquel momento era la norma del castellano de la Castilla del norte. Pero, ¿cómo fue esto posible, si Matías Prats había nacido y crecido en Andalucía, en el seno de una familia andaluza? Sencillamente, mediante la disciplina articulatoria y el esfuerzo para modificar su dialecto. Siendo seseante, Matías Prats evitaba la confusión de *ese* y de *zeta*, pronunciando esta última como *efe*. Esto quiere decir que pronunciaba *fefilia* 'Cecilia', *difífil* 'difícil' o *ferca* 'cerca'. *Efe* y *zeta* son dos sonidos acústicamente muy cercanos y fáciles de confundir; el resto lo conseguían las ondas y el filtro acústico de los micrófonos.

Hablar de Matías Prats en el mundo de la radiodifusión española es hablar de una de sus grandes figuras. Sus narraciones taurinas siguen siendo recordadas e imitadas; sus transmisiones deportivas abrieron la puerta de un universo comunicativo que hoy constituye toda una especialidad: el periodismo deportivo. Los programas deportivos de la radio y televisión son seguidos masivamente y eso supone que su discurso se hace oír en todos los territorios en los que el español es vehicular. Al mismo tiempo, al primarse la inmediatez y la expresividad, el periodismo deportivo suele reflejar hacia dónde apuntan muchas tendencias evolutivas de la lengua. La figura de Matías Prats Cañete viene a simbolizar la enorme capacidad de influencia que los medios de comunicación tienen actualmente sobre la lengua española y sus hablantes.

HAL 9000

Nació el 12 de enero de 1992 en los laboratorios HAL Inc., situados en Urbana, Illinois (Estados Unidos). Su creador, el doctor Chandra, lo llamó HAL, como acrónimo de *Heuristically Programmed Algorithmic Computer* (computadora algorítmica heurísticamente programada). Efectivamente, HAL fue una computadora electrónica cuyo nombre se completó con un número de serie y que estaba dotada con unas habilidades extraordinarias: era capaz de reconocer la voz, de leer los labios, de procesar el lenguaje, de razonar y argumentar, de interpretar y expresar emociones, además de realizar infinidad de tareas técnicas, rutinarias o extraordinarias. El mismo año de su creación la instalaron en una nave espacial llamada *Discovery* con la función de controlar las funciones de la propia nave y de sus tripulantes.

HAL estaba instalada en un espacio estrecho y cerrado, lleno de módulos o tarjetas de memoria extraíbles. Además, contaba con cámaras en forma de ojos rojos distribuidas por varios lugares de la nave. En el año 2001, los tripulantes del *Discovery* recibieron el encargo de analizar y descubrir el origen de unas señales acústicas. Procedían de un monolito hallado en la luna y que parecería de origen extraterrestre. Durante la misión, HAL dio la impresión de confundirse acerca del fallo mecánico de una antena y dos de los astronautas, preocupados por el error, decidieron desconectar sus circuitos cognitivos. HAL, por sus habilidades comunicativas, supo cuál era la intención de los astronautas e hizo morir a uno de ellos, así como a los tripulantes que estaban en hibernación. El astronauta que logró sobrevivir procedió a desconectar a HAL módulo a módulo, haciéndolo perder progresivamente su consciencia mientras la máquina canturreaba una melodía.

La historia narrada es muy conocida. Se divulgó por todo el mundo en 1968 a través de la película *2001: Odisea en el espacio*, dirigida por el neoyorquino Stanley Kubrick y basada en una obra de Arthur Clarke, escrita originalmente en 1948. La novela intentaba anticipar el desarrollo tecnológico de principios del siglo XXI, aunque la imaginación de Clarke fue más allá de la realidad, dado que en 2001 no llegaron a existir máquinas con las capacidades cognitivas y la versatilidad que exhibía HAL. Con todo, los creadores de la historia sí anticiparon que medio siglo después existirían computadoras capaces de hablar y de entender, y hasta de dialogar o razonar.

Hoy existen máquinas que pueden leer cualquier texto y máquinas que reconocen prácticamente cualquier voz. Su propia voz puede presentarse en distintos registros y variedades de cualquier lengua, porque también son multilingües. Son una de las máximas expresiones de la tecnología informática y de la comunicación del siglo XXI. Esas máquinas no son capaces de conocer el futuro ni de determinar la evolución de una lengua, antes bien tienden a frenarla. Con todo, si una lengua aspira a tener un amplio uso social, un valor internacional y alguna utilidad en los más diversos campos personales y profesionales, sin duda deberá ser reconocida y hablada por las máquinas del futuro. El español ya es una de ellas.

En dos palabras

robot

La palabra *robot* suena a futuro, pero cuenta ya con una larga historia a sus espaldas. Nació en 1921, en una obra del checo Karel Capek titulada *R. U. R.: Rossumovi Univerzání Roboti (R. U. R.: Los robots universales de Rossum)*. Al año siguiente fue traducida al inglés para ser representada en un teatro de Nueva York. Al escribir la obra, cuando el autor buscaba un nombre para los trabajadores humanoides de una fábrica, pensó en crear una palabra nueva a partir del latín *labor*. Su hermano, sin embargo, le sugirió utilizar la palabra checa *robota* que significa 'trabajos forzados' y así surgió *robot*. Es interesante observar que el autor disponía de otras posibilidades léxicas para denominar a sus personajes mecánicos, como *autómata* (utilizada en español, inglés y otras lenguas al menos desde el siglo XVIII) o como *androide* (utilizada en inglés desde el siglo XVIII). Sin embargo, *robota*, traducido al inglés como *robot*, tenía un gancho especial: el atractivo del neologismo.

En español, la palabra *robot* se recoge y define en la obra de Esteban Terrada *Neologismos, arcaísmos y sinónimos en la plática de ingenieros*, de 1946, por lo que su irrupción debió ser algo anterior. Una vez introducida, no hubo diferencias entre los usos que se le dieron en España o en las naciones americanas. El término se emplea con un sentido figurado (*ser un robot*) o en forma de término de comparación (*actuar como un robot*), siempre con el significado de 'ingenio capaz de realizar mecánicamente operaciones propias de humanos'. Además, la palabra ha producido un derivado: *robótica*. Así se llama a la parte de la ingeniería que aplica la informática para construir mecanismos capaces de sustituir a las personas con distintos fines. De hecho, la robótica ya ha producido máquinas androides que manipulan objetos, caminan, hablan o realizan tareas domésticas, al tiempo que ha creado brazos mecánicos que pueden montar automóviles o participar en intervenciones quirúrgicas. En lo que probablemente no aciertan las definiciones de los diccionarios es en ceñir a las humanas las actividades que puede realizar un robot, puesto que ya existen autómatas que emulan las actividades de diversos animales, especialmente perros.

Pero, en español hay aún un uso de *robot* que merece un mínimo comentario. Se trata de la fórmula *retrato robot*, que designa la imagen de una persona dibujada a partir de la información verbal proporcionada por otra, normalmente con fines policiales. La técnica fue introducida en los años cincuenta del siglo xx en los Estados Unidos. Es preciso explicar, no obstante, que este uso de *robot* no es general en el mundo hispánico, sino característico de España. En América se suele hablar de *retrato hablado* o incluso de *identikit*, que es una de las denominaciones inglesas. El calco del inglés *boceto policial* (de *police sketch*) tiene un uso mucho menor.

informática

La informática es un área de especialidad muy sensible al anglicismo. Cuando no son voces del inglés las que se incorporan al español, adaptadas o sin adaptar (*template, frame, banner, windows, shareware, streaming, cookie, update, mirror, online; privilegio, compresión, editor*), son palabras o expresiones originadas en calcos desde la misma lengua: *ancho de banda, sistema operativo, en línea, nube*. Por esto mismo no deja de ser curioso que la materia o disciplina que engloba toda esa tecnología reciba en español el nombre de *informática*. Y es que esta palabra no procede del inglés, sino del francés *informátique* y comenzó a utilizarse con profusión en España a partir de los años setenta del siglo xx. La palabra francesa nació en 1962, a propuesta del físico Philippe Dreyfus, para referirse al tratamiento automático de la información. El término fue aceptado por la Academia Francesa en 1966. En español, el diccionario académico recoge por primera vez *informática* en su edición de 1984. La temprana influencia de Francia en esta nueva disciplina explica también la llegada a España de la palabra *ordenador*, procedente del francés *ordinateur*. La especialidad, sin embargo, llegó a los demás países hispanohablantes desde los Estados Unidos, razón por la cual se utilizan *computadora* o *computador* (del inglés *computer*), así como *computación*, que puede alternar con *informática*. En España la presión del inglés en este campo no se hizo evidente hasta los años ochenta.

Dentro del ya vasto y complejo mundo de la informática, el terreno con más capacidad para influir sobre el lenguaje humano y las relaciones entre hablantes es el de las redes sociales. La progresiva extensión de Internet y de la telefonía, así como su aplicación a las redes sociales, tienen consecuencias lingüísticas muy diversas. Por un lado, se incorporan al español nuevos términos, como *hashtag* o *app*, además de los nombres de las herramientas que permiten ese tipo de comunicación: *Facebook, Twitter, WhatsApp, Instagram, Skype*. Por otro lado, algunos de ellos se hispanizan, incluso en la escritura (*tuit, tuitear, guasapear*) y, en otros casos, se crean nuevas acepciones para palabras viejas: *muro* (en Facebook), *tendencia* (en Twitter), *viral*. El tiempo que todas estas voces puedan permanecer en la lengua dependerá de lo rápido que evolucione la tecnología hacia otras herramientas comunicativas. En cualquier caso, no hay que olvidar que el empleo de las redes sociales está poniendo en contacto con la escritura a millones de personas durante muchas horas al día, con lo que ello supone de positivo para la práctica de la comprensión y expresión escritas o para el desarrollo de la competencia comunicativa.

Finalmente, el amplio uso de las redes sociales, especialmente a través de dispositivos móviles, está propiciando la búsqueda de una escritura abreviada en la que se sacrifica la ortografía cuando la intercomprensión está garantizada. Al mismo tiempo, los textos emitidos por las redes son revestidos de expresividad por medio de un nuevo «lenguaje» visual compuesto por signos llamados *emoticonos* o *emoticones*. Los más utilizados son los que representan caras con decenas de posibilidades expresivas: sonrisa, llanto, sorpresa, enfado, burla. Estos signos tienen tanta aceptación entre individuos de cualquier edad y condición que están incorporándose a la lengua escrita en soportes más convencionales. En definitiva, la informática está abriendo nuevas sendas de expresión que pueden afectar a las lenguas, también al español, pero cuyo destino final aún no se vislumbra.

Apéndices

Glosario

alefato. Alfabeto hebreo.

alifato. Alfabeto árabe.

aljamía. 1. Escritura con caracteres árabes de las variedades romances habladas en al-Ándalus. 2. Texto romance escrito con el alfabeto árabe o con el alfabeto hebreo. 3. Lengua española escrita con el alfabeto árabe o con el alfabeto hebreo.

almohades. Dinastía marroquí de origen bereber que se extendió por el norte de África y que dominó el sur de la península ibérica entre 1147 y 1269.

almorávides. Tribu guerrera de origen nómada y procedente del Sáhara que se extendió por el norte de África y la península ibérica entre los siglos XI y XII.

andalucismo. Palabra o expresión característica o procedente de las hablas de Andalucía.

árabe andalusí. Variedad de la lengua árabe hablada en al-Ándalus, en la mitad sur de la península ibérica, entre los siglos IX y XVI.

árabe hispánico. Variedad de la lengua árabe hablada en la península ibérica entre los siglos IX y XVI.

arabismo. Palabra o expresión característica o procedente de la lengua árabe.

aragonesismo. Palabra o expresión característica o procedente de las hablas de Aragón.

aspiración. Sonido del lenguaje que se produce por el rozamiento del aire en la parte baja o trasera del canal articulatorio.

beato. Códice de los siglos VIII al XIII, ilustrado con miniatura, que recoge los comentarios que Beato de Liébana escribió sobre el Apocalipsis.

benimerines. Tribu guerrera marroquí que fundó una dinastía en el norte de África durante los siglos XIII y XIV y que sustituyó a los almohades en la España musulmana.

bereber o **beréber.** Lengua y conjunto de variedades del norte de África.

Biblia romanceada. Biblia traducida a una lengua romance, principalmente al castellano.

bozal. Persona que habla mal la lengua española por haber pasado poco tiempo entre hispanohablantes; especialmente los africanos llevados como esclavos al Caribe.

calco. 1. Adopción de un nuevo significado procedente de una lengua diferente en una palabra ya existente en la lengua receptora. **2.** Adopción de una estructura gramatical procedente de una lengua diferente para sustituir o modificar otra ya existente en la lengua receptora.

califato. Territorio gobernado por un califa, que ejerce un poder religioso y civil en un territorio musulmán.

cancillería. 1. Organismo central que emitía los documentos reales y guardaba el sello del rey que los autentificaba. **2.** Antiguo tribunal superior de justicia.

catalanismo. Palabra o expresión característica o procedente de la lengua catalana.

celtismo. Palabra o expresión característica o procedente de las lenguas celtas.

chabacano. Variedad criolla del español de las islas Filipinas, que incluye componentes de origen tagalo o bisayo, muy utilizada principalmente en Zamboanga.

chelja o **cherja.** Variedad de la lengua bereber utilizada en la ciudad de Melilla.

Cluny. 1. Abadía de Francia fundada en el siglo X por Guillermo I de Aquitania y puesta bajo la autoridad papal. **2.** Orden religiosa reformista fundada en el siglo X y basada en la regla de San Benito de Nursia.

códice. Libro manuscrito anterior a la invención de la imprenta.

codicilo. Documento de última voluntad en el que no se establecen herederos y que puede modificar o complementar un testamento.

Concilio de Tours. Reunión de autoridades eclesiásticas católicas, convocada por Carlomagno en el año 813, donde se decidió que las homilías no fueran en latín, sino en lengua popular, fuera romana o germánica, para que todo el mundo entendiera con mayor facilidad lo que se decía.

Concilio de Trento. Reunión de autoridades eclesiásticas católicas celebrada entre 1545 y 1563 en la ciudad italiana de Trento como reacción a la reforma protestante de Lutero.

consonantismo. Conjunto de los sonidos consonánticos de una variedad lingüística.

corpus. Conjunto de muestras de la lengua hablada o escrita dispuestas y ordenadas para su fácil recuperación y análisis.

créole. 1. Criollo. 2. Variedad criolla de base francesa utilizada en Haití.

criollo. Variedad lingüística creada a partir de la mezcla de dos lenguas, en la que una suele aportar la base gramatical y la otra los elementos léxicos, utilizada socialmente y transmitida como lengua materna.

cultismo. Palabra o expresión de origen griego o latino que se utiliza en la comunicación intelectual, literaria o científica frecuentemente sin ser adaptada en su pronunciación.

dariya. Variedad de la lengua árabe utilizada en la ciudad de Ceuta.

dialecto. 1. Variedad de una lengua tal y como se manifiesta en un territorio determinado, frente a otras del mismo origen y de territorios diferentes, sin que entre ellas tenga que establecerse una jerarquía. 2. Variedad derivada de una lengua más antigua.

diglosia. Uso de dos o más lenguas o variedades en una comunidad por el que se produce una distribución desigual de sus funciones sociales, de modo que una cumple funciones públicas y cultas y otra, funciones privadas y populares.

emirato. Territorio gobernado por un emir, príncipe o caudillo árabe.

enaciado. Cristiano que se considera cercano por amistad a los musulmanes.

fonética. 1. Producción y articulación de los sonidos del lenguaje. 2. Disciplina lingüística que estudia la pronunciación y los sonidos del lenguaje.

galicismo. Palabra o expresión característica o procedente de la lengua francesa.

galleguismo. Palabra o expresión característica o procedente de la lengua gallega.

germanía. Variedad lingüística característica de grupos sociales marginados o delincuentes, creada con fines de ocultación.

germanismo. Palabra o expresión característica o procedente de la lengua alemana.

glosa. 1. Comentario o explicación acerca de un texto difícil de entender. 2. Nota explicativa que se anota en el margen o entre las líneas de un texto.

glosas emilianenses. Breves comentarios o explicaciones manuscritas en varias lenguas, de finales del siglo X o principios del siglo XI, aparecidas en el códice latino *Aemilianensis 60* procedente del monasterio de San Millán de la Cogolla (La Rioja).

glosas silenses. Breves comentarios o explicaciones manuscritas del siglo XI, aparecidas en textos latinos procedentes del monasterio de Santo Domingo de Silos (Burgos).

godo. Que tiene relación con el pueblo germánico que fundó los reinos de España e Italia.

guanche. Variedad lingüística con origen vinculado al bereber, utilizada en las islas Canarias y desaparecida definitivamente hacia el siglo XVII.

hispanogodo. Que tiene relación con el pueblo visigodo instalado en Hispania desde el siglo VI.

hiato. Secuencia de dos vocales contiguas que se pronuncian en sílabas distintas.

humanismo. Movimiento renacentista que propuso la atención y el estudio de la cultura grecolatina para sustentar los valores de la humanidad.

incunable. Obra editada desde la invención de la imprenta hasta principios del siglo XVI.

Indias. Territorios del continente americano en la época de las primeras navegaciones; para distinguirlo de las tierras asiáticas (Indias Orientales), a las que en un primer momento se creyó haber llegado, recibieron también la denominación de Indias Occidentales.

indoeuropeo. 1. Que tiene relación con los pueblos que se extendieron desde el oriente de Europa varios miles de años antes de Cristo. **2.** Lengua hipotética utilizada por estos pueblos de la que proceden la mayoría de las lenguas de Europa.

jansenismo. Doctrina basada en el pensamiento de Jansen, obispo flamenco del siglo XVII, que utilizaba las ideas de san Agustín para sustentar la importancia de la gracia divina en la consecución del bien, aun con mengua de la libertad individual.

jarcha. Canción tradicional con que los poetas andalusíes árabes o hebreos cerraban las moaxajas y que también se compusieron en romance.

jerga. Variedad lingüística característica de un grupo social y creada con fines de ocultación para la comunicación profesional.

judeoespañol. Variedad o conjunto de variedades de la lengua española utilizada por los judíos sefardíes desde la época de la expulsión. ⇨ *ladino, sefardí.*

koiné. Variedad lingüística que reúne rasgos de diferente procedencia acomodándolos entre sí.

ladino. 1. Variedad de la lengua española utilizada por los judíos sefardíes desde la época de la expulsión. **2.** Variedad de la lengua española utilizada por los judíos en las traducciones de la Biblia. ⇨ *judeoespañol, sefardí.*

laísmo. Fenómeno gramatical que consiste en utilizar el pronombre personal *la* con función de complemento indirecto.

latín eclesiástico. Forma adoptada por la lengua latina para su uso en la liturgia y en los textos eclesiásticos.

latín medieval. Forma adoptada por la lengua latina durante la Edad Media, principalmente con fines docentes, litúrgicos y culturales.

latín romanceado. Uso de la lengua latina en la que aparecen rasgos característicos de las lenguas romances hacia las que evolucionó.

leísmo. Fenómeno gramatical que consiste en utilizar el pronombre personal *le* con función de complemento directo.

leonesismo. Palabra o expresión característica o procedente de las hablas leonesas.

lexicografía. Disciplina lingüística que se ocupa de la elaboración de los diccionarios y de su estudio.

letra carolina (o francesa). Variedad gráfica basada en el alfabeto latino, que se utilizó entre los siglos IX y XIII y que se caracteriza por sus formas redondeadas y por su uniformidad, lo que la hizo más clara y legible.

letra gótica. Variedad gráfica basada en el alfabeto latino, que surgió en la Edad Media a partir de la minúscula carolina y que se caracteriza por quebrar las partes redondeadas de la letra.

lingua franca. Variedad lingüística utilizada entre hablantes de lenguas diferentes y que no la tienen como lengua materna.

literatura aljamiada. Conjunto de obras literarias escritas en lengua romance con el alfabeto árabe o con el alfabeto hebreo.

lusismo. Palabra o expresión característica o procedente de la lengua portuguesa. ⇨ *portuguesismo.*

marinerismo. Palabra o expresión característica o procedente del lenguaje utilizado por los marineros.

moaxaja. Composición poética que concluye con una jarcha y que durante la Edad Media podía escribirse en árabe o en hebreo.

morisco. Moro bautizado que vivía en la península ibérica, principalmente en el siglo XVI.

mozárabe. 1. Cristiano que convivía con los musulmanes. **2.** Variedad lingüística romance hablada por los cristianos que convivían con los musulmanes en al-Ándalus, en la que se aprecian componentes procedentes de la lengua árabe. ⇨ *romance andalusí.*

mozarabismo. Palabra o expresión característica o procedente de las hablas mozárabes.

mudéjar. Musulmán que convivía con los cristianos.

muladí. Cristiano convertido al islam.

neologismo. Palabra o expresión de nueva creación en una lengua.

occitano. Conjunto de variedades lingüísticas romances del sur de Francia y de algunas áreas de los Pirineos y de los Alpes occidentales.

Omeya. Dinastía descendiente del jefe árabe Omeya, fundadora del califato de Damasco.

palenquero. Variedad criolla hispánica que incorpora numerosos componentes africanos, creada y utilizada en el Palenque de San Basilio (Colombia).

papiamento. Variedad criolla hispánica que incorpora numerosos componentes holandeses y africanos, creada y utilizada en las islas caribeñas de Aruba, Bonaire y Curaçao.

pizarra visigótica. Pieza de pizarra de la época visigótica en la que aparecen inscritos textos relativos a diversas materias en un latín cercano a las lenguas romances.

portuguesismo. Palabra o expresión característica o procedente de lengua portuguesa. ⇨ *lusismo.*

provenzal. 1. Lengua que se hablaba en el sur de Francia y que cultivaron los trovadores. **2.** Variedad lingüística del occitano utilizada en el sureste de Francia.

reforma carolingia. Conjunto de normas y disposiciones promovidas por la dinastía carolingia en los siglos VIII y IX para ordenar las instituciones eclesiásticas y detener la decadencia del latín y de la vida cultural.

reforma cluniacense. Conjunto de normas reformistas de la vida de los monasterios y abadías de la Edad Media, basadas en la orden de Cluny.

renacimiento carolingio. Periodo de resurgimiento cultural entre los siglos VIII y IX, que se produjo en el imperio carolingio y que tuvo como base la recuperación del latín clásico y de la vida cultural.

repoblación. Proceso de volver a poblar una localidad o un territorio que habían sido abandonados.

romance. Lengua o variedad lingüística derivada del latín en Europa.

romance andalusí. Variedad lingüística romance utilizada en al-Ándalus, en la que se aprecian componentes procedentes de la lengua árabe.

romancero viejo. Conjunto de romances anónimos compuestos en la península ibérica entre los siglos XIV y XVI.

sanandresano. Variedad criolla de base inglesa que incorpora numerosos componentes africanos, creada y utilizada en las islas de San Andrés y Providencia (Colombia).

sefardí. 1. Judío hispano-portugués que vivió en la península ibérica hasta 1492 y que ha conservado hasta la actualidad su lengua y su cultura en diversas regiones del mundo. **2.** Que tiene relación con la comunidad judía hispano-portuguesa que vivió en la península ibérica hasta 1492 o que desciende de ella. ⇨ *ladino, judeoespañol.*

seseo. Característica de la pronunciación por la que una variedad no distingue entre un sonido siseante *ese* y un sonido ciceante *zeta.*

Siglo de Oro. Periodo comprendido entre los siglos XVI y XVII en España en el que destacaba la especial calidad de las artes y las letras.

taifa. Reino de entidad menor, resultado de la disolución del califato de Córdoba a partir del siglo XI.

tornadizo. Moro convertido al cristianismo.

vasquismo. Palabra o expresión característica o procedente de la lengua vasca.

visigodo. Que tiene relación con el pueblo germánico godo que fundó el reino de Hispania en el siglo VI, con capital en la ciudad de Toledo.

vocalismo. Conjunto de los sonidos vocálicos de una variedad lingüística.

yeísmo. Característica de la pronunciación por la que una variedad no distingue entre un sonido palatal central *ye* y un sonido palatal lateral *elle.*

Comentarios bibliográficos

Decía Carlos Fuentes en *El espejo enterrado* que pocas veces tiene el escritor la oportunidad de escribir la biografía de su cultura. De igual forma puedo decir que pocas veces tiene el filólogo la oportunidad de escribir la biografía de su lengua. Y es que esta historia es una biografía de la lengua española en la que, a partir de su vida social, sus contactos y su deriva interna, se busca lo que esencialmente la caracteriza para explicarlo de una manera directa y accesible. Estas páginas no son fruto, en su mayor parte, de una investigación original, sino destilación de lecturas acumuladas con el afán de aprender o por la necesidad de enseñar.

Ello no exime, sin embargo, de señalar los autores y textos que respaldan las afirmaciones que se hacen o los datos que aquí se incluyen. No se da soporte bibliográfico a cada una de nuestras argumentaciones porque el libro se convertiría en un producto académico que nunca pretendió ser; además, muchas de ellas son abigarrada síntesis de una bibliografía interminable. Tampoco se incluyen la referencias, muy accesibles, de las obras literarias mencionadas. Sin embargo, nuestros comentarios bibliográficos, junto a las referencias, revelarán, con admiración y reconocimiento, las fuentes primarias y secundarias que se han manejado, así como el origen de las principales informaciones reunidas. Sirva todo ello como homenaje a los sabios maestros que, desde hace décadas, nos han ido descubriendo la maravillosa historia de la lengua española.

Introducción

Las primeras palabras de este libro «Sepan cuantos...» son una fórmula de notificación utilizada en los documentos antiguos de España y de América para advertir, sin valor jurídico, de que se va a exponer un determinado asunto o negocio. El tratamiento de «maravillosas» y asombrosas que se da a las cosas de América relatadas en el siglo XVI ha sido comentado por autores como Humberto López Morales (2010) o Juan Antonio Frago (2010). Esta historia del español no explica la evolución interna o puramente lingüística de la lengua, en la línea de lo que tradicionalmente se conoce como «gramática histórica». Para conocerla, pueden consultarse los muchos y buenos trabajos publicados por los especialistas en la materia desde hace más de un siglo: Hanssen (1913), Menéndez Pidal (1950, 1962), García de Diego (1970), Resnick (1981), Alvar y Pottier (1983), Lathrop y Gutiérrez Cuadrado (1984), Penny (1993), Echenique y Martínez (2000), Company (2007), Elvira (2009), Girón (2014), entre otros. Además, esta historia relativiza la importancia de los lingüistas o estudiosos del lenguaje, por entender que el protagonismo en la evolución de la lengua no les corresponde a ellos como tales, sino a la lengua misma y a la gente que la habla. La última palabra de la introducción —«Vale»— es una fórmula de despedida utilizada ya en latín y frecuente también en español antiguo y clásico. «Vale» es la palabra que cierra el *Quijote*, tras la muerte de Alonso Quijano.

PARTE I. DE LOS ORÍGENES A LAS GRANDES NAVEGACIONES

1. El paisaje lingüístico de Europa

La historia lingüística europea se sintetiza admirablemente en el libro de Francisco Rodríguez Adrados *Historia de las lenguas de Europa* (2008). En principio se pensaba que el origen del indoeuropeo era la India, de ahí su nombre, pero en la actualidad se asume que se originó en la estepa póntica —Mar Negro, Cáucaso, montes Urales— y que desde allí se extendió hacia el resto de Europa y hacia la India. En cuanto a la escasa influencia sobre el español de las lenguas eslavas, hay que mencionar la excepción de las hablas judeoespañolas que estuvieron en contacto con ellas. Los aspectos más generales de demografía universal pueden consultarse en los atlas de historia universal publicados por diarios como *El País, The Times* o *Clarín*. Para la historia medieval de Europa, incluidos sus aspectos culturales y sociales, es recomendable la lectura de *Europe in the Central Middle Ages, 962-1154* (2000), así como *The Age of the Cloister: The Story of Monastic Life in the Middle Ages* (2202), de Christopher Brooke. Sobre el imperio carolingio, resulta muy accesible la obra de Ernest Bendriss *Breve historia de los carolingios. Auge y caída de la estirpe de Carlomagno* (2009). Acerca de la fragmentación del latín, puede verse el libro de Adams (2003). Naturalmente, para conocer la historia de la literatura medieval europea y castellana, se puede acudir a los grandes manuales y a los trabajos especializados (Gómez Redondo, Alvar Ezquerra y Gómez Moreno) o bien recurrir a obras de síntesis, como *La literatura europea* de Dietrich Schwanitz (2005). La escritura apenas estuvo al alcance de las mujeres durante la Edad Media, pero hay excepciones que pueden conocerse en el volumen editado por Katharina Wilson (1984). Sobre Alcuino de York, se encuentran referencias en *Breve historia de Carlomagno y el Sacro Imperio Romano Germánico* (2009) y especialmente en la biografía *Alcuin of York: his life and letters* (1974). Nuestros comentarios etimológicos siempre han exigido la consulta del diccionario de Corominas y Pascual (1992), así como del *Corpus Diacrónico del Español* (CORDE) y del *Corpus del Nuevo Diccionario Histórico del Español*, ambos de la Real Academia Española. Acerca de las pizarras visigóticas, es obligada la referencia a la obra de Manuel Gómez Moreno (1966) y al libro de Velázquez Soriano (2004). Las referencias sobre las Biblias romanceadas y sobre diversos aspectos de la actividad cultural de los judíos en España se las debo a Javier Pueyo, excelente filólogo español que me ha ayudado a ser más preciso en mis comentarios lingüísticos. La consulta de los grandes manuales de historia de la lengua española, muy especialmente los de Menéndez Pidal, Lapesa y Cano, ha sido obligada en cada tramo de la redacción de esta obra.

2. Cómo surgió el castellano

Existen numerosas historias de la España medieval que explican con detalle y profusión los acontecimientos más destacados de la época. Me limitaré a comentar que he consultado con más frecuencia *España: Tres milenios de historia*, de Domínguez Ortiz (2004), la *Historia de España*, de Tuñón de Lara, Valdeón, Domínguez Ortiz y Serrano (2003) y la *Historia de España* de Joseph Pérez (2004), junto a la *Historia económica de España* de Vicens Vives y Nadal Oller (1987), la *Historia económica de España. Siglos X-XX*, de Comín, Hernández y Llopis (2002), y la *Historia de España Alfaguara*. Las referencias a Alatorre proceden todas de su conocida historia *Los 1001 años de la lengua española* (1989). Para el *Poema de Fernán González*, se ha seguido la edición de Emilio Alarcos, de la clásica colección «Odres nuevos» (1993). En relación con los datos y las hipótesis que suelen manejarse sobre la época de los orígenes del castellano, me he apoyado en los trabajos de Menéndez Pidal (2005), Lapesa (1981), López García (1985) y Fernández Ordóñez (2006; 2011). La síntesis de Jesús Bustos sobre el origen del castellano incluida en la *Historia de la lengua española* de Rafael Cano (2005) es muy clara y abarcadora. La obra de Robert Spaulding *How Spanish Grew* (1943) presenta asimismo una síntesis muy ilustrativa. Entre los corpus de español medieval manejados en este capítulo, se incluye el *Corpus de documentos españoles anteriores a 1700* (CODEA) de la Universidad de Alcalá. De ahí se ha extraído el texto en que se basa el personaje de Fernand Joanes. Las ediciones de los vocabularios de Nebrija y Correas utilizadas aparecen en la referencias. Las acepciones y los usos léxicos de los países hispanohablantes de América se contrastan en el *Diccionario de americanismos* (2010), de la Asociación de Academias de la Lengua Española.

3. Monasterios y cancillerías

Para las cuestiones de escritura castellana antigua, es obligada la consulta de los tratados sobre paleografía, como el de Millares Carlo (1983), así como las obras preocupadas para la transcripción y edición de textos medievales (Sánchez Prieto 1998). Sobre el Camino de Santiago, es muy ilustrativa la obra de Singul *Historia cultural do Camiño de Santiago* (2010). Los provenzalismos aparecen bien explicados en la *Historia* (1981) de Lapesa. Acerca de la interpretación del vínculo entre latín tardío y romance temprano, suelen contraponerse, como hace Bustos (2005), las tesis de Menéndez Pidal (2005) y las de Roger Wright (1989), que aquí tratamos someramente. Como fuente para la consulta de documentos antiguos, incluida la «Noditia de Kesos», sigue siendo importante la recopilación de Menéndez Pidal titulada *Documentos lingüísticos de España* (1919), así como la *Crestomatía del español medieval* (1971). El estudio lingüístico del siglo XIII exige la consulta de los trabajos de Sánchez-Prieto (1996) y de Fernández-Ordóñez (2005). *La Fazienda de Ultramar* es una obra fundamental que aún encierra muchas dudas sobre su fecha, origen o autoría (Deyermond, 1973; Lacarra y López Estrada, 1993; Sánchez Prieto, 2002, 2008). Sobre el concepto de «castellano drecho», puede consultarse, entre otros, el libro de Hans-Josef Niederehe *Alfonso el Sabio y la lingüística de su tiempo* (1987). Para la historia del papel en Castilla, es muy útil el artículo de Isabel García Díaz y Juan Antonio Montalbán: «El uso del papel en Castilla durante la Baja Edad Media» (2005). Los estudios más destacados sobre las glosas son los de Alvar (1989), García Turza (1992) y Bustos (2005). Las obras completas de Gonzalo de Berceo están editadas por García López y Clavería (2003) y el *Libro de Alexandre* puede consultarse en línea, en la edición de Francisco Marcos Marín (2000) ofrecida en la Biblioteca Virtual Miguel de Cervantes. La cita de Manuel Alvar procede de su estudio «De las glosas emilianenses a Gonzalo de Berceo» (1989).

4. Las lenguas del Libro

La historia del islam aparece bien resumida en la obra de Ernest Bendriss *Breve historia del islam* (2013); el libro *Islam*, de Roland Machatschke (1996), proporciona una buena introducción a la historia y los fundamentos de esta religión. Para la presencia del islam en España, es aconsejable la consulta del volumen colectivo *El islam en España: historia, pensamiento, religión y derecho* (2001). A propósito de al-Ándalus, he consultado *Invasión e islamización*, de Pedro Chalmeta (1994) y *Al-Ándalus. De la invasión al califato de Córdoba*, de Salvatierra y Canto (2008), así como el interesante *Historias de al-Ándalus* de Ibn Idaru y Fernández González (2014). En relación con el árabe hispánico o andalusí, son fundamentales los trabajos de Federico Corriente, como *Árabe andalusí y lenguas romances* (1992) o *A Dictionary of Andalusi Arabic* (1997), y también el libro de Corriente y García Gómez *A grammatical sketch of the Arabic dialect bundle* (1977). Puede servir de introducción al mundo bereber la obra de Brett y Fentress *The Berbers* (1997) y el trabajo de Hoffman, «Berber language ideologies, maintenance, and contraction» (2006) para información de naturaleza sociolingüística. La relación del bereber con el latín y las lenguas romances es tratada por Helmut Lüdke (1968). Sobre la situación del dariya o árabe ceutí, se obtiene información en el libro de Ángeles Vicente, *Ceuta; una ciudad entre dos lenguas* (2008), y, para la situación del chelja en relación con el español en Melilla, puede consultarse el trabajo de Ruiz Domínguez (1998). Los arabismos del español han sido estudiados reiteradamente, aunque la tarea siga siendo ingente. El *Diccionario de arabismos y voces afines iberorromances* de Federico Corriente es fundamental (2003), así como el estudio de Steiger incluido en la *Enciclopedia Lingüística Hispánica* (1960), pero hay otros muchos, como el de Javier García González (2008), que nos ha sido muy útil, o el de Maíllo Salgado, *Los arabismos del castellano en la Baja Edad Media* (1983). Los estudios clásicos sobre el mozárabe son el de Sanchis Guarner, también en la *Enciclopedia Lingüística Hispánica*, y la *Dialectología mozárabe* de Galmés de Fuentes (1983). Merece la pena consultar también *La era mozárabe. Los mozárabes de Toledo (siglos XII y XIII) en la historiografía, las fuentes y la historia*, de Diego Adrián Olstein (2006) y el trabajo de Manuel Ariza (2005). Sobre la distinción de los conceptos de «mozárabe» y «romance andalusí» escribió Marcos Marín en 1998. Para la edición de las jarchas, se ha consultado el trabajo de Galmés de Fuentes «Sobre la edición de las jarchas mozárabes», incluido en el volumen *Los orígenes del español y los grandes textos medievales. Mío Cid, Buen Amor y Celestina*, editado por Criado de Val (2001). El trabajo fundacional de Samuel Stern se publicó en la revista *Al-Andalus* en 1948. La jarcha analizada es anónima y se reproduce en el volumen de Pountain (2001). Una de las colecciones de romances más conocidas es *Primavera y flor de romances*, de Wolf y Hoffman, publicada en el siglo XIX, que ahora puede consultarse en línea. Finalmente, para Sem Tob se ha prestado especial atención al trabajo de Paloma Díaz-Más (1993), en el que plantea la existencia de un mester rabínico. La referencia a Colón procede de la obra de Samuel E. Morison, *Admiral of the Ocean Sea: A Life of Christopher Columbus* (2008).

5. El español en sus modalidades regionales

La épica española tiene a Ramón Menéndez Pidal como a uno de sus estudiosos de referencia (2005). Junto a este nombre deben inscribirse los de otros especialistas como Alan Deyermond (1994), Carlos Alvar y Ángel Gómez Moreno (1988). Sobre el *Cantar de mío Cid* se han hecho numerosos estudios y ediciones (Menéndez Pidal, 1908; Deyermond, 1987; Smith, 1976; C. Alvar, 2002). Para la formación de los dialectos peninsulares es muy claro y conciso el libro de Frago *Reconquista y creación de las modalidades regionales del español* (1994), además del primer volumen del *Manual de dialectología hispánica* coordinado por Manuel Alvar (1996). En cuanto al habla de Toledo, son importantes, entre otros, los trabajos de González Ollé (1996), donde se explica que no existe base sólida para su preeminencia. Y de gran interés es el volumen compilado por Germán Bleiberg y titulado *Anto-*

logía de elogios de la lengua española (1951), así como varias obras en las que se describe o menciona la diversidad de la lengua, como *Del origen y principio de la lengua castellana o romance que oi se usa en España* de Bernardo de Aldrete (1606) o el ineludible *Diálogo de la lengua* de Juan de Valdés (1535). La historia de las hablas andaluzas se trata minuciosamente en el libro de Frago del mismo nombre (1993). En relación con el judeoespañol, es obligada la consulta de los trabajos de Manuel Alvar (2000, 2003) y, acerca de la expulsión, debe consultarse el estudio de Joseph Pérez (2013). El *Poema de Elena y María* fue editado también por Menéndez Pidal (1976). La obra de Francisco Delicado se ofrece digitalizada en la *Biblioteca Digital Hispánica* de la Biblioteca Nacional de España. Por último, los vocabularios de Antonio de Nebrija, el *Tesoro de la lengua española o castellana* de Sebastián de Covarrubias (1611) o el *Diccionario de Autoridades* (1729), entre otros muchos diccionarios, pueden consultarse en línea a través del portal del *Nuevo Tesoro Lexicográfico de la Lengua Española* de la Real Academia Española. Asimismo es imprescindible la consulta del *Nuevo tesoro lexicográfico del español (s. XIV-1726)*, de Lidio Nieto y Manuel Alvar Ezquerra (2007).

6. Desde las cañadas a la mar océana

La red peninsular de caminos tiene un gran interés para la historia social de la lengua española. Para el siglo XVI, he consultado el *Repertorio de todos los caminos de España* de Juan Villuga (1546). España no fue pionera en la imprenta de tipos móviles latinos, pero sí lo fue en la imprenta de tipos hebreos y su producción entre 1476 y 1492, fecha de la expulsión, fue muy superior a la de los demás centros judíos europeos. Entre las gramáticas antiguas del español, merece una mención de honor la *Útil y breve institución para aprender los principios y fundamentos de la lengua española*, impresa en Lovaina (1555). La edición del teatro de Juan del Encina que he manejado es la de Pérez Priego (*Teatro completo*, 1998). Sobre el habla de Sayago (Zamora), llamada sayagués, uno de los estudios de referencia es el de John Lihani (1973). La figura de Nebrija ha motivado multitud de estudios valiosos, entre los que destaco el de Francisco Rico, *Nebrija frente a los bárbaros* (1978), los trabajos de José Perona (1994) o el volumen colectivo de Codoñer y González Iglesias *Antonio de Nebrija: Edad Media y Renacimiento* (1994). En relación con el español en el norte de África, hace unos años publiqué un trabajo con ese título precisamente (1998) y, en cuanto a Canarias, manejo los trabajos de Diego Catalán (1958) y de Manuel Alvar (1996), además de la *Historia general de las Islas Canarias* de Agustín Millares Torres (1895). La presencia de la lengua y la cultura españolas en Filipinas se trata en *Historia cultural de la lengua española en Filipinas* de Isaac Donoso Jiménez (2012). Para la historia de la imprenta en España es de interés *La imprenta en España*, de Norton (1997), así como el trabajo de Fermín de los Reyes «Segovia y los orígenes de la imprenta española» (2005).

PARTE II. DEL IMPERIO A LAS REVOLUCIONES

7. Lengua y sociedad peninsular en los siglos XVI y XVII

La historia moderna de España cuenta con una larga y brillante bibliografía. En nuestra interpretación de la historia social de la lengua española, nos ha sido de gran utilidad la obra *España y los españoles en los tiempos modernos*, de Manuel Fernández Álvarez (1979), junto a los extraordinarios trabajos de Domínguez Ortiz (1988, 2004) y Nadal (1984). El *Atlas de Historia de España* de Fernando García de Cortázar (2006) lo he consultado para este capítulo y prácticamente para todos los demás. En todos ellos se ofrecen estadísticas demográficas y socioeconómicas que ayudan a valorar los factores que caracterizan a los grupos poblacionales y regionales en cada momento. Como es lógico, muchos ejemplos del español de los siglos XVI y XVII proceden de las historias generales de la lengua española, especialmente de las de Menéndez Pidal y Lapesa, así como de los trabajos de Frago para el andaluz y de Galmés de Fuentes sobre la época de Carlos I (2001). El refranero español más conocido es el de Martínez Kleiser (1953). Los refranes del *Quijote* se analizan en numerosos estudios, como el de Sánchez y Ruiz (1998), que los compara con el refranero actual de La Mancha. Para el conocimiento del perfil de los emigrantes a América durante el siglo XVI, es fundamental el estudio de Ángel Rosenblat titulado «Los conquistadores y su lengua» (1977) y, muy singularmente, los trabajos demográficos de Peter Boyd-Bowman: *Índice geobiográfico de pobladores españoles de América en el siglo XVI* (1964-1985). Sobre el origen y destino de los colonos españoles, es muy útil el estudio de conjunto de Pedroviejo (2011), donde atiende también a los condicionamientos impuestos por las leyes de Indias. Asimismo es interesante la lectura de los trabajos de Nicolás Sánchez-Albornoz (1973; 2006), de *Pasajeros de Indias* (1984), de José Luis Martínez, y de *Spain's Men of the Sea* (2005), de Pablo Pérez Mallaina. El personaje de Aldonza Lorenzo se ha construido a partir de los capítulos 25 y 31 del *Quijote*. La información sobre Benito Arias Montano procede principalmente de Menéndez Pelayo y está incluida en el portal de la Fundación Ignacio Larramendi, con fragmentos de sus traducciones al español. Finalmente, para la historia de las palabras analizadas, se han consultado, además del diccionario de Corominas y Pascual, los diccionarios incluidos en el *Nuevo tesoro lexicográfico de la lengua española* y los corpus de la Real Academia *Corpus Diacrónico del Español* (CORDE) y el *Corpus del Nuevo Diccionario Histórico del Español* (CDH). La evolución de las formas de tratamiento se explica prácticamente en todas las historias del español, aunque merecen consultarse los trabajos clásicos de Pla Cárceles (1923) y de Navarro Tomás sobre *usted* (1923). La historia del voseo es tratada por Lapesa (1970), su distribución geográfica en América por Benavides (2003) y su historia social es explicada por Frago (2010). Para cuestiones de gramática, el libro *Sintaxis hispanoamericana* de Charles Kany (1969) siempre aporta datos de interés.

8. La vida lingüística de las colonias

No es frecuente en las historias de la lengua tratar la vida colonial desde una perspectiva sociolingüística. En esta historia he intentado hacerlo, coincidiendo en numerosos puntos con otros autores, como Juan Antonio Frago (1999), Milagros Aleza (1999), Juan Sánchez Méndez (2003), Luis Fernando Lara (2013), Enrique Obediente (2007), Carlos Garatea (2009; 2011) o Humberto López Morales (1998; 2010). Con ellos se comparten algunas de las explicaciones presentadas en estas páginas, así como las fuentes fundamentales: Guitarte (1983), Sánchez-Albornoz (1976), Rosenblat (2002), Alvar (1992), Rivarola (1990; 2000; 2005). La idea de que el espacio comunicativo de las colonias no yuxtaponía grupos étnicos, sino que los entrelazaba desplegando una multiplicidad de relaciones, es esencial desde nuestra perspectiva. Claudia Parodi hace una excelente presentación del bilingüismo y la diglosia en las comunidades coloniales (2010). La *Historia de América Latina* de Edwin Williamson (2013) y el volumen de Carlos Lázaro (1996) son especialmente clarificadores desde una perspectiva socioeconómica, así como el atlas de historia hispanoamericana de Ochoa y Smith (2009) y la obra editada por Paula Byers (1995) sobre fuentes genealógicas en Hispanoamérica. En relación con la comunicación entre españoles e indios en América, es referencia obligada el libro de Martinell (1992). La llegada de la población de origen africano al Caribe y sus modos de vida y de trabajo fueron tratados de modo ejemplar por Manuel Moreno Fraginals (1964). También es importante revisar los documentos sobre política lingüística en Hispanoamérica reunidos por Francisco de Solano (1991). El diario de Colón original no se conserva, aunque hay excelentes ediciones, como la de Consuelo Varela, en *Textos y documentos completos* (1984). Aquí he manejado la edición que se acompañó de los comentarios de Bartolomé de las Casas, que se haya en las *Relaciones y cartas de Cristóbal Colón*, incluidas en la *Biblioteca Virtual Miguel de Cervantes*. Las pinturas que reflejan las castas americanas y las mezclas raciales son múltiples y datan, la mayor parte de ellas, del siglo XVIII. Aquí se comenta el cuadro que hay en el Museo Nacional del Virreinato de México. Para conocer la lengua de los cronistas de Indias, son imprescindibles los trabajos de Manuel Alvar (1992), incluido su estudio sobre Bernal Díaz del Castillo, así como el volumen recopilado por Manuel Alvar Ezquerra *Vocabulario de indigenismos en las crónicas de Indias* (1997) y los trabajos de Eva Bravo y M.ª Teresa Cáceres (2011; 2013). Sobre el léxico del español de América, es obligada la consulta de los trabajos de Juan Antonio Frago y del libro de Buesa y Enguita, *Léxico del español de América, su elemento patrimonial e indígena* (1992), entre otros muchos. Para la historia de la Malinche, he partido de la información aportada por Lara (2013) y por Claudia Parodi (2010). Aunque el origen de «pirulero» es el que se apunta, la historia de Antón Pirulero es pura invención, salvo alguna referencia sin documentar sobre su oficio y la alusión que a él se hace en el cuento «Antón Perulero» de María Teresa León. La forma «perulero» como gentilicio de «Perú» es fácil de explicar lingüísticamente, puesto que incluye una *ere* que evita el hiato, como ocurre en la variante popular «perurano». Se habla de los peruleros, por ejemplo, en el libro de Juan de Cárdenas *Problemas y secretos maravillosos de las Indias* (México, 1591). Para la historia de *canoa* y *gachupín*, se han consultado las referencias de los corpus históricos del español y los diccionarios más conocidos. También se ha prestado atención a lo apuntado específicamente por López Morales (2010) para *canoa* y por Antonio Alatorre (1991) para *gachupín*. El concepto contrario al de «gachupín» o advenedizo era el de «baquiano», referido al buen conocedor del terreno de un país (Rivarola 1990).

9. Lengua y literatura en España y América

La mejor forma de acceder a datos y explicaciones sobre la literatura española e hispanoamericana es, sin duda, la consulta de las muchas y excelentes historias de la literatura manejadas diariamente por la gente del mundo de la cultura, desde la de Juan Luis Alborg (1970) a la de Francisco Rico (desde 1979), junto a otras. A las obras literarias podrían sumarse otras importantes contribuciones, de campos diferentes, que reflejan el buen nivel del pensamiento y la ciencia de España, como los trabajos de medicina de Andrés Laguna, Juan Valverde y Juan Huarte de San Juan. Sobre la figura de Andrés Laguna y el estado de la ciencia en el siglo XVI, debe consultarse la obra coordinada por Sacristán y Gutiérrez (2013); por otra parte, hay edición electrónica del *Examen de ingenios para sciencias* de Huarte de San Juan. Para el conocimiento del modo en que la literatura influyó sobre la lengua española durante el Siglo de Oro, resultan especialmente útiles las historias de la lengua de Menéndez Pidal, Lapesa o Spaulding, aunque prácticamente todas las publicadas muestran una clara inclinación hacia el estudio de lo literario y no tanto de lo social (Oliver, 1941; Abad, 2008). Menéndez Pidal (2005) hace un magnífico análisis de la época barroca, en cuanto al esplendor de su literatura, los caracteres generales de la lengua y las innovaciones en el habla común, incluidas las formas de tratamiento. La cuestión de la conciencia estilística durante esta época ha sido muy bien tratada por Hans-Martin Gauger (1989; 2005). Para la historia de la escritura y la lectura en el Siglo de Oro, así como sobre la distribución y circulación de las obras impresas, son imprescindibles los estudios de Roger Chartier (1997), Fernando Bouza (1998) y Antonio Castillo (1998). También es ilustrativa la visión de conjunto planteada por Magdalena Chocano Mena (2000). El habla de Sancho Panza, que en principio podría adscribirse al nivel más popular y vulgar, ofrece una complejidad mucho mayor de lo que parece, como se explica en el estudio de Juan Antonio Frago incluido en el volumen *Don Quijote. Lengua y sociedad* (2015). También puede consultarse al respecto el artículo de Howard Mancing titulado «La retórica de Sancho Panza» (1980). En relación con los analfabetos en tiempos de Cervantes, es interesante el trabajo de Leonor

Sierra (2004). Entre los estudios de referencia sobre Góngora, han de destacarse los de Dámaso Alonso, especialmente sus *Estudios y ensayos gongorinos* (1955). La historia sociocultural de América puede conocerse a través de una infinidad de obras, aunque para este libro han resultado muy útiles la *Historia de América Latina* de Leslie Bethell (1990) y la de Edwin Williamson (2014), así como las historias de la lengua de Obediente y de Lara. Para la llegada del *Quijote* a América, he consultado los trabajos de José Manuel Lucía Megías (1999) y del propio Lucía Megías con Vargas-Díaz Toledo (2005); asimismo he manejado *Los libros del conquistador* de Irving Albert Leonard, sobre todo el capítulo «Don Quijote invade las Indias» (1953). En relación con el Inca Garcilaso es ineludible la referencia a Carlos Garatea (2013). Para sor Juana Inés, aparte de los comentarios de Carlos Fuentes en *El espejo enterrado*, he manejado los trabajos de Buxó (2006) y Alatorre (2007). El relato sobre Juana Chuquitanta, personaje verídico, está recreado a partir de datos relativos a su hijo Felipe Guamán Poma de Ayala (Adorno, 2000; Alberdi, 2010). La figura de Quichuasamín es inventada, si bien se sabe que Guamán Poma tuvo varios hermanos de madre y, sobre todo, de padre. La obra *Nueva crónica y buen gobierno*, de Guamán Poma, puede consultarse en línea, en el portal de la Biblioteca de Copenhague. La historia de nuestras palabras es deudora, como en los demás casos, del diccionario de Corominas y Pascual, de la documentación aportada por los corpus de la Academia, así como de los diccionarios reunidos en el *Nuevo corpus lexicográfico de la lengua española*, y de otras fuentes complementarias, como el diccionario etimológico de Roque Barcia (1880).

10. El español en Europa y Europa en el español

Tzvetan Todorov desarrolla la noción del «otro» en sus obras *La conquista de América* (1987) y *Nosotros y los otros* (1991). En 1972, Carlos Clavería pronunció un discurso en la Real Academia Española titulado «España en Europa» que ha servido de referencia para los datos y los argumentos incluidos en este capítulo. Igualmente, han vuelto a ser útiles las explicaciones de Hans-Martin Gauger sobre la conciencia lingüística del Siglo de Oro y de Herrero García (1966) sobre las ideas de los españoles del XVII. Para conocer la influencia de España en Italia es obligada la consulta del trabajo de Benedetto Croce *España en la vida italiana durante el Renacimiento* (2007) y el libro de Ángel Gómez Moreno, *España y la Italia de los humanistas* (1994). Robert Verdonk ha analizado los contactos de españoles y flamencos (1986; 2005) y ha rastreado sus consecuencias lingüísticas en los diccionarios de la época y en el *Corpus Diacrónico del Español* de la Real Academia Española. Como en otros casos, los datos aportados en *How Spanish Grew* (1943) por Spaulding están muy bien seleccionados y por eso los usamos como referencia. Entre las publicaciones italianas de materia lingüística destacan los estudios contrastivos (*Paragone delle lingua toscana et castigliana*, de Amario Allessandri d'Urbino, Nápoles, 1569), los diccionarios (*Vocabulario italiano e espagnuolo*, de Lorenzo Franciosini, Roma, 1620) y las gramáticas (*Grammatica spagnuola e italiana* —Venecia, 1624—, también de Franciosini). En Francia, de César Oudin merece destacarse su *Grammaire et observations de la langue espagnolle* (París, 1597) y su diccionario *Trésor de deux langues françoise et espagnole* (Lyon, 1607). En relación con las ideas lingüísticas en los siglos XVI y XVII, es indispensable el estudio de Juan Lope Blanch «La lingüística española en el Siglo de Oro» (1986). En concreto, para la figura de Ambrosio de Salazar, hay que referirse al trabajo clásico de Morel-Fatio (1900), aunque también resulta muy útil la *Historia de la enseñanza del español como lengua extranjera* de Aquilino Sánchez (1992). Sobre la presencia del español y lo español en Francia, sobre todo en relación con la enseñanza, puede consultarse el estudio de Fátima Souto Garrido (2002). En cuanto a los judíos sefardíes en Ámsterdam, la Bibliotheca Sefarad ofrece un excelente catálogo de materiales impresos en español, acompañados de textos muy clarificadores, como el de Harm der Boer sobre la imprenta sefardí holandesa. María do Ceo figura en la antología de la poesía española de José Manuel Blecua (1956); sobre su obra puede consultarse el libro de Barros (1924), así como la historia social de la literatura portuguesa de Abdala y Paschoalin (1985) y el libro de Isabel Morujão (1995) sobre literatura monástica femenina. Para la historia de *bizarro* y *escaparate*, he manejado las fuentes habituales, complementadas con datos actuales. Para la información moderna, es imprescindible la consulta del *Diccionario de americanismos* de las Academias y del corpus *Variación léxica del mundo hispánico (Varilex)*, coordinado por Ueda y Takagaki (1993).

11. La lengua ilustrada

Los principales elogios a la lengua española del Siglo de Oro fueron reunidos por José Francisco Pastor en una obra titulada precisamente *Las apologías de la lengua castellana en el siglo de oro* (1929). A Gauger ya se ha hecho referencia. La complejidad de la lengua escrita durante el Barroco fue criticada desde el siglo XVIII, pero las críticas no consiguieron erradicarla totalmente en beneficio de un estilo llano y una sintaxis sencilla, como se deduce de la ampulosa prosa de numerosos intelectuales de los siglos XIX y XX. La cita de *Fray Gerundio de Campazas*, del Padre Isla (1758), se ha extraído del corpus literario de la Biblioteca Virtual Miguel de Cervantes, que se caracteriza por la cantidad y el cuidado de los textos seleccionados. Los aspectos fundamentales de la España del siglo XVIII pueden conocerse en obras muy distintas, pero aquí se ha manejado el trabajo de Gonzalo Anes *El antiguo régimen: los Borbones* (1976) y, en relación con América, el de Geoffrey Walker *Política española y comercio colonial: 1700-1789* (1979). El texto de Miguel Antonio Gándara es accesible a través de Google Books. El léxico del siglo XVIII ha sido bien analizado por Pedro Álvarez de Miranda (2005). Los datos del censo de Floridablanca y otras informaciones censales pueden consultarse en la página electrónica del Instituto Nacional de Estadística de España. Como es comprensible, los argumentos y datos que se aportan son coherentes con los que ofrezco en mi *Historia social de las lenguas de España* (2005). Para la historia lingüística de la transición entre la Ilustración y el periodo de las independencias, es importante la consulta del libro de Frago *El español de América en la Independencia* (2010). Para nuestros personajes se ha consultado la obra de Marco Chiriboga (2001) dedicada a Eugenio Espejo y se han seguido las informaciones de Pilar Pérez Cantó y Esperanza Mó Romero sobre «Las mujeres en los espacios ilustrados» (2005). Las palabras explicadas han requerido la consulta, además de las fuentes habituales, del *Diccionario histórico del español de Canarias* (2013) de Corrales y Corbella, editado por el Instituto de Estudios Canarios. De estos mismos autores debe consultarse también el *Tesoro léxico canario-americano* (2010).

12. Entre ciencias y academias

Las alusiones de José Cadalso, en sus *Cartas marruecas* (Madrid, 1789), y de Tomás de Iriarte, en *Los literatos en Cuaresma* (Madrid, 1805), al habla afrancesada pueden hallarse en la Biblioteca Virtual Miguel de Cervantes. Al respecto, Robert Spaulding presenta una síntesis muy certera. El *Vocabulario de germanía* de Juan Hidalgo fue publicado por Mayans en su *Orígenes de la lengua española* (Madrid, 1873) y puede consultarse, junto al resto del volumen, en la magnífica colección de facsímiles y libros electrónicos del Internet Archive. En cuanto a la imitación del habla de los indios, es obligada la lectura del trabajo de José Luis Rivarola «Parodia de la "lengua de indio" (siglos XVII-XIX)», incluido en el excelente volumen *La formación lingüística de Hispanoamérica* (1990). La afirmación de José Antonio Pascual acerca de que el 80 % del léxico español procede del siglo XVIII puede encontrarse en diversos medios, como la entrevista publicada por *El Correo* (9/10/2007). El libro de Pedro Álvarez de Miranda *Palabras e ideas. El léxico de la Ilustración temprana en España* (1680-1760) (1992) es esencial para todo lo relacionado con el vocabulario ilustrado, así como «Los proyectos enciclopédicos en el siglo XVIII español» (1997) o, de nuevo, su trabajo de síntesis «El léxico del español, desde el siglo XVIII hasta hoy» (2005). Sobre la vida en el siglo XVIII resulta muy ilustrativa la lectura de *Usos amorosos del dieciocho en España* (1987), de Carmen Martín Gaite. En el libro de Narbona, Cano y Morillo *El español hablado en Andalucía* (1998), se explican las características del flamenquismo en Andalucía. La lexicografía de los siglos XVIII y XIX se presenta de una forma muy completa en el volumen colectivo *Cinco siglos de lexicografía del español* (2000), coordinado por Ignacio Ahumada. Merecen destacarse los estudios del propio Ahumada, «Diccionario de especialidad en los siglos XVIII, XIX y XX», y de Álvarez de Miranda, «La lexicografía académica de los siglos XVIII y XIX». En el campo de la gramática académica es más que interesante el libro *Los principios de las gramáticas académicas (1771-1962)*, de José Gómez Asencio. Las academias literarias del Siglo de Oro se explican en el libro de José Sánchez (1961). Para conocer la historia de la Real Academia Española es imprescindible la consulta de dos obras fundamentales: la de Alonso Zamora Vicente (1999; 2015) y la de Víctor García de la Concha (2014). La cita de Ruiz Torres pertenece a su libro *Reformismo e Ilustración* (2008), volumen 5 de la *Historia de España* dirigida por Fontana y Villares. Sobre Mayans y Siscar, he consultado el trabajo de Pedro Álvarez de Miranda «El centenario de Mayans y la Ilustración española» (1983), así como la historia de la Academia de García de la Concha (2014). La historia de María Isidra de Guzmán se narra en el libro de Vicente de la Fuente, *Historia de las universidades, colegios y demás establecimientos de enseñanza en España* (Madrid, 1887). Para la historia de la vacuna y de otras cuestiones médicas, resulta muy interesante el libro de José Ignacio Arana Amurrio titulado *Historias curiosas de la medicina* (1994).

PARTE III. DE LAS INDEPENDENCIAS AL SIGLO XXI

13. Constitución de las naciones lingüísticas

Las referencias a los acontecimientos generales de la historia de España y de América en el siglo XVIII pueden encontrarse en muy diversas publicaciones. He consultado, además de la *Historia de España* de Alfaguara, la *Historia de Iberoamérica* (1987-1992) coordinada por Manuel Lucena Salmoral, la *Historia de América Latina* de Edwin Williamson (2013) y el *Atlas histórico-cultural* de Morales Padrón (1988), así como su libro *El descubrimiento de América* (1986). También resulta muy útil la cronología de los movimientos de Independencia que ofrece el Centro Virtual del Instituto Cervantes. La obra de Juan Antonio Frago *El español de América en la Independencia* (2010), además de fundamental para lo lingüístico, es idónea para obtener una visión de conjunto del entorno histórico y social de la época. El *Diccionario general de americanismos* (1942), del mexicano Santamaría, siempre aporta datos de interés, como también lo hace la monumental *Historia sociolingüística de México* (2010), dirigida por Rebeca Barriga y Pedro Martín Butragueño. Allí, en su volumen 2, Frida Villavicencio incluye un capítulo excepcional: «Entre una realidad plurilingüe y un anhelo de nación. Apuntes para un estudio sociolingüístico del siglo XIX». En cuanto a la Constitución de Cádiz y todas sus implicaciones lingüísticas, son cardinales los trabajos de Pedro Álvarez de Miranda y de María Paz Battaner. El primero presenta un buen compendio sobre el léxico moderno en su capítulo de la *Historia de la lengua española* coordinada por Rafael Cano; la segunda publicó en 1977 su importante *Vocabulario político-social en España (1868-1873)*. Para la historia del periodismo en España, puede verse la obra del mismo título de M.ª Cruz Seoane y M.ª Dolores

Sainz (1983); para Hispanoamérica es destacable el trabajo de José Tarín Iglesias, *Panorama del periodismo hispanoamericano* (1972). Sobre Gertrudis Gómez de Avellaneda, además de las historias de la literatura española e hispanoamericana, conviene consultar los estudios de Maria Albin (2002; 2003), además de la historia de la Academia de García de la Concha. Menciono la figura de la Avellaneda como una excepcionalidad, pero ello no resta méritos a otras figuras femeninas anteriores, como las dramaturgas y poetas María de Zayas, Ángela de Azevedo o Ana Caro de Mallén, que destacaron en el siglo xvii (Hormigón 1996). En cuanto a José Martí, aparte de las historias de la literatura hispanoamericana, como la de Seix Barral o del Fondo de Cultura Económica, puede verse el volumen de Rubén Pérez Nápoles *José Martí: el poeta armado* (2004). La información sobre *escaño* está tomada de Corominas y Pascual, precisada mediante las oportunas consultas de los corpus y diccionarios académicos y del proyecto *Varilex* dirigido por Ueda. Para *guajiro* he utilizado las mismas fuentes; además de las citas ya hechas en el capítulo, he manejado los trabajos de Sergio Valdés Bernal sobre voces indoamericanas. Su libro *La hispanización de América y la americanización de la lengua española* (2013) nos ha resultado muy útil en diversos pasajes de esta historia.

14. Lengua y costumbres populares

La información que hemos manejado sobre educación y alfabetización en España y América procede de los trabajos de Antonio Viñao («Alfabetización y primeras letras, siglos xvi-xvii», 1999) y de Buenaventura Delgado Criado (*Historia de la educación en España y América,* 1992-1994). La literatura costumbrista puede conocerse en las historias de la literatura española e hispanoamericana más difundidas. Merece consultarse la obra de Juan Ignacio Ferreras, *Introducción a la sociología de la novela española del siglo xix* (1973). La antología de Raquel Chang-Rodríguez y Malva Filer, *Voces de Hispanoamérica* (1988), proporciona una excelente panorámica literaria. Juan Antonio Frago (2014) analiza varias estampas sociolingüísticas de *El Periquillo Sarniento* de Fernández de Lizardi. El léxico de la tauromaquia se ha tratado en muchos estudios, pero merece mencionarse el de José Carlos de Torres, *Léxico español de los toros* (1989). Los datos sobre la inmigración en Argentina proceden de la Dirección Nacional de Migraciones. La Constitución de este país puede consultarse en línea con facilidad. La historia lingüística de Buenos Aires se presenta en el libro de Beatriz Fontanella de Weinberg *El Español bonaerense: cuatro siglos de evolución lingüística* (1987). Sobre el lunfardo, pueden verse los trabajos de José Gobello y, sobre el cocoliche, los de Meo Zilio (1964) y Kailuweit (2007), aunque Oscar Conde presenta un buen resumen en «El lunfardo y el cocoliche» (2009). La bibliografía sobre Galdós es inmensa, pero no podemos dejar de mencionar el libro de Ricardo Gullón *Galdós, novelista moderno* (1987) ni el de María Zambrano *La España de Galdós* (1960). La jerga de los arrieros de Quintanar fue descrita por Juan Martín de Nicolás en 1968. Allí se adjunta un dibujo del célebre Birris, a partir del cual se ha recreado el personaje. La historia de la yerbera es una ficción parcial, creada a partir de la referencia aportada por el periodista checo Ego Erwin Kisch en su libro *Descubrimiento en México* (1944) y de los comentarios sociolingüísticos de Frida Villavicencio, en su capítulo de la *Historia sociolingüística de México* (2010). La entrada *gaucho* del diccionario de Corominas y Pascual aporta mucha información bibliográfica sobre esa palabra, que he complementado con las fuentes lexicográficas y textuales manejadas para otras formas. La historia de la ballena de Madrid se recoge en el *Diccionario geográfico popular de Madrid*, de Gaspar Sánchez Sala (2010), aunque ya Cervantes menciona a los «ballenatos» en el *Quijote* (II, 27), Lope de Vega alude a la anécdota en *El galán escarmentado* (1595-1598), Tirso de Molina en *Desde Toledo a Madrid* (Madrid, 1666) y Quevedo en su poesía 737. Todo ello aparece debidamente citado en el *Catálogo de cuentos folclóricos reelaborados por escritores del siglo xix*, de Montserrat Amores (1997). Quevedo llama «aprendiz de río» al Manzanares en el romance XLII, Musa VI, dentro del volumen *El parnaso español* (1772).

15. Las normas del español

Como ya se ha comentado, la historia de la Real Academia Española puede conocerse con detalle en las obras de Zamora Vicente (1999) y de García de la Concha (2014). La historia de la ortografía académica aparece compendiada en la última edición de la *Ortografía de la lengua española* (2010). Diversos aspectos históricos y teóricos de la ortografía son tratados por Esteve Serrano (1982), Iribarren (2005) y Frago (2012). El nacimiento y desarrollo de las corrientes separatista y unionista han sido analizados por diversos autores, comenzando por Amado Alonso en su conocido *Castellano, español, idioma nacional* (1943). Miguel Ángel Quesada hizo una síntesis muy clara en 2005, que hemos seguido parcialmente. La *Memoria sobre ortografía americana* de Sarmiento (Santiago de Chile, 1843) y el libro de Luciano Abeille (París, 1900) pueden leerse en la red, la primera en la Biblioteca Virtual Miguel de Cervantes y el segundo en Internet Archive. También he manejado el libro *Nuestra lengua*, de Arturo Costa (1932). La gramática de Andrés Bello cuenta con varias ediciones, pero he seguido la editada por Ramón Trujillo en 1988. Sobre el pensamiento que apreciaba las ventajas de la unidad del español, pueden verse los trabajos de Guitarte (1991) y de Ávila (2001). Las autoridades del primer diccionario académico han sido muy bien analizadas por Margarita Freixas (2003), más allá de trabajos clásicos como el de Lázaro Carreter (1972). El nacimiento de las academias americanas es tratado por Antonio León Rey en un artículo de 1980. Para los orígenes de la Asociación de Academias de la Lengua Española, debe verse el volumen del mismo título de Felipe Garrido, Diego Valadés y Fausto Zerón-Medina (2010), además de las referencias de Humberto López Morales. En el libro editado por José del Valle (2013) se hace una interpretación política de la historia académica. Para diversos aspectos de la historia de los diccionarios del español, es imprescindible la consulta de los libros de Manuel Seco (1987) y Manuel Alvar Ezquerra (2002). La figura de Andrés Bello ha sido estudiada por diversos especialistas, pero aquí se han utilizado fundamentalmente los trabajos de Ángel Rosenblat (2002). La vida y la obra de María Moliner aparecen magníficamente presentadas en el monográfico «María Moliner» del Centro Virtual del Instituto Cervantes, con textos elaborados por María Antonia Martín Zorraquino y Manuel Seco, entre otros. La información sobre la palabra *espectador* la he tomado de un excelente artículo de Pedro Álvarez de Miranda (1988). Una vez más, se ha recurrido a la consulta de los corpus y del tesoro lexicográfico de la Real Academia para precisar las informaciones sobre las palabras presentadas.

16. En tierras hispánicas

La controversia entre Juan Valera y Rufino José Cuervo queda bastante bien documentada en el trabajo de M.ª Remedios Sánchez García para la Biblioteca Virtual Miguel de Cervantes. El texto de Rosenblat de 1970 aparece recogido en el volumen *El español de América* (2002). Para el resto de este capítulo se utiliza como fuente principal mi manual de dialectología *La lengua española en su geografía* (2010). Los datos relativos a cada área aparecen ahora muy simplificados y se omite la referencia a hechos relevantes para la dialectología, pero que no pueden tratarse con detalle en una historia general de la lengua española. Los materiales ofrecidos son fruto de la consulta de muchas fuentes y de su ordenación para ser presentadas en mis cursos de dialectología hispánica. Merece asimismo consultarse el *Manual de dialectología hispánica* dirigido por Manuel Alvar (1996). Las figuras de Mario Moreno y Mercedes Sosa son muy populares y sus biografías aparecen narradas en varios lugares de la red, así como su filmografía y discografía, respectivamente. Rodolfo Braceli publicó una biografía de Sosa (2003) y Edmundo Pérez Medina trató la figura de Cantinflas en sus publicaciones sobre cine mexicano (1999). Para las palabras *zócalo* y *jíbaro*, se incluyen largos artículos en el diccionario de Corominas y Pascual. Francisco Santamaría también dedica una larga entrada a *jíbaro* en su *Diccionario general de americanismos* (1942). Se ha contrastado esa documentación con los corpus académicos y los diccionarios desde el siglo XVIII. Los usos actuales son los que aparecen recogidos en el *Diccionario de americanismos* de la Asociación de Academias. La información sobre Chile la he recogido en persona y contrastado con colegas chilenos. Agradezco especialmente a Macarena Céspedes la ayuda prestada.

17. Más allá del español

Los datos y ejemplos que ilustran este capítulo proceden en buena medida de mis propias investigaciones de campo. Tuve la oportunidad de visitar Argelia durante varios años y de reunir allí información bibliográfica y materiales de lengua que se han publicado en diversos lugares. Puede consultarse, por ejemplo, mi trabajo «El español en Orán: notas dialectales, históricas y sociolingüística» (1992), de donde extraigo muchos ejemplos, así como la historia de El Hayi El Harbi, cuyas grabaciones aún conservo. Sobre los Estados Unidos también he tenido la oportunidad de escribir varios artículos, como los incluidos en la *Enciclopedia del español en los Estados Unidos* (2008), coordinada por Humberto López Morales. La información de Filipinas procede de varios autores (Whinnom, 1956; Fernández, 2001; Quilis y Casado, 2008) y la del chamorro, de Rodríguez-Ponga, especialmente de su libro *Del español al chamorro. Lenguas en contacto en el Pacífico* (2009). Las características del español en Guinea se conocen principalmente por los trabajos de Antonio Quilis y Celia Casado (1998), así como de John Lipski (2007). Para todo lo anterior, incluidas las hablas criollas, es importante también la consulta del libro de Germán de Granda *Español de América, español de África y hablas criollas hispánicas* (1994), del volumen de Antonio Quilis *La lengua española en cuatro mundos* (1992) o del *Atlas de la lengua española en el mundo* (2007), de Moreno Fernández y Otero Roth. En cuanto al judeoespañol o ladino, se han consultado las obras de Carmen Hernández (2001), Manuel Ariza (2005) y Aldina Quintana (2006), entre otras. El libro *Las aventuras de don Chipote, o cuando los pericos mamen*, de Daniel Venegas, fue publicado originalmente en 1928 por el periódico *El Heraldo de México*, recuperado en 1984 por Nicolás Kanellos y traducido por primera vez al inglés en 2000. Su versión moderna forma parte del proyecto «Recuperación de la herencia literaria hispana en los EE. UU.». Se trata de una iniciativa del mismo Kanellos, profesor de la Universidad de Houston, cuyo trabajo se divulga a través de la editorial Arte Público. Las referencias a la picaresca y al *Quijote* son evidentes en la obra de Venegas. Las pesquisas sobre las palabras presentadas en este capítulo han seguido las pautas habituales, incluida la consulta del *Diccionario general de americanismos* de Francisco Santamaría. Para la historia del dólar y del real de a ocho, pueden consultarse las obras de Arthur Nussbaum (1957), Weatherford (1957) y de Manuel Vilaplana Persiva (1997). En relación con *pocho* y los pochismos, merece verse la nota de William Wilson (1946).

18. El español en la era de Internet

El análisis de la situación actual y del futuro previsible de las lenguas internacionales en grandes entornos urbanos se está abordando desde el campo llamado «sociolingüística de la globalización» (Blommaert 2010). De ahí se han extraído algunos de los argumentos propuestos. Los datos sobre demografía, urbanización y educación proceden principalmente de las Naciones Unidas. El trabajo de Rosenblat al que se hace referencia está incluido, de nuevo, en el volumen *El español de América* (2002). Los ejemplos del lenguaje de la economía y de la informática pueden encontrarse fácilmente en los repertorios léxicos colgados en Internet por parte de empresas especializadas. El estudio sobre el léxico disponible de los jóvenes de Chicago se publicó en 2007 (Moreno Fernández). El Instituto Cervantes publica regularmente trabajos sobre la lengua española en el mundo, su enseñanza como lengua segunda o extranjera y su función como segunda lengua internacional. Pueden consultarse al respecto los informes titulados «El español, una lengua viva», publicados en línea, así como el *Anuario del Instituto Cervantes. El español en el mundo*, disponible a través de las páginas del Centro Virtual Cervantes. Sobre la demografía del español, puede consultarse mi trabajo «Fundamentos de demografía lingüística. A propósito de la lengua española» (2014). En relación con los premios Nobel de literatura en español, el mismo Centro Virtual Cervantes ofrece abundante información. La historia de Matías Prats Cañete puede rastrearse en fuentes periodísticas principalmente, sobre todo en las necrológicas publicadas en 2004. Esto nos ha servido de base para destacar la importancia de los medios de comunicación en la sociedad hispánica actual, como se analiza en los trabajos de Raúl Ávila (1998, 2001) o de Gregorio Salvador (1994). La película *2001: Odisea en el espacio* fue producida desde Metro-Goldwin Mayer. En cuanto a las palabras analizadas, *robot* se incluye en el libro de David Crystal titulado *The Story of English in 100 Words* (2013) y sobre la palabra *informática* puede consultarse el *Dictionnaire d'informatique francophone,* accesible a través del portal www.jargonf@org.

Referencias bibliográficas

AA. VV. (1998-2015): *Anuario del Instituto Cervantes. El español en el mundo*. http:// cvc.cervantes.es/lengua/anuario/.

AA. VV. (1973-1978): *Historia de España Alfaguara*. Madrid: Alianza.

Abad Nebot, Francisco (2008): *Historia general de la lengua española*. Valencia: Tirant lo Blanch.

Abdala Júnior, Benjamim y Maria Aparecida Paschoalin (1985): *História social da literatura portuguesa*. 2.ª ed. São Paulo: Ática.

Abella, Carlos (1993): *¡Derecho al toro! El lenguaje taurino y su influencia en lo cotidiano*. Madrid: Anaya & Muchnik.

Adams, James N. (2007): *The Regional Diversification of Latin 200 B. C. - A. D. 600*. Cambridge: Cambridge University Press.

Adorno, Rolena (2000): *Guaman Poma: Writing and Resistance in Colonial Peru*. Austin: University of Texas Press.

Ahumada, Ignacio (ed.) (2000): *Cinco siglos de lexicografía del español*. Jaén: Universidad de Jaén.

Alarcos Llorach, Emilio (2014): *El español, lengua milenaria*. Sevilla: Athenaica Ediciones Universitarias.

Alatorre, Antonio (1989): *Los 1001 años de la lengua española*. México: Fondo de Cultura Económica.

— (1991): «Historia de la palabra gachupín». En E. Luna Traill (coord.) *Scripta philologica: in honorem Juan M. Lope Blanch*. Vol. 2. México: UNAM, págs. 275-302.

— (2007): *Sor Juana a través de los siglos (1668-1910)*. México: El Colegio de México, El Colegio Nacional, UNAM.

Alberdi Vallejo, Alfredo (2010): *El mundo al revés. Guaman Poma anticolonialista*. Berlín: Wissenschaftlicher.

Albin, María C. (2002): *Género, poesía y esfera pública: Gertrudis Gómez de Avellaneda y la tradición romántica*. Madrid: Trotta.

Albin, María C. (2003): «Romanticismo y fin de siglo: Gertrudis Gómez de Avellaneda y José Martí». En C. Ruiz Barrionuevo. *La literatura iberoamericana en el 2000. Balances, perspectivas y prospectivas.* Salamanca: Universidad de Salamanca, págs. 1446-1454.

Alborg, Juan Luis (1966-1999): *Historia de la literatura española.* 5 vol. Madrid: Gredos.

Aleza, Milagros, Javier Estrems y Francisco Teruel (1999): *Estudios de historia de la lengua española en América y España.* Valencia: Universidad de Valencia.

Allott, Stephen (1974): *Alcuin of York c. A. D. 732 to 804: his life and letters.* York: William Sessions.

Alonso, Amado (1943): *Castellano, español, idioma nacional: historia espiritual de tres nombres.* Buenos Aires: Losada.

Alonso, Dámaso (1955): *Estudios y ensayos gongorinos.* Madrid: Gredos.

— (1957): *Poesía española. Ensayo de métodos y límites estilísticos.* Madrid: Gredos.

Alvar, Carlos y Ángel Gómez Moreno (1987): *Historia crítica de la literatura hispánica. 1: La poesía lírica medieval.* Madrid: Taurus.

— (1988): *Historia crítica de la literatura hispánica. 2: La poesía épica y de clerecía medievales.* Madrid: Taurus.

Alvar, Carlos y José Manuel Lucía Megías (eds.) (2002): *Diccionario filológico de literatura medieval española. Textos y transmisión.* Madrid: Castalia.

Alvar, Manuel (1970): *Americanismos en la «Historia» de Bernal Díaz del Castillo.* Madrid: CSIC.

— (1989): «De las Glosas emilianenses a Gonzalo de Berceo». *Revista de Filología Española,* Vol. LXIX, n.º 1: págs. 5-38.

— (1992): «Cronistas de Indias». En C. Hernández (coord.), *Historia y presente del español de América.* Valladolid: Junta de Castilla y León, págs. 25-62.

— (2000): *El ladino, judeo-español calco.* Madrid: Real Academia de la Historia.

— (2003): *El judeo español I: Estudios sefardíes.* Alcalá de Henares: Universidad de Alcalá.

— (2003): *El judeo español II: Romancero sefardí de Marruecos.* Alcalá de Henares: Universidad de Alcalá.

Alvar, Manuel (dir.) (1996): *Manual de dialectología hispánica.* Barcelona: Ariel.

Alvar, Manuel y Bernard Pottier (1983): *Morfología histórica del español.* Madrid: Gredos.

Alvar Ezquerra, Manuel (1997): *Vocabulario de indigenismos en las crónicas de Indias.* Madrid: CSIC.

— (2002): *De antiguos y nuevos diccionarios del español.* Madrid: Arco/Libros.

Álvarez de Miranda, Pedro (1983): «El centenario de Mayans y la Ilustración española». *Cuadernos hispanoamericanos,* 396: págs. 675-687.

— (1988): «Una voz de tardía incorporación a la lengua: la palabra "espectador" en el siglo XVIII». *Coloquio internacional sobre el teatro español de siglo XVIII.* Bolonia: Piovan, págs. 45-66.

— (1992): *Palabras e ideas: el léxico de la Ilustración temprana en España (1680-1760).* Madrid: Real Academia Española.

Álvarez de Miranda, Pedro (2005): «El léxico español, desde el siglo XVIII hasta hoy». En R. Cano Aguilar (coord.), *Historia de la lengua española*. 2.ª ed. Barcelona: Ariel, págs. 1037-1064.

Amores García, Montserrat (1997): *Catálogo de cuentos folclóricos reelaborados por escritores del siglo XIX*. Madrid: CSIC.

Anderson Imbert, Enrique (1954): *Historia de la literatura hispanoamericana*. México: Fondo de Cultura Económica.

Anes, Gonzalo (1976): *El antiguo régimen: los Borbones*. 2.ª ed., Madrid: Alianza.

Arana Amurrio, José Ignacio (1994): *Historias curiosas de la medicina*. Madrid: Espasa-Calpe.

Arellano, Ignacio y Fermín del Pino (2004): *Lecturas y ediciones de crónicas de Indias: una propuesta interdisciplinar*. Madrid: Iberoamericana; Fráncfort: Vervuert.

Ariza, Manuel (2005): «Algunas notas de fonética y de léxico del judeoespañol». *El español en el mundo. Anuario del Instituto Cervantes*. Madrid: Instituto Cervantes-Plaza & Janes, págs. 385-403.

— (2005): «El Romance en al-Ándalus». En R. Cano Aguilar (coord.), *Historia de la lengua española*. 2.ª ed. Barcelona: Ariel, págs. 207–235.

Arroyo Hidalgo, Susana (2002-2003): «Sor Juana Inés, transmisora de lo popular». *Razón y palabra*, 7: pág. 30.

Asociación de Academias de la Lengua Española (2010): *Diccionario de americanismos*. Madrid: Santillana.

Aub, Max (1966): *Manual de historia de la literatura española*. Madrid: Akal Editor.

Ávila, Raúl (1998): «Televisión internacional, lengua internacional». Ponencia para el *I Congreso Internacional de la Lengua Española*. Zacatecas: Instituto Cervantes.

— (2001): «Los medios de comunicación masiva y el español internacional». Ponencia para el *II Congreso Internacional de la Lengua Española*. Valladolid: Instituto Cervantes-Real Academia Española.

Barriga Villanueva, Rebeca y Martín Butragueño, Pedro (dir.) (2010): *Historia sociolingüística de México*. 2 vol. México: El Colegio de México.

Barros, Thereza Leitão de (1924): *Escritoras de Portugal. Gênio feminino revelado na Literatura Portuguesa*. Lisboa: Tipografia de A. O. Artur.

Bastardas Parera, Juan (1960): «El latín medieval». En M. Alvar (ed.), *Enciclopedia lingüística hispánica*. Madrid: CSIC, vol. I, págs. 251-290.

Battaner, M.ª Paz (1977): *Vocabulario político-social en España (1868-1873)*. Madrid: Real Academia Española.

Bello, Andrés (1847): *Gramática de la lengua castellana destinada al uso de los americanos*. Santiago: Imprenta del Progreso. Con las notas de Rufino José Cuervo. Ed. de Ramón Trujillo. Madrid: Arco/Libros, 1988.

Benavides, Carlos (2003): «La distribución del voseo en Hispanoamérica». *Hispania: A Journal Devoted to the Teaching of Spanish and Portuguese*, 86.3 (2003): págs. 612-623.

Bendriss, Ernest Yassine (2009): *Breve historia de los Carolingios: auge y caía de la estirpe de Carlo Magno*. Madrid: Dilema.

— (2013): *Breve historia del islam*. Madrid: Nowtilus.

Bennassar, Bartolomé (2001): *La España del Siglo de Oro*. Barcelona: Crítica.

Biblioteca Nacional de España (2015): *Biblioteca Digital Hispánica*. Madrid. Recurso en línea. http://www.bne.es/es/Catalogos/BibliotecaDigitalHispanica/Inicio/index.html

Biblitoheca Sefarad (2015): *Biblitoheca Sefarad*. Recurso en línea. http://www.bibliothecasefarad.com. Véanse las secciones «Catálogos» y «Exposiciones».

Blake, Robert (1998): «Las Glosas de San Millán y de Silos en su contexto sociolingüístico». *Actas del IV Congreso Internacional de Historia de la Lengua Española*. Logroño: Universidad de La Rioja, vol. 2, págs. 923-932.

Blecua, José Manuel (1972): *Floresta de lírica española*. 3.ª ed. Madrid: Gredos.

Bleiberg, Germán (1951): *Antología de elogios de la lengua española*. Madrid: Cultura Hispánica.

Bouza, Fernando (1998): *Imagen y propaganda: capítulos de historia cultural del reinado de Felipe II*. Tres Cantos (Madrid): Akal.

Boyd-Bowman, Peter (1964-1985): *Índice geobiográfico de cuarenta mil pobladores españoles de América en el siglo XVI*. Tomo I (1493-1519). Bogotá: Instituto Caro y Cuervo, 1964; tomo II (1520-1539), México: UNAM, 1985.

Braceli, Rodolfo (2003): *Mercedes Sosa. La Negra*. Buenos Aires: Sudamericana.

Bravo García, Eva y M. Teresa Cáceres Lorenzo (2011): *La incorporación del indigenismo léxico en los contextos comunicativos canario y americano*. Berna: Peter Lang.

Brett, Michael y Elizabeth Fentress (1977): *The Berbers*. Oxford: Blackwell.

Brooke, Christopher (2000): *Europe in the Central Middle Ages (962-1154)*. 3.ª ed. Londres: Routledge.

— (2003): *The Age of the Cloister: The Story of Monastic Life in the Middle Ages*. Mahwah: HiddenSpring.

Buesa, Tomás y José María Enguita (1992): *Léxico del español de América: su elemento patrimonial e indígena*. Madrid: Mapfre.

Bustos Tovar, Jesús (1995): «La presencia de la oralidad en los textos romances primitivos». En *Historia de la lengua española en América y España*, Valencia: Universidad de Valencia, págs. 219-236.

— (2005): «Las Glosas Emilianenses y Silenses». En R. Cano Aguilar (coord.), *Historia de la lengua española*. Barcelona. 2.ª ed. Ariel, págs. 291-308.

— (2005): «La escisión latín-romance. El nacimiento de las lenguas romances: el castellano». En. R. Cano Aguilar (coord.), *Historia de la lengua española*. 2.ª ed. Barcelona: Ariel, págs. 259-290.

Buxó, José Pascual (2006): *Sor Juana Inés de la Cruz: Lectura barroca de la poesía*. México: Renacimiento.

Byers, Paula K. (ed.) (1995): *Hispanic American genealogical sourcebook*. Nueva York: Gale Research.

Candau de Cevallos, María del C. (1985): *Historia de la lengua española*. Potomac: Scripta Humanística.

Cano Aguilar, Rafael (1988): *El español a través de los tiempos*. Madrid: Arco/Libros.

— (2013): «De nuevo sobre los nombres medievales de la lengua de Castilla». *e-Spania*. doi: 10.4000/e-spania.22518

— (coord.) (2005): *Historia de la lengua española*. 2.ª ed. Barcelona: Ariel.

Castillo Gómez, Antonio (1998): «La fortuna de lo escrito: funciones y espacios de la razón gráfica (siglos xv-xvii)». *Bulletin Hispanique*, 100-2: págs. 343-382.

Castro, Adolfo de (1847): *Historia de los judíos en España desde los tiempos de su establecimiento hasta principios del presente siglo*. Cádiz: Imprenta Revista Médica.

Catalán, Diego (1957): «Génesis del español atlántico. Ondas varias a través del océano». En *El español, orígenes de su diversidad*. Madrid: Paraninfo, 1989, págs. 119-126.

Cejador y Frauca, Julio (1905): *La lengua de Cervantes: gramática y diccionario de la lengua castellana en El ingenioso hidalgo don Quijote de la Mancha*. 2 vol. Madrid: Jaime Ratés.

Cervantes, Miguel de (1605-1615): *El ingenioso hidalgo Don Quijote de la Mancha*. Ed. del Instituto Cervantes, F. Rico (dir.). Barcelona: Crítica, 1998.

Chalmeta, Pedro (1994): *Invasión e islamización: la sumisión de Hispania y la formación de al-Andalus*. Madrid: Mapfre.

Chang-Rodríguez, Raquel y Malva E. Filer (2004): *Voces de Hispanoamérica. Antología literaria*. Boston: Thomson–Heinle.

Chartier, Roger (1997): «Del libro a la lectura. Lectores "populares" en el Renacimiento». *Bulletine Hispanique*, 99-1: págs. 309-324.

Chiriboga Villaquirán, Marco (2001): *Vida, pasión y muerte de Eugenio Espejo*. Quito: Panorama.

Chocano Mena, Magdalena (2000): *La América colonial (1492-1763)*. Madrid: Síntesis.

Clavería, Carlos y Jorge García López (2003): *Obras completas de Gonzalo de Berceo*. Madrid: Biblioteca Castro. Edición en línea http://www.vallenajerilla.com/berceo/claveriagarcia/obrascompletas.htm [Consultado: 23-mayo-2015]

Codoñer, Carmen y Juan Antonio González Iglesias (1994): *Antonio de Nebrija: Edad Media y Renacimiento*. Salamanca: Universidad de Salamanca.

Colón, Cristóbal [1984]. *Textos y documentos completos*. Prólogo y notas de Consuelo Varela. Madrid: Alianza.

Comín, Francisco, Mauro Hernández y Enrique Llopis (eds.) (2010): *Historia económica de España. Siglos x-xx*. Barcelona: Crítica.

Company, Concepción (2006): *Sintaxis histórica de la lengua española*. México: UNAM-Fondo de Cultura Económica.

Conde, Oscar (2009): «El lunfardo y el cocoliche». Conferencia pronunciada el 3 de abril de 2009 en la Facultad de Ciencias Sociales de la UNLZ http://www.elortiba.org/pdf/Oscar-Conde_Lunfardo-y-cocoliche-2009.pdf [Consultado: 23-mayo-2015]

Corominas, Joan y José Antonio Pascual (1980): *Diccionario crítico etimológico castellano e hispánico*. Madrid: Gredos.

Corrales, Cristóbal y Dolores Corbella (2010): *Tesoro léxico canario-americano*. Las Palmas: Cabildo de Gran Canaria.

— (2013): *Diccionario histórico del español de Canarias*. 2.ª ed. Las Palmas: Instituto de Estudios Canarios. http://web.frl.es/DHECan.html [Consultado: 23-mayo-2015]

Correas, Gonzalo (1627): *Vocabulario de refranes y frases proverbiales*. Ed. de Víctor Infantes Madrid: Visor. 1992.

Corriente Córdoba, Federico (1992): *Árabe andalusí y lenguas romances*. Madrid: Mapfre.

— (1997): *A Dictionary of Andalusi Arabic*. Leiden: Brill.

— (2003): *Diccionario de arabismos y voces afines en iberorromance*. Madrid: Gredos.

Corriente Córdoba, Federico y Emilio García Gómez (1977): *A Grammatical sketch of the Spanish Arabic dialect bundle*. Madrid: Instituto Hispano-Árabe de Cultura.

Costa Álvarez, Arturo (1932): *Nuestra lengua*. Buenos Aires: Sociedad Editorial Argentina.

Covarrubias, Sebastián de (1611): *Tesoro de la lengua castellana o española*. Ed. de I. Arellano y R. Zafra. Madrid: Iberoamericana; Fráncfort: Vervuert. 2006.

Criado de Val, Manuel (ed.) (2001): *Los orígenes del español y los grandes textos medievales. Mío Cid, Buen Amor y Celestina*. Madrid: CSIC.

Croce, Benedetto (2007): *España en la vida italiana durante el Renacimiento*. Madrid: Mundo Latino.

Crystal, David (2013): *The Story of English in 100 Words*. New York: St. Martin's Press.

Delgado Criado, Buenaventura (ed.) (1992-1994): *Historia de la educación en España y América*. Madrid: Fundación Santa María.

Deyermond, Alan D. (1973): *Historia de la literatura española, vol. 1: La Edad Media*. Barcelona: Ariel.

— (1987): *El «Cantar de Mío Cid» y la épica medieval española*. Barcelona: Sirmio.

Díaz-Mas, Paloma (1993): «Un género casi perdido de la poesía castellana medieval: la clerecía rabínica». *Boletín de la Real Academia Española*, LXXIII: págs. 329-346.

Domínguez Ortiz, Antonio (1987): *Estudios de historia económica y social de España*. Granada: Universidad de Granada.

— (2004): *España: Tres milenios de historia*. 2.ª ed. Madrid: Marcial Pons.

Donoso Jiménez, Isaac (2012): *Historia cultural de la lengua española en Filipinas: ayer y hoy*. Madrid: Verbum.

Echenique, María Teresa y María José Martínez Alcalde (2000): *Diacronía y gramática histórica de la lengua española*. Valencia: Tirant lo Blanch.

Echenique, María Teresa y Juan P. Sánchez (2005): *Las lenguas de un reino: historia lingüística hispánica*. Madrid: Gredos.

Elvira, Javier (2009): *Evolución lingüística y cambio sintáctico*. Bern: Peter Lang.

Esteve Serrano, Abraham (1982): *Estudios de teoría ortográfica del español*. Murcia: Universidad de Murcia.

Fernández Álvarez, Manuel (1979): *España y los españoles en los tiempos modernos*. Salamanca: Universidad de Salamanca.

Fernández Álvarez, Manuel (coord.) (2001): *El Imperio de Carlos V*. Madrid: Real Academia de la Historia.

Fernández Catón, José María *et al.* (2003): *Documentos selectos para el estudio de los orígenes del Romance en el Reino de León. Siglos X-XII*. León: Colección Fuentes y Estudios de Historia Leonesa. Biblioteca Digital Leonesa. Fundación Saber.

Fernández-Ordóñez, Inés (2005): «Alfonso X el Sabio en la historia del español». En R. Cano Aguilar (coord.), *Historia de la lengua española*. 2.ª ed. Barcelona: Ariel., págs. 381-422.

— (2006): «Del Cantábrico a Toledo: el 'neutro de materia' hispánico en un contexto románico y tipológico». *Revista de Historia de la Lengua Española*, 1: págs. 67-118.

— (2011): «El norte peninsular y su papel en la historia de la lengua española». En S. Gómez Seibane y C. Sinner (eds.), *Estudios sobre tiempo y espacio en el español norteño*. San Millán de la Cogolla: CILENGUA, págs. 23-68.

Fernández, Mauro (coord.) (2001): *Shedding light on the Chabacano language. Estudios de sociolingüística*, 2-2. Monográfico.

Ferrando, Ignacio (2007): «Testamento y compraventa en Toledo (años 1214 y 1215). Dos documentos árabes de los mozárabes de Toledo». *Collectanea Christiana Orientalia*, 4: págs. 41-54.

Ferreras, Juan Ignacio (1973): *Introducción a una sociología de la novela española del siglo XIX*. Madrid: Edicusa.

Fontana, Josep y Ramón Villares (dirs.) (2007-2013): *Historia de España*. Barcelona: Crítica/Marcial Pons.

Fontanella de Weinberg, Beatriz (1987): *El español bonaerense: cuatro siglos de evolución lingüística*. Buenos Aires: Hachette.

Frago Gracia, Juan Antonio (1993): *Historia de las hablas andaluzas*. Madrid: Arco/Libros.

Frago Gracia, Juan Antonio (1994): *Reconquista y creación de las modalidades regionales del español*. Burgos: Caja de Burgos.

— (1999): *Historia del español de América: textos y contextos*. Madrid: Gredos.

— (2002): *Textos y normas: comentarios lingüísticos*. Madrid: Gredos.

— (2010): «La aventura del español». *El País*, 27-02.

— (2010): *El español de América en la Independencia*. Santiago de Chile: Aguilar Chilena de Ediciones.

— (2012): «Razones de las reformas ortográficas en la América independiente y causas de su fracaso». *Boletín de Filología*, 47, vol. II: págs. 11-46.

— (2014): «Estampas sociolingüísticas del español de México en la Independencia, I: el indio bilingüe, el marginal, la mujer». *Boletín de Filología*, 49, vol. I: págs. 37-57.

— (2015): «De los nombres de las cosas de comer traídas de América hasta la Independencia». En *Los alimentos que llegaron de Améri*ca. Zaragoza: Academia Aragonesa de Gastronomía, págs. 17-39.

— (2015): *Don Quijote: lengua y sociedad*. Madrid: Arco/Libros.

Freixas Alás, Margarita (2003): *Las autoridades en el primer diccionario de la Real Academia Española*. Bellaterra: Universidad Autónoma de Barcelona.

Fuentes, Carlos (2012): *El espejo enterrado. Reflexiones sobre España y América Latina*. México: FCE.

Fundación Biblioteca Miguel de Cervantes (2015): *Biblioteca Virtual Miguel de Cervantes*. Recurso en línea. http://www.cervantesvirtual.com

Fundación Ignacio Larramendi. *Bibliotecas Virtuales FHL*. http://www.larramendi.es

Galmés de Fuentes, Álvaro (1983): *Dialectología mozárabe*. Madrid: Gredos.

— (2001): «La lengua de la época de Carlos V. Cuando el castellano se hace español». En M. Fernández Álvarez (coord.), *El Imperio de Carlos V*. Madrid: Real Academia de la Historia, págs. 189-212.

Gándara, Miguel Antonio de la (1762) [1820]: «Apuntes sobre el bien y el mal de España». En *Almacén de frutos literarios inéditos de los mejores autores españoles*. Madrid: Imprenta de la viuda de López.

Garatea, Carlos (2009): «Dinamismo urbano, espacios de praxis y cambio: A propósito del español de Lima». *Neue Romania*, 39: págs. 155-170.

— (2011): «Español, mestizaje y escritura en América: El contacto en textos andinos». En J. J. Bustos Tovar, R. Cano, E. Méndez García de Paredes y A. López Serena (coords.), *Sintaxis y análisis del discurso hablado en español*. Sevilla: Universidad de Sevilla. Vol. I, págs. 525-534.

— (2013): «El Inca Garcilaso, autoridad del español». En W. Oesterreicher y R. Schmidt-Riese (eds.), *Conquista y conversión: universos semióticos, textualidad y legitimación de saberes en la América colonial*. Berlín: De Gruyter, págs. 77-98.

García de Cortázar, Fernando (2006): *Atlas de Historia de España*. Barcelona: Planeta.

García de Diego, Vicente (1970): *Gramática histórica española*. Madrid: Gredos.

García de la Concha, Víctor (2014): *La Real Academia Española. Vida e historia*. Barcelona: Espasa.

García Díaz, Isabel y Juan Antonio Montalbán Jiménez (2005): «El uso del papel en Castilla durante la Baja Edad Media» *Actas del VI Congreso nacional de historia del papel en España*. Buñol (Valencia). https://digitum.um.es/xmlui/handle/10201/3302 [Consultado: 23-mayo-2015]

García Turza, Claudio (1994): *Luces y sombras en el estudio de las Glosas*. Logroño: Universidad de La Rioja.

García Turza, Claudio y Javier García Turza (1997): *El códice emilianense 46 de la Real Academia de la Historia, primer diccionario enciclopédico de la Península Ibérica: edición y estudio*. Madrid: Real Academia de la Historia-Logroño: Fundación Caja Rioja.

Garrido, Felipe; Diego Valadés y Fausto Zerón-Medina (2010): *Orígenes de la Asociación de Academias de la Lengua Española*. México: FCE.

Garrido Vílchez, Gema Belén (2010): *Las «gramáticas» de la Real Academia Española: teoría gramatical, sintaxis y subordinación (1854-1924)* [tesis doctoral en CD]. Salamanca: Universidad de Salamanca.

Garza-Falcón, Leticia M. (1998): *Gente Decente: A Borderlands Response to the Rhetoric of Dominance*. Austin: University of Texas Press.

Gauger, Hans-Martin (1989): «La conciencia lingüística en el Siglo de Oro». *Actas del IX Congreso de la Asociación Internacional de Hispanistas*. Frankfurt: Vervuert, págs. 45-63.

— (2005): «La conciencia lingüística en la Edad de Oro». En R. Cano Aguilar, *Historia de la lengua española*. 2.ª ed. Barcelona: Ariel, págs. 681-700.

Gimeno, Francisco (1995): *Sociolingüística histórica: siglos X-XII*. Madrid: Visor.

Girón Alconchel, José Luis (2014): *Procesos de gramaticalización en la historia del español*. Madrid: Iberoamericana.

GITHE (2011): *Corpus de documentos españoles anteriores a 1700 (CODEA)*. Universidad de Alcalá de Henares. Recurso en línea. http://demos.bitext.com/codea/ [Consultado: 23-mayo-2015]

Gobello, José y Marcelo H. Oliveri (2005): *Lunfardo. Curso básico y diccionario*. Buenos Aires: Ediciones Libertador.

Goetz, Rainer H. (2007): *La lengua española. Panorama sociohistórico*. Carolina del Norte: Jefferson, Londres: McFarlan & Company.

Gómez Asencio, José (2011): *Los principios de las gramáticas académicas (1771-1962)*. Berna: Peter Lang.

Gómez Moreno, Ángel (1994): *España y la Italia de los humanistas*. Madrid: Gredos.

Gómez Moreno, Manuel (1966): *Documentación goda en pizarra*. Madrid: Real Academia de la Historia.

Gómez Redondo, Fernando (1998-2007): *Historia de la prosa medieval castellana*. 4 vols. Madrid: Cátedra.

González Ollé, Fernando (1988): «Aspectos de la norma lingüística toledana». En *Actas del I Congreso Internacional de Historia de la Lengua Española*, vol. I. Madrid: Arco/Libros, págs. 859-872.

— (1996): *El habla toledana, modelo de la lengua española*. Toledo: Diputación Provincial.

González Sánchez, Carlos Alberto (1999): *Los mundos del libro. Medios de difusión de la cultura occidental en las Indias de los siglos XVI y XVII*. Sevilla: Diputación de Sevilla-Universidad de Sevilla.

Granda, Germán de (1994): *Español de América, español de África y hablas criollas hispánicas*. Madrid: Gredos.

Guitarte, Guillermo (1983): *Siete estudios sobre el español de América*. México: UNAM.

— (1991): «Del español de España al español de veinte naciones: La integración de América al concepto de lengua española». En *El español de América. Actas del III Congreso Internacional de El español en América*, vol. 1. Salamanca: Junta de Castilla y León, págs. 65-86.

Gullón, Ricardo (1987): *Galdós, novelista moderno*. Madrid: Taurus.

Hanssen, Frederich (1913): *Gramática histórica de la lengua castellana*. Halle: Niemeyer.

Hernández González, Carmen (2001): «Un viaje por *Sefarad*: la fortuna del judeoespañol». *Anuario del Instituto Cervantes. El español en el mundo*. Madrid: Instituto Cervantes-Plaza & Janés, págs. 281-332.

Herrero García, Miguel (1966): *Ideas de los españoles del siglo XVII*. Madrid: Gredos.

Hoffman, Katherine E. (2006): «Berber language ideologies, maintenance, and contraction». *Language & Communication*, 26: págs. 144-167.

Hormigón, Juan Antonio (1996): *Autoras en la historia del teatro español (1500-1994)*. Madrid: Asociación de Directores de Escena de España.

Huarte de San Juan, Juan (1594): *Examen de ingenios para las ciencias*. Baeza. Edición de *Eletroneurobiología*, 1996; 3 (2): págs. 1-322.

Idari, Ibn (1860): *Historias de Al-Ándalus*. Trad. de Francisco Fernández González. Granada: Imp. de D. Francisco Ventura y Sabatel.

Instituto Cervantes (2010): «Cronología de las independencias americanas». http://www.cervantes.es/lengua_y_ensenanza/independencia_americana/bicentenario_independencia_calendario.htm.

Instituto Nacional de Estadística. *Fondo documental. Anuarios y censos*. Recurso en línea. http://www.ine.es/inebaseweb/hist.do.

Internet Archive. Recurso en línea. https://archive.org/index.php

Íñigo Madrigal, Luis (2008): *Historia de la literatura hispanoamericana*. Madrid: Cátedra.

Iribarren, Irene Carolina (2005): *Ortografía española: bases históricas, lingüísticas y cognitivas*. Caracas: Los Libros de El Nacional.

Kailuweit, Rolf (2007): «El contacto lingüístico italiano-español: ascenso y decadencia del "cocoliche" rioplatense.» En D. Trotter (ed.). *Actes du XXIV Congrès International de Linguistique et de Philologie Romanes. Aberystwyth 2004.* Vol. I, Tübingen: Niemeyer, págs. 505-514.

Kany, Charles (1969): *Sintaxis hispanoamericana.* Madrid: Gredos.

Kisch, Egon Erwin (1944): *Descubrimientos en México,* Volumen 1. México: Nuevo Mundo.

Lacarra, María Jesús y Francisco López Estrada (1993): *Orígenes de la prosa.* Madrid: Júcar.

Lapesa, Rafael (1970): «Las formas verbales de segunda persona y los orígenes del "voseo"». *Actas del Tercer Congreso Internacional de Hispanistas.* México: El Colegio de México, págs. 519-531.

— (1981): *Historia de la lengua española.* 9.ª ed. Madrid: Gredos.

Lara, Luis Fernando (2013): *Historia mínima de la lengua española.* México D. F.: El Colegio de México-El Colegio Nacional.

Lathrop, Thomas A. y Juan Gutiérrez Cuadrado (1984): *Curso de gramática histórica española.* Barcelona: Ariel.

Lázaro Ávila, Carlos (1996): «Los tratados de paz con los indígenas fronterizos de América: evolución histórica y estado de la cuestión», *Estudios de historia social y económica de América.* Madrid: Universidad de Alcalá, págs. 15-24.

Lázaro Carreter, Fernando (1972): *Crónica del Diccionario de Autoridades (1713-1740).* Madrid: Real Academia Española.

León Rey, José Antonio (1980): «Génesis de las Academias Americanas de la Lengua Española». *Boletín de la Academia Venezolana de la Lengua Española,* 146: págs. 43-51.

Leonard, Irving A. (1940): «Don Quixote and the Book Trade in Lima, 1606». *Hispanic Review,* VIII-4, págs. 285-304.

Lihani, John (1973): *El lenguaje de Lucas Fernández: estudio del dialecto sayagués.* Bogotá: Instituto Caro y Cuervo.

Lipski, John (2007): «El español de Guinea Ecuatorial en el contexto del español mundial». En G. Nistal Rosique y G. Pié Jahn (dirs.), *La situación actual del español en África. Actas del II Congreso Internacional de Hispanistas en África.* Madrid: Sial-Casa de África, págs. 79-117.

Lope Blanch, Juan M. (1986): «La lingüística española del Siglo de Oro». *Actas del VIII Congreso de la Asociación Internacional de Hispanistas. I.* Madrid: Istmo, págs. 37-58.

López García, Ángel (1985): *El rumor de los desarraigados.* Barcelona: Anagrama.

López Morales, Humberto (1998): *La aventura del español en América.* Madrid: Espasa-Calpe.

— (2010): *La andadura del español por el mundo.* Madrid: Taurus.

López Morales, Humberto (coord.) (2008): *Enciclopedia del español en los Estados Unidos. Anuario del Instituto Cervantes 2008.* Madrid: Santillana-Instituto Cervantes.

Lucena Salmoral, Manuel (1987-1992): *Historia de Iberoamérica*. Madrid: Cátedra.

Lucía Megías, José Manuel (2007): «Los libros de caballerías en las primeras manifestaciones populares del *Quijote*». En J. M. Cacho Blecua (coord.), *De la literatura caballeresca al Quijote*. Zaragoza: Prensas Universitarias de Zaragoza, págs. 319-346.

Lucía Megías, José Manuel y Aurelio Vargas Díaz-Toledo (2005): «Don Quijote en América: Pausa, 1607 (facsímil y edición)». *Literatura: teoría, historia, crítica*, 7: págs. 203-244.

Lüdtke, Helmut (1968): «El beréber y la lingüística románica». *Actas del XI Congreso Internacional de Lingüística y Filología Románicas*, vol. II. Madrid: CSIC, págs. 467-472.

Machatschke, Roland (1996): *Islam*. Harrisburg: Trinity Press.

Maíllo Salgado, Felipe (1983): *Los arabismos del castellano en la Baja Edad Media*. Salamanca: Universidad de Salamanca.

Mancing, Howard (1980): «La retórica de Sancho Panza». *Actas del VII Congreso de la Asociación Internacional de Hispanistas*. Roma: Bulzoni, págs. 717-723.

Marcos Marín, Francisco (1998): «Romance andalusí y mozárabe: dos términos no sinónimos». En *Estudios de Lingüística y Filología Españolas. Homenaje a Germán Colón*. Madrid: Gredos, págs. 335-342.

Martí, José María y Santiago Catalá Rubio (eds.) (2001): *El islam en España: historia, pensamiento, religión y derecho. Actas del Primer Encuentro sobre Minorías Religiosas*. Cuenca: Universidad de Castilla-La Mancha.

Martín de Nicolás, Juan (1968): *Diccionario del dialecto Caló o Jerga que usaban los arrieros de Quintanar de la Orden*. Quintanar de la Orden: Excmo. Ayuntamiento de Quintanar de la Orden.

Martín Gaite, Carmen (1987): *Usos amorosos del dieciocho en España*. Barcelona: Anagrama.

Martinell, Emma (1992): *La comunicación entre españoles e indios: palabras y gestos*. Madrid: Mapfre.

Martínez, José Luis (1984): *Pasajeros de Indias*. México: Alianza.

Martínez Kleiser, Luis (1953): *Refranero general ideológico español*. Madrid: S. Aguirre Torre.

Martínez Mata, Emilio (2004): «Un cervantista por encargo: Gregorio Mayans y Siscar (1699-1781)». *Boletín de la Asociación de Cervantistas*, I-1: págs. 407-416.

Menéndez Pidal, Gonzalo (1986): *La España del siglo XIII: leída en imágenes*. Madrid: Real Academia de la Historia.

Menéndez Pidal, Ramón (ed.) (1913): *Poema de Mío Cid*. Madrid: La Lectura.

— (1919): *Documentos lingüísticos de España*. Madrid: Centro de Estudios Históricos-CSIC.

— (1948): *Tres poemas primitivos: Elena y María, Roncesvalles, Historia troyana polimétrica*. Buenos Aires: Espasa Calpe.

Menéndez Pidal, Ramón (1950): *Orígenes del español: estado lingüístico de la Península Ibérica hasta el siglo XI.* 3.ª ed. Madrid: Espasa Calpe.

— (1957): *Poesía juglaresca y orígenes de las literaturas románicas,* Madrid: Gráficas Montaña.

— (1962): *Manual de gramática histórica española.* Madrid: Espasa-Calpe.

— (1971): *Crestomatía del español medieval.* Madrid: Gredos.

— (ed.) (1977): *Glosas emilianenses.* Estudio y transcripción. Madrid: Ministerio de Educación y Ciencia.

— (2005): *Historia de la lengua española.* 2 vols. Madrid: Fundación Ramón Menéndez Pidal–Real Academia Española.

Meo Zilio, Giovanni (1964). *El «cocoliche» rioplatense.* Santiago de Chile: Editorial Universitaria.

Millares Carlo, Agustín (1983): *Tratado de paleografía española.* Madrid: Espasa-Calpe.

Millares Torres, Agustín (1895): *Historia general de las Islas Canarias.* Las Palmas: J. Miranda.

Montoto, Luis (1911): *Personajes, personas y personillas que corren por las tierras de ambas Castillas.* Sevilla: Librería San José.

Morales Padrón, Francisco (1988): *Atlas histórico cultural de América.* Las Palmas de Gran Canaria: Consejería de Cultura y Deportes.

Morales Padrón, Francisco (ed.) (1986): El *descubrimiento de América.* Serie Humanismo y Cultura, vol. V. Madrid: Dossat-Colegio Mayor Zurbarán.

Morel-Fatio, Alfred (1900): *Ambrosio de Salazar et l'étude de l'espagnol en France sous Louis XIII.* París: Alphonse Picard.

Moreno Fernández, Francisco (1992): «El español en Orán: notas históricas, dialectales y sociolingüísticas». *Revista de Filología Española,* t. 72, vol. 1-2, págs. 5-36.

— (1998): «El español en el norte de África, con especial referencia a Argelia». En C. Casado (ed.), *La lengua y la literatura españolas en África.* Madrid: Ministerio de Educación y Cultura, págs. 187-201.

— (2005): *Historia social de las lenguas de España.* Barcelona: Ariel.

— (2007): «Anglicismos en el léxico disponible de los adolescentes hispanos de Chicago». En K. Potowski y R Cameron (eds.). *Spanish in Contact. Policy, social and linguistic inquiries.* Amsterdam: John Benjamin, págs. 41-58.

— (2010): *La lengua española en su geografía. Manual de dialectología hispánica.* 2.ª ed. Madrid: Arco/Libros.

— (2014): «Fundamentos de demografía lingüística. A propósito de la lengua española». *Revista Internacional de Lingüística Iberoamericana,* 24: págs. 19-38.

Moreno Fernández, Francisco y Jaime Otero Roth (2007): *Atlas de la lengua española en el mundo.* Barcelona: Ariel.

Morison, Samuel (1991): *Admiral of the Ocean Sea. A life of Christopher Columbus.* Boston: Little, Brown and Company.

Morujão, Isabel (1995): *Literatura monástica feminina portuguesa*. Lisboa: Universidade Católica Portuguesa.

Nadal i Oller, Jordi (1984): *La población española (siglos XVI a XX)*. Barcelona: Ariel.

Nadeau, Jean-Benoît y Julie Barlow (2014): *La historia del español*. Nueva York: St Martin's Press.

Narbona, Antonio, Rafael Cano y Ramón Morillo (1998): *El español hablado en Andalucía*. Barcelona: Ariel.

Navarro, Tomás (1923): «Vuesasted, usted». *Revista de Filología Española*, X: págs. 310-311.

Nebrija, Antonio de (1492): *Gramática de la lengua castellana*. Salamanca. Ed. facsímil de A. Quilis. Madrid: Editora Nacional, 1981.

— (¿1495?): *Vocabulario español-latino*. Salamanca. Madrid: Real Academia Española, 1951.

Niederehe, Hans-Josef (1987): *Alfonso X el Sabio y la lingüística de su tiempo*. Madrid: SGEL.

— (1994): *Bibliografía cronológica de la lingüística, la gramática y la lexicografía del español (BICRES)*. Vol. I: *Desde los comienzos hasta el año 1600*. Ámsterdam: John Benjamins.

Nieto, Lidio y Manuel Alvar Ezquerra (2007): *Nuevo tesoro lexicográfico del español (s. XIV-1726)*. Madrid: Arco/Libros.

Norton, Frederick (1997): *La imprenta en España, 1501-1520*. Madrid: Ollero y Ramos.

Nussbaum, Arthur (1957): *A History of the Dollar*. Nueva York: Columbia University Press.

Obediente Sosa, Enrique (2007): *Biografía de una lengua. Nacimiento, desarrollo y expansión del español*. Mérida: Universidad de Los Andes.

Ochoa, George y Carter Smith (2009): *Atlas of Hispanic-American History*. Nueva York: Facts on File.

Oesterreicher, Wulf y Roland Schmidt-Riese (eds.) (2014): *Conquista y conversión. Universos semióticos, textualidad y legitimación de saberes en la América colonial*. Berlín: De Gruyter.

Oliver Asín, Jaime (1941): *Historia de la lengua española*. Madrid: Diana.

Olstein, Diego Adrián (2006): *La era mozárabe. Los mozárabes de Toledo (siglos XII y XIII) en la historiografía, las fuentes y la historia*. Salamanca: Universidad de Salamanca.

Organización de las Naciones Unidas (2001): *World Urbanization Prospects*. http://www.un.org/esa/population/publications/wup2001/WUP2001report.htm [Consultado: 22-mayo-2015]

Oviedo, Miguel (2001): *Historia de la literatura hispanoamericana*. 4 vol. Madrid: Alianza.

Parodi, Claudia (2010): «Tensión lingüística en la colonia: diglosia y bilingüismo». En P. Martín Butragueño y R. Barriga Villanueva (dirs.), *Historia sociolingüística de México*, México: El Colegio de México, vol. I págs. 287-345.

Pastor, José Francisco (1929): *Las apologías de la lengua castellana en el siglo de oro*. Madrid: Compañía Iberoamericana de Publicaciones.

Pedroviejo Esteruelas, Juan Manuel (2011): «Repercusiones lingüísticas de la colonización de América en el siglo XVI: origen y destino de los primeros pobladores». *Tonos Digital. Revista de Estudios Filológicos*, 21. Ed. en línea: http://www.tonosdigital.es/ojstest/index.php/tonos/article/view/684 [Consultado: 22-mayo-2015]

Pelegrín, Ana María; María Victoria Sotomayor y Alberto Urdiales (eds.) (2008): *Pequeña memoria recobrada: libros infantiles del exilio del 39*. Madrid: Ministerio de Educación.

Penny, Ralph (1993): *Gramática histórica del español*. Barcelona: Ariel.

Pérez, Joseph (2000): *Historia de España*. Barcelona: Crítica.

— (2013) [1993]: *Historia de una tragedia. La expulsión de los judíos de España*. Barcelona: Crítica.

Pérez Cantó, Pilar y Mó Romero, Esperanza (2005): «Las mujeres en los espacios ilustrados». *Signos Históricos*, 13: págs. 42-69.

Pérez Mallaina, Pablo (2005): *Spain's Men of the Sea. Daily Life on the Indies Fleets in the Sixteenth Century*. Baltimore: John Hopkins University.

Pérez Medina, Edmundo (1999): *Estrellas inolvidables del cine mexicano*. México: Mina Editores.

Pérez Nápoles, Rubén (2004): *José Martí: el poeta armado*. Madrid: Algaba.

Pérez Priego, Miguel Ángel (1991): *Juan del Enzina. Teatro completo*. Madrid: Cátedra.

Perona, José (1994): «Antonio de Nebrija, lexicógrafo». En R. Escavy, J. M. Hernández Terrés y A. Roldán (eds.), *Actas del Congreso Internacional de Historiografía Lingüística. Nebrija V Centenario*, vol. I. Murcia: Universidad de Murcia, págs. 449-476.

Pharies, David A. (2007): *A Brief History of the Spanish Language*. Chicago: The University of Chicago Press.

Pla Cárceles, José (1923): «La evolución del tratamiento "vuestra merced"». *Revista de Filología Española*, X: págs. 245-280.

Pountain, Christopher (2001): *A History of the Spanish Language through Texts*. London: Routledge.

Quesada, Miguel Ángel (2005): «Papel del español americano en la enseñanza de ELE». *I Congreso internacional: El español, lengua del futuro. Redele*. http://www.mecd.gob.es/dctm/redele/Material-RedEle/Numeros%20Especiales/2005_ESP_05_ActasFIAPE/Ponencias/2005_ESP_05_07Quesada.pdf?documentId=0901e72b80e4ceae [Consultado: 23-mayo-2015]

Quilis, Antonio (1992): *La lengua española en cuatro mundos*. Madrid: Mapfre.

Quilis, Antonio y Celia Casado (1995): *La lengua española en Guinea Ecuatorial*. Madrid: UNED.

— (2008): *La lengua española en Filipinas*. Madrid: CSIC.

Quintana, Aldina (2006): *Geografía lingüística del judeo-español*. Berna: Peter Lang.

Real Academia de la Historia (2015): *Biblioteca Digital*. Recurso en línea. http:// bibliotecadigital.rah.es

Real Academia Española (1726-1739): *Diccionario de la lengua castellana*. Madrid. Ed. facsímil en 3 vol. *Diccionario de Autoridades*. Madrid: Gredos, 1963.

— (1771): *Gramática de la lengua castellana*. Madrid. Ed. facsímil de R. Sarmiento. Madrid: Editora Nacional, 1984.

— (1780): *Diccionario de la lengua castellana*. Madrid.

— (1925): *Diccionario de la lengua española*, 15.ª ed. Madrid.

— (2013): *Corpus del Nuevo diccionario histórico del español (CDH)*. Madrid. Recurso en línea. <http://web.frl.es/CNDHE>

— *Corpus Diacrónico del Español (CORDE)*. Madrid. Recurso en línea. http:// corpus.rae.es/cordenet.html

— *Nuevo tesoro lexicográfico de la lengua española*. Madrid. Recurso en línea. http://ntlle.rae.es/ntlle/SrvltGUILoginNtlle

Real Academia Española y Asociación de Academias de la Lengua Española (2010): *Ortografía de la lengua española*. Madrid: Espasa.

Reglero de la Fuente, Carlos Manuel (2009): «Cluny en España. Los prioratos de la provincia y sus redes sociales (1073-ca. 1270)». *Bulletin du centre d'études médiévales d'Auxerre*, 13. http://cem.revues.org/11145. [Consultado: 22-mayo-2015]

Resnick, Melvyn (1981): *Introducción a la historia de la lengua española*. Washington: Georgetown University.

Reyes, Fermín de los (2005): «Segovia y los orígenes de la imprenta española». *Revista General de Información y Documentación*, vol. 15, n.º 1: págs. 123-148.

Rico, Francisco (1978): *Nebrija frente a los bárbaros*. Salamanca: Universidad de Salamanca.

Rico, Francisco (coord.) (1979-2000): *Historia y crítica de la literatura española*. Barcelona: Crítica.

Rivarola, José Luis (1990): *La formación lingüística de Hispanoamérica*. Lima: Pontifica Universidad Católica del Perú.

— (2000): *El español de América en su historia*. Valladolid: Universidad de Valladolid.

Rivera Quintana, Juan Carlos (2011): *Breve historia de Carlomagno y el Sacro Imperio Romano Germánico*. Madrid: Nowtilus.

Rodríguez Adrados, Francisco (2008): *Historia de las lenguas de Europa*. Madrid: Gredos.

Rodríguez-Ponga, Rafael (2009): *Del español al chamorro: lenguas en contacto en el Pacífico*. Madrid: Gondo.

Rosales, Francisco Arturo (2006): *Dictionary of Latino Civil Rights History*. Houston: Arte Público Press.

Rosenblat, Ángel (1970): *El castellano de España y el castellano de América. Unidad y diferenciación*. Madrid: Taurus.

— (2002): *El español de América*. Ed. de M. J. Tejera. Caracas: Biblioteca Ayacucho.

Ruiz Domínguez, María del Mar (1998): *Estudio socio-lingüístico del habla de Melilla*. Almería: Universidad de Almería.

Ruiz Torres, Pedro (2008): *Reformismo e Ilustración. Historia de España*, vol. 5, Josep Fontana y Ramón Villares (dirs). Barcelona: Crítica; Madrid: Marcial Pons.

Sacristán del Castillo, José Antonio y José Antonio Gutiérrez Fuentes (coords.) (2013): *Andrés Laguna, un científico español del siglo XVI*. Madrid: Unión Editorial–Fundación Lilly.

Salvador, Gregorio (1994): *Un vehículo para la cohesión lingüística: el español hablado en los culebrones*. Burgos: Caja de Burgos.

Salvatierra, Vicente y Alberto Canto (2008): *Al-Ándalus: de la invasión al Califato de Córdoba*. Madrid: Síntesis.

Sánchez, Aquilino (1992): *Historia de la enseñanza del español como lengua extranjera*. Madrid: SGEL.

Sánchez, José (1961): *Academias literarias del Siglo de Oro español*. Madrid: Gredos.

Sánchez-Albornoz, Claudio (1976-1980): *Viejos y nuevos estudios sobre las instituciones medievales españolas*. Madrid: Espasa-Calpe.

Sánchez-Albornoz, Nicolás (1973): *La población de América Latina desde los tiempos precolombinos al año 1000*. Madrid: Alianza.

— (2006): *Rumbo a América: gente, ideas y lengua*. México: El Colegio de México.

Sánchez García, María Remedios (2004): *Controversias sobre la situación de la lengua española a finales del siglo XIX. Valera frente a Cuervo*. En J. A. Moya Corral y M. I. Montoya Ramírez (eds.), *Variaciones sobre la enseñanza de la lengua: actas de las IX Jornadas sobre la Enseñanza de la Lengua Española*. Granada: Universidad de Granada, págs. 349-357.

Sánchez Méndez, Juan (2003): *Historia de la lengua española en América*. Valencia: Tirant lo Blanch.

Sánchez Miguel, Juan Manuel y Jesús María Ruiz Villamor (1998): *Refranero popular manchego y los refranes del Quijote*. Ciudad Real: Diputación de Ciudad Real.

Sánchez-Prieto Borja, Pedro (1996): «Sobre la configuración de la llamada ortografía alfonsí». *Actas del III Congreso Internacional de Historia de la Lengua Española*. Madrid: Arco/Libros, págs. 913-922.

— (1998): *Cómo editar los textos medievales*. Madrid: Arco/Libros.

Sánchez-Prieto Borja, Pedro (2002): «Fazienda de Ultramar». En C. Alvar y J. M. Lucía Megías (eds.), *Diccionario filológico de literatura medieval española. Textos y transmisión*. Madrid: Castalia, págs. 494-497.

— (2007): «El romance en los documentos de la catedral de Toledo (1171-1252): la escritura». *Revista de Filología Española*, 87-1: págs. 131-178.

— (2008): «La Biblia en la historiografía medieval». En G. del Olmo Lete (dir.), *La Biblia en la literatura española*. Vol. 1, t. 2. Madrid: Trotta, pp. 77-194.

Sánchez Salas, Gaspar (2010): *Diccionario geográfico popular de Madrid*. Madrid: La Librería.

Sanchis Guarner, Manuel (1960): «El mozárabe peninsular». En M. Alvar (ed.) *Enciclopedia lingüística hispánica*. Vol. 1, Madrid: CSIC, págs. 329-342.

Santamaría, Francisco J. (1942): *Diccionario general de americanismos*. Méjico: Editorial Pedro Robredo.

Schwanitz, Dietrich (2005): *La Cultura. Todo lo que hay que saber. La literatura europea*. Barcelona: Santillana-Punto de Lectura.

Seco, Manuel (1987): *Estudios de lexicografía española*. Madrid: Paraninfo.

Seoane, María Cruz y María Dolores Saiz (1983): *Historia del periodismo en España*. Madrid: Alianza.

Sierra, Leonor (2004): «Analfabetos y cultura letrada en el siglo de Cervantes: los ejemplos del Quijote». *Revista de Educación*, núm. extra., págs. 49-59.

Singul, Francisco (2010): *Historia cultural do Camiño de Santiago*. Vigo: Galaxia.

Smith, Colin (ed.) (1976): *Poema de mío Cid*. Madrid: Cátedra.

Solano, Francisco de (1991): *Documentos sobre política lingüística en Hispanoamérica (1492-1800)*. Madrid: CSIC.

Souto Garrido, Fátima (2002): «Notas sobre la enseñanza del español en Francia en la época de Luis XIII: la labor de los pedagogos españoles». En M. Á. Esparza Torres, B. Fernández Salgado y H.-J. Niederehe (eds.), *Actas del III Congreso Internacional de la Sociedad Española de Historiografía Lingüística*. Vol. 1. Hamburgo: Helmut Buske Verlag, págs. 465-479.

Spaulding, Robert (1943): *How Spanish Grew*. Berkeley: University of California Press.

Steiger, Arnald (1960): «Arabismos». En M. Alvar (ed.) *Enciclopedia lingüística hispánica*. Vol. 2, Madrid: CSIC, págs. 93-126.

Stern, Samuel (1948): «Vers finaux en espagnol dans les muwaššsahs hispanohébraiques». *Al-Andalus*, 13-2: págs. 299-346.

Tarín Iglesias, José (1972): *Panorama del periodismo hispanoamericano*. Biblioteca General Salvat. Navarra: Salvat Editores.

Todorov, Tzvetan (1987): *La conquista de América: el problema del otro*. México: Siglo XXI.

— (1991): *Nosotros y los otros*. México: Siglo XXI.

Torrens, María Jesús (2007): *Evolución e historia de la lengua española*. Madrid: Arco/Libros.

Torres, José Carlos de (1989): *Léxico español de los toros: contribución a su estudio*. Madrid: CSIC.

Tuñón de Lara, Manuel; Julio Valdeón, Antonio Domínguez Ortiz y Secundino Serrano (2003): *Historia de España*. 3.ª ed. Madrid: Ámbito.

Ueda, Hiroto y Toshihiro Takagaki (1993): *Varilex. Variación léxica del español en el mundo*. Tokio: Universidad de Tokio. Cuadernos periódicos desde 1993.

Valdés, Juan de (1535): *Diálogo de la lengua*. Ed. de Juan M. Lope Blanch. Madrid: Castalia, 1969.

Valdés Bernal, Sergio (2013): *La hispanización de América y la americanización de la lengua española*. La Habana: Editorial UH.

Valle, José del (ed.) (2013): *A Political History of Spanish. The Making of a Language*. Cambridge: Cambridge University Press.

Velázquez Soriano, Isabel (2004): *Las pizarras visigodas: entre el latín y su disgregación. La lengua hablada en Hispania, siglos VI-VIII*. Burgos: Instituto Castellano y Leonés de la Lengua.

Verdonk, Robert A. (1986): «La "Vida y hechos de Estebanillo González", espejo de la lengua española en Flandes». *Revista de Filología Española*, LXVI: págs. 101-109.

Vicens Vives, Jaume y Jordi Nadal Oller (1987): *Historia económica de España*. 6.ª ed. Barcelona: Vicens Vives.

Vicente, Ángeles (2008): *Ceuta: una ciudad entre dos lenguas*. Ceuta: Instituto de Estudios Ceutíes.

Vilaplana Persiva, Manuel (1997): *Historia del real de a ocho*. Murcia: Universidad de Murcia.

Villavicencio, Frida (2010): «Entre una realidad plurilingüe y un anhelo de nación. Apuntes para un estudio sociolingüístico del siglo XIX». En R. Barriga y P. Martín Butragueño (dirs.), *Historia sociolingüística de México*. Vol. 2. México: El Colegio de México, págs. 713-794.

Viñao, Antonio (1999): «Alfabetización y primeras letras (siglos XVI-XVII)». En A. Castillo Gómez (compilador), *Escribir y leer en el siglo de Cervantes*. Barcelona: Gedisa, págs. 39-84.

Walker, Geoffrey (1979): *Política española y comercio colonial: 1700-1789*. Barcelona: Ariel.

Weatherford, Jack (1997): *La historia del dinero: de la piedra arenisca al ciberespacio*. Santiago de Chile: Andrés Bello.

Whinnom, Keith (1956): *Spanish Contact Vernaculars in the Philippine Islands*. Hong-Kong, Londres, Nueva York: Hong-Kong University Press-Oxford University Press.

Williamson, Edwin (2013): *Historia de América Latina*. México: Fondo de Cultura Económica.

Wilson, Katharina (ed.) (1984): *Medieval Women Writers*. Athens: The University of Georgia Press.

Wilson, William E. (1946): «A Note on "Pochismo"». *The Modern Language Journal*, 30-6: págs. 345-346.

Wolf, Ferdinand y Konrad Hofmann (1856): *Primavera y flor de romances: Ó colección de los más viejos y más populares romances castellanos*, Vol. 1. Berlin: A. Asher y comp.

Wright, Roger (1989): *Latín tardío y romance temprano en España y la Francia carolingia*. Madrid: Gredos.

Wright, Roger (1991): *Latin and the Romance Languages in the early Middle Ages*. Londres-Nueva York: Routledge.

Zambrano, María (1960): *La España de Galdós*. Madrid: Endymion.

Zamora Vicente, Alonso (1999): *Historia de la Real Academia Española*. Madrid: Espasa-Calpe. 2.ª ed, 2015.

Índice de personajes
y palabras

Personajes

Palabras

Índice onomástico y temático

Mapas políticos:
España y América

Mapa político de España

Mapa político de América